D0298130

KLEI

GETILD!

Matthew Klein

GETILD!

De Fontein

Oorspronkelijke titel: *Con Ed*
Oorspronkelijke uitgever: Warner Books

Published by arrangement with Lennart Sane Agency AB.

Uitgeverij De Fontein, Postbus 1, 3740 AA Baarn
Vertaling: Karin Pijl
Omslagontwerp en foto: Hans van den Oord
Zetwerk: Text & Image
ISBN: 978 90 261 2250 7
NUR 332

www.uitgeverijdefontein.nl
www.matthewklein.org

Alle personen in dit boek zijn door de auteur bedacht. Enige gelijkenis met bestaande – overleden of nog in leven zijnde – personen berust op puur toeval.

‘Bedonderd worden zegt niets over iemands intelligentie.’

DAVID W. MAURER, *The Big Con*

Opmerking van de auteur

De gebeurtenissen in dit boek zijn fictief, op één na.

Op 27 april 1998 verkondigde een naamloze vennootschap gespecialiseerd in de vervaardiging van vleesverpakkingen en visolie, haar naam te veranderen in Zap.com, teneinde een 'internetportaal' en een '*e-commerce business*' te worden.

Vanwege dit nieuws stegen de aandelen van het bedrijf op de aandelenbeurs in New York met 98 procent.

Nu, zeven jaar later, is het bedrijf weer actief in vleesverpakkingen en visolie.

1

DE LOKVOGEL

1

HET IS DE EENVOUDIGSTE TRUC ter wereld, en elke gek kan hem uithalen, zelfs de mafkees die naast me zit.

Hij is vijfentwintig jaar, gekleed in een kaki broek en een Oxford-overhemd met stippen. Hij heeft fijne handen en draagt een bril. Ik denk dat hij een universitair geschoolde IT'er is. Hij heeft waarschijnlijk over de truc gelezen in een boek, of misschien op het internet, en wil hem nu uitproberen. Een verhaal om aan zijn vrienden te vertellen. Hier in de Blowfish heeft hij de perfecte plek gevonden om zijn kans te wagen: een vriendelijke kroeg zonder duidelijke schurken die zijn vingers zouden kunnen breken en ver genoeg van zijn huis om nooit meer langs de ingang te hoeven lopen.

Dus daar gaat-ie dan. Hij zit aan de bar, twee krukken bij mij vandaan. Hij praat met de man aan de andere kant van hem, een dikke vent in een slecht passend pak. De vlezige kerel heeft één doorlopende wenkbrauw op zijn voorhoofd en een grote zegelring aan zijn pink. Er zijn vast mensen die de zegelring tegen hun wang hebben gevoeld toen ze probeerden hem te beduvelen. Misschien heeft het IT'ertje niet zo'n goede intuïtie als hij zelf denkt.

De IT'er zegt tegen de Wenkbrauw: 'Weet je? Ik zit vandaag lekker in mijn vel. Heb je zin om een spelletje te spelen?'

De Wenkbrauw houdt een glas Johnny Walker bij zijn mond. Zijn hand is zo groot dat die het hele glas omvat, waardoor het glas extra klein lijkt. Hij kauwt op een ijsklontje en kijkt de jongen aan. In ongeveer een seconde neemt hij de jongen op. 'Oké,' antwoordt hij.

De jongen zegt: 'Het heet *Pot Game.* We zetten allebei geld in, pak 'm beet... twintig dollar.' Hij haalt een briefje van twintig uit zijn jaszak en legt het op de bar. 'Daarna bieden we op de pot.'

De Wenkbrauw denkt even na. Hij haalt een rolletje biljetten uit zijn jaszak. Een flinke rol papiergeld. Dat is nóg een slecht teken. Niemand loopt met zo veel contanten rond, tenzij hij in een bepaalde branche werkt. Een branche waarin men zijn wenkbrauwen optrekt voor bankrekeningen. Nu vind ik dat ik eigenlijk moet ingrijpen, de jongen moet tegenhouden voordat hij gewond raakt. Maar nog voordat ik in actie kan komen, pelt de grote man een briefje van twintig van zijn rolletje geld en legt het op de bar. 'Ik doe mee,' zegt hij.

'Oké,' antwoordt de jongen. Zijn gezicht is een mengeling van angst – zou hij het doorhebben? – en opwinding: dat hij de truc daadwerkelijk uitprobeert. Waarschijnlijk heeft hij er al weken, misschien maanden over nagedacht. Wat een geweldig verhaal om straks aan zijn IT-vriendjes te vertellen. 'Het is heel simpel. We bieden allebei op de pot. Degene die het hoogst biedt, wint hem. Begrepen?'

'Ja, ja,' antwoordt de grote man. Uit de blik op zijn gezicht maak je zo op dat rekenen nooit zijn sterkste punt is geweest. Maar de regels zijn eenvoudig en de jongen ziet er niet bedreigend uit...

De IT'er zegt: 'Oké. Er zit nu veertig dollar in de pot. Laat ik beginnen met twintig dollar voor de pot te bieden.'

De Wenkbrauw denkt even na. De pot is veertig dollar waard. De jongen is bereid er twintig voor te betalen. Nog steeds ruimte voor winst. De Wenkbrauw spuugt zijn ijsblokje in zijn glas en schudt het als een professionele dobbelaar. 'O ja?' zegt de man. 'Ik geef er vijfentwintig dollar voor.'

Hier zou de jongen moeten stoppen. Hij zou onzelfzuchtig met zijn hand moeten zwaaien, de vijfentwintig dollar uit de hand van de Wenkbrauw graaien, hem de pot toeschuiven en maken dat hij wegkomt met de winst van vijf dollar, voordat de Wenkbrauw argwaan krijgt. Maar de jongen is gretig. Niet vanwege het geld – daar heeft hij waarschijnlijk meer dan genoeg van, misschien miljoenen dollars aan aandelenopties in een bedrijf dat iets nutteloos verkoopt op internet. Nee, de jongen wil een beter verhááł. Hij ziet het al helemaal voor zich: vanavond zijn vrienden in een of andere hippe tent vertellen dat hij een havenarbeider – dat is het woord dat hij zal gebruiken, havenarbeider – heeft opgelicht voor genoeg poen om een rondje te kunnen geven en dus trakteert hij vanavond.

Dus zegt de IT'er: 'Jij biedt vijfentwintig?' Hij wrijft opzichtig over zijn kin en denkt na. 'Je bent een taaie. Oké, ik bied achtentwintig dollar.'

De Wenkbrauw gniffelt. Hij heeft de rekensom intussen gemaakt en hoeft niet lang na te denken. Elk bod onder de veertig dollar betekent winst. 'Dertig,' zegt hij tegen de jongen.

De jongen doet alsof hij achteruitdeinst. Hij zuigt lucht op, alsof hij net iets pittigs heeft gegeten. 'O jee. Je bent te duur voor mij. Jij wint. Ik neem je bod aan; de pot is voor jou.' Hij houdt zijn hand uit. De Wenkbrauw pelt een twintigje en een tientje van zijn rolletje en geeft die aan de jongen. De jongen stopt ze in zijn broekzak en zwaait gracieus met zijn hand over de dollars op de bar. 'De pot is van jou,' zegt hij.

Nu maakt de IT'er een grote fout. Hij blijft aan de bar hangen. De eerste regel voor een oplichterstruc is: laat het doelwit nooit weten dat hij is getild. De tweede regel is: als je de eerste regel overtreedt, ren dan hard weg. Maar de jongen drinkt rustig zijn bier op en kijkt naar de Giants op de televisie boven de bar. Uiteindelijk staat hij van zijn kruk op, betaalt zonder enige haast zijn rekening en gooit wat muntgeld op de bar. God, wat een hopeloos geval. Je moet je rekening altijd voldoen vóórdat je een truc uithaalt, want je moet er meteen vandoor kunnen gaan als de truc achter de rug is.

Ik zie de radertjes in het hoofd van de grote man draaien. Hij is duidelijk een crimineel; criminelen ruiken een zwendel sneller dan een brave burgerman. Dat komt door al die jaren dat hij zelf mensen heeft opgelicht. Als hij dertig jaar aan ballet had gedaan, zou hij een goede plié ook meteen herkennen. Intussen kijkt de IT'er op de televisie naar Barry Bond. Hij staat achter zijn barkruk en staart zorgeloos naar het scherm. Maar hij zal snel uit zijn droom geholpen worden.

'Wacht eens even,' zegt de Wenkbrauw. Hij knippert met zijn ogen, alsof hij last heeft van zweetdruppels. Het is echter stervenskoud in de kroeg. 'Dit klopt niet.'

De IT'er kijkt op van de televisie en beseft dat hij een fout heeft gemaakt. Als hij meteen naar huis was gegaan, had hij de hoogtepunten van Barry Bond thuis kunnen zien en zou hij zijn tien dollar en zijn fraaie voorkomen hebben behouden. Maar nu is niets meer zeker.

De Wenkbrauw zegt: 'Dacht je soms grappig te zijn?' De Wenkbrauw staat op van zijn kruk. Hij is nog twintig centimeter van de IT'er verwijderd. De IT'er begrijpt dat hij voor een schamele tien dollar in elkaar geslagen gaat worden. Of nog erger.

'Pardon?' vraagt de jongen. En dat is de juiste tactiek. De drie basisregels van een oplichterstruc zijn: ontkennen, ontkennen, ontkennen.

De Wenkbrauw houdt zijn gezicht vlak bij de jongen. De jongen snuift nu waarschijnlijk een vislucht op. De grote man zegt: 'Ik heb vijftig dollar neergeteld en jij hebt me veertig gegeven. Dacht je slim te zijn?'

De jongen wordt lijkbleek. Nu zal het verhaal dat hij aan zijn vrienden vertelt een stuk minder leuk zijn. En misschien zal hij het niet onder het genot van een chardonnay in een hippe tent vertellen, maar vanuit een ziekenhuisbed met infuus.

'Nee, luister –'

Te laat. De grote man geeft hem een rechtse hoek tegen zijn kaak. De armen van de jongen zwaaien in de rondte alsof hij wil opstijgen, en hij knalt tegen de bar. Hij kromt zijn rug en ligt slap als een vaatdoek over de bar, met zijn voeten nog net op de vloer. De Wenkbrauw grijpt de arme jongen bij de keel en knijpt die hard dicht. De bril van de jongen hangt scheef, een brillenpoot is helemaal losgeslagen, en achter de glazen puilen zijn ogen uit. 'Klein rotzakje,' zegt de Wenkbrauw. 'Dacht je mij te tillen? Dan heb je wel de verkeerde uitgekozen, vriend.' Hij reikt in zijn te kleine colbert en haalt een pistool tevoorschijn. Dat drukt hij tegen de kaak van de IT'er. Dit is beslist niet wat de jongen had ingecalculeerd toen hij over de wisseltruc las op het internet, of toen hij gisteravond voor de spiegel oefende.

Een gast met een pistool trekt altijd de aandacht van een barman. Deze stond helemaal aan de andere kant van de bar met een staafje in een glas te roeren toen het tumult begon. De barman is zelf ook een jonge twintiger. Niet al te luid roept hij: 'Ho, ho.' Uit zijn aarzeling is op te maken dat hij niet de kroegeigenaar is – hij is gewoon een werkstudent met vier uur pauze tussen colleges aan Santa Clara of Stanford. Tijdens zijn dienst heeft hij liever geen problemen in de bar, maar neergeschoten worden wil hij ook niet. Als hij mocht kiezen, verkoos hij problemen boven een schot. Terwijl hij beide handen in de lucht houdt, alsof hij degene is die bedreigd wordt, zegt hij: 'Laten we even rustig doen.' Ja, briljant idee. Laten we allemáál even rustig doen: alsof de jongen die met een rood gezicht op de bar ligt, met ogen die uit zijn gezicht puilen, zich momenteel asociaal gedraagt. Als de IT'er nou even rustig deed, door bijvoorbeeld niet zo luid te kreunen, zou er niets aan de hand zijn.

Dit vind ik een goed moment om in te grijpen. Ik sta maar ongeveer een meter bij de jongen die op de bar ligt te stikken vandaan, dus hoef ik niet luid te praten als ik zeg: 'Zo is het genoeg.' Deze actie vat mijn persoonlijkheid perfect samen: ik wacht te lang met alles, en daarna is het te weinig, te laat. Celia, mijn ex-vrouw, zou het beamen.

De Wenkbrauw draait zich naar me om zonder de jongen los te laten of het pistool te laten zakken. Hij heeft een uitdrukking op zijn gezicht die zegt: je meent het. Hij vindt het ongelooflijk dat een negenenveertigjarige grijsaard met een bierbuik en vermoeide ogen hem in een bar in Sunnyvale aanspreekt terwijl hij bezig is iemand te vermoorden. Hij werpt me vliegensvlug een blik toe en draait zich weer om naar de IT'er. 'Ik zal je een lesje leren.' Met zijn dikke duim trekt hij de pal naar achteren. Er volgt een klik.

De vingers van de IT'er graaien zwak naar de vlezige hand om zijn keel. De hand is genadeloos. Ik zie dat de jongen iets probeert te zeggen, maar hij kan niet ademhalen en geen geluid voortbrengen. Ik gok dat hij zoiets wil zeggen als: 'Het spijt me ontzettend.'

Ik sta op van mijn kruk zodat de Wenkbrauw me niet kan negeren. Rustig en zonder dreiging zeg ik: 'Kom op, het is nog maar een kind. Hij bedoelde er niets mee.'

'Bemoei je met je eigen zaken, vriend.' En terwijl hij de jongen nog steeds aanstaart, zegt hij: 'Hij heeft geprobeerd me te tillen.'

'Hij heeft zijn lesje geleerd. Luister, hij heeft je voor tien dollar geflest. Ik geef je twintig dollar om het goed te maken.' Ik graai in mijn achterzak en haal mijn portefeuille tevoorschijn. Ik kijk erin en hoop dat ik inderdaad twintig dollar heb. Helaas heb ik alleen maar een briefje van tien en een paar armzalige biljetten van een dollar, slap als dagen oude sla. Oeps. 'Hier, neem alles wat ik heb. Het is bij elkaar zestien dollar, dus heb je nog steeds winst. En de jongen weet dat hij je nooit meer lastig moet vallen. Je hebt hem een wijze les geleerd.'

De grote man draait zich naar me om. Hij laat het pistool zakken. Het is niet duidelijk of hij zich terugtrekt of dat hij van positie verandert en nu míj onder vuur neemt. 'Ben jij een beschermengel of zo?' vraagt hij.

'Gewoon een bemoeial die niet weet wanneer hij zijn mond moet houden,' geef ik toe. Ik haal de biljetten uit mijn portefeuille en hou ze naar hem op. Hij laat de jongen los, die van de bar glijdt en op de grond valt. De Wenkbrauw graait het geld uit mijn hand en telt het. Hij stopt het in de achterzak van zijn broek. Hij laat het pistool weer in zijn jas zakken en wendt zich weer tot de jongen. De IT'er wrijft in zijn nek. Hij heeft vijf paarse plekken rond zijn keel, een voor elke naar knoflook stinkende vinger, als een versleten bladzijde in het boek met vingerafdrukken op een politiebureau.

'Je geluksdag,' zegt de Wenkbrauw tegen de jongen. Hij is duidelijk een professional, want hij weet precies welke les de jongen niet heeft begrepen: altijd weglopen als je winst hebt gemaakt. Hij zal niet in de kroeg blijven hangen om op de politie te wachten, die beslist onderweg is. En nu ik erover nadenk, ik ook niet.

De Wenkbrauw glimlacht naar de jongen met een gezicht dat uitdrukt dat helemaal niets in de wereld grappig is. Hij knikt naar me en loopt de kroeg uit. De ogen van de jongen volgen hem en staren daarna ruim tien minuten naar de grond. Hij wacht af of de Wenkbrauw van gedachten verandert en terugkomt. Als duidelijk is dat de Wenkbrauw dit niet doet, kijkt de jongen naar me op. 'Bedankt,' fluistert hij.

Ik kniel naast hem neer. Zijn ogen zijn vochtig van de verstikking of van het huilen. Ik denk niet dat hij vanavond nog met zijn vrienden afspreekt. Eigenlijk vind ik dat ik hem advies moet geven over het uithalen van trucs, hem moet leren om te maken dat hij wegkomt voordat het doelwit hem doorheeft. Maar dan besluit ik dat zijn oplicherspraktijken vast verleden tijd zijn, en dat hij morgen weer verslagen schrijft, of vergadert met durfkapitalisten, of wat het ook moge zijn waar hij goed in is. Wisseltrucs uithalen hoort daar in elk geval niet bij.

Dus besluit ik het advies achterwege te laten. Ik heb iets anders wat ik tegen de jongen wil zeggen. Ik zeg het zachtjes, zodat niemand anders in de kroeg het hoort. Als hij ziet dat ik iets wil zeggen, draait de jongen zijn oor naar me toe, alsof hij maar wat graag wijze raad ontvangt. Maar ik denk aan mijn lege portefeuille en het feit dat ik die maffioso mijn laatste zestien dollar aan cash geld heb gegeven. Dus zeg ik tegen de jongen: 'Hé, zou je me die zestien dollar willen terugbetalen?'

Als ik de Blowfish verlaat, zit er veertig dollar in mijn portefeuille. Dat was alles wat de jongen nog had, en hij was blij me alles te geven wat hij had. Hij bood zelfs aan om een cheque voor me uit te schrijven voor nog meer geld – 'ik kan het lijden,' verzekerde hij me, alsof ik daar ook maar een moment aan had getwijfeld – maar ik sloeg het aanbod af. Deels omdat ik een goede jongen ben, deels omdat ik er de voorkeur aan geef geen sporen achter te laten.

Je vraagt je misschien af of ik de jongen geholpen heb omdat ik dacht dat ik zelf winst kon maken. Ik ging de kroeg binnen met twintig dollar (en gaf er vervolgens vier uit aan bier) en ging weg met veertig. Maar ik liep wel af op een vent die met een pistool zwaaide. Een vent die zich erg op zijn gemak leek te voelen met een wapen, alsof hij er regelmatig een vasthield. Vraag jezelf dus af: zou jíj op een vent met een pistool afstappen en proberen een ruzie om veertig dollar te beslechten? Je moet wel enigszins wanhopig zijn, wil je zoiets voor veertig dollar doen, of niet? Wat voor iemand denk je dat ik ben?

Maar vooruit. Ja. De gedachte aan een kleine winst is wel even door mijn hoofd geschoten. Heel even maar.

Als ik de kroeg verlaat is het tijd om naar huis te gaan. Het is zes uur, dus heb ik het spitsuur perfect getimed. Het komende uur zal ik met maar liefst twintig kilometer per uur richting mijn appartement in Palo Alto rijden. Had ik Sunnyvale een uur eerder verlaten, of een uur later, dan had ik mijn forenzentochtje met de helft kunnen verkorten. Maar dat zou duiden op gezond verstand, iets wat ik ontbeer.

Ik loop naar mijn auto en druk op het knopje van de afstandsbediening. De Honda tjilpt opgewekt. Achter me hoor ik rennende voetstappen. Ik hoef me niet om te draaien om te weten dat het vrouwenhakken zijn.

Ik draai me om. Ze loopt en rent half in mijn richting. Ik herken haar uit de kroeg. Ze zat aan een tafeltje achterin, nauwelijks zichtbaar in het donker. De enige reden dat ze me opviel, was haar grote zonnebril, à la Jackie Onassis. Er zijn maar weinig mensen die in een kroeg een zonnebril dragen.

Ze is blond, in de twintig, broodmager, met grote borsten die onmogelijk echt kunnen zijn. Ze draagt een donkere, strak zittende Schotse broek – met omslag maar strak om de heupen en de billen – en een beige kabeltrui. Ze heeft duidelijk geprobeerd zich onopvallend te kleden, heeft geen argwaan willen wekken, maar ze heeft de schoonheid van een fotomodel. Een vrouw als zij kan onmogelijk géén argwaan wekken.

Ter introductie zegt ze: 'Dat was aardig van je, wat je daar deed.'

Ik neem aan dat ze niet heeft gezien dat ik veertig dollar van de jongen heb aangenomen. Of misschien ook wel, dan houdt ze er dubieuze normen en waarden op na.

'Dank je,' zeg ik.

'Je was zo snel weg. Ik was je bijna misgelopen.'

Ik kijk haar met een aarzelende glimlach aan, beleefd maar niet al te belangstellend.

'Mag ik je een drankje aanbieden?'

Hier volgt een les voor alle mannen. In de hele geschiedenis van de wereld heeft een vrouw een vreemde man nog nooit een drankje aangeboden, tenzij ze iets van hem wil. Dus sla jezelf niet meteen te hoog aan. Je ziet er écht niet zo goed uit, je bent echt niet zo rijk of zo grappig, of wat je ook denkt dat je bent. Als een vrouw je een drankje aanbiedt, ben je maar één ding: een sukkel die op het punt staat geplukt te worden.

'Oké,' antwoord ik. Ik kan het niet helpen. Ze ziet er goed uit. Een beetje te jong voor mij, maar wat is het alternatief? In de file staan? Alleen drinken in mijn appartement? 'Maar niet in die kroeg.'

'Dan gaan we toch naar een andere?'

'Mij best.'

We lopen naar een andere kroeg, een straat verderop, de Ierse pub McMurphy's. Er is niets Iers aan de kroeg, op de 'Mc' op het uithangbordje na. Maar zelfs dat lijkt niet echt – het is in een andere kleur verf geschilderd dan de rest van de tekst op het bordje, alsof de kroegbaas er pas later op was gekomen – waarschijnlijk geïnspireerd door de ontdekking op het allerlaatste moment dat er nog een Murphy's aan de oostkant van de stad is. De kroeg zit vol met jongelui die net van hun werk komen. Ze zijn casual gekleed in spijkerbroek en T-shirt. Aangezien we ons hier in het middelpunt van het internetuniversum bevinden, op het hoogtepunt van de internethype, ga ik ervan uit dat deze jongelui programmeurs zijn en dat elk van hen meer verdient dan ik ooit heb gedaan, zelfs op het toppunt van de Kip Largo Hausse. Heb je nog nooit van de Kip Largo Hausse gehoord? Het was een korte glorieuze periode in het leven van Kip Largo – ik dus – voordat ik de bak in draaide. Ik was goed voor wel twintig miljoen dollar. Nu niet meer. Wil je het hele verhaal horen? Heb geduld; dat komt wel.

Jackie O en ik zitten aan een tafeltje achterin, ver bij de programmeurs vandaan. Ze loopt naar de bar en bestelt onze drankjes. Al snel is ze weer terug met een whisky met ijs voor mij en voor zichzelf een droge martini. Ze heeft nog steeds haar grote donkere zonnebril op. Ik vermoed dat ik daaronder twee dingen zal ontdekken: een mooi gezichtje en blauwe plekken. Zoals ik al zei, dragen de meeste vrouwen in een donkere kroeg geen zonnebril.

Als ze gaat zitten zegt ze: 'Je bent dus van de politie?'

Ik lach.

'Waarom lach je?'

'Omdat ik allesbehalve een smeris ben.'

'Hoe bedoel je? Ben je een crimineel?'

'Wás,' antwoord ik. Ik heb geleerd om dit onderwerp zo snel mogelijk uit de weg te ruimen. Hoe langer je wacht, hoe erger de ander zich verraden voelt. Zodra je het feit dat je een ex-crimineel bent, later dan één dag na de eerste ontmoeting meedeelt, voelen ze zich al bedrogen. Het is beter om de verwachtingen laag te houden en ze vervolgens te overtreffen. 'Ik heb een tijdje in de bak gezeten en ben nu een jaar vrij.'

'Wat had je op je kerfstok?'

Ik kan op haar gezicht lezen dat ze eigenlijk wil weten of ik iemand heb vermoord. Of ik gevaarlijk ben.

'Kleine vergrijpen,' antwoord ik vaag. Het klinkt alsof ik een paar doosjes paperclips uit de voorraadkast op het werk heb gejat. 'Niets ernstigs.' Dit is niet bepaald de waarheid. Ik heb vijf jaar in een federale gevangenis gezeten voor aandelen- en postfraude. Het was behoorlijk ernstig toen ik eenmaal werd opgepakt.

'Juist,' zegt ze. Ze probeert deze nieuwe informatie te verenigen met wat er in de Blowfish is gebeurd, waar ik de barmhartige Samaritaan was en een jongen redde van een gebroken kaak, of erger. Hoe kan ik haar uitleggen dat ik een oplichter ben? Dat ik altijd een passie voor oplichterij heb gehad? Dat als ik zie dat een slecht uitgevoerde truc verkeerd dreigt af te lopen, ik me er altijd mee wil bemoeien om advies te geven? Het is te vergelijken met Renoir die een bezoekje brengt aan zo'n kunstacademie die adverteert op de achterkant van wiskundeboeken. Hij ziet een kind een portret van Dombo het Vliegende Olifantje schilderen en zou van afschuw vervuld zijn. Hij zou zijn handen in de lucht gooien en schreeuwen: 'Nee, nee! Zo moet dat niet!'

'Maar dat is allemaal verleden tijd. Ik ben nu een gewone jongen die probeert de draad weer op te pakken.'

Ze staart me aan. Er zit haar iets dwars. 'Je komt me zo bekend voor.'

Nu komt het. Hier proberen ze mijn gezicht te plaatsen. De meeste mensen kost het een paar minuten. Nadat ze het hebben opgegeven en ik het hun vertel, worden ze overspoeld door opluchting. Natuurlijk, zeggen ze, ik wist het. Vervolgens blijven ze me aanstaren en ze vergelijken mijn huidige gezicht met het gezicht dat ze zich herinneren. Ik zie hun gezichtsuitdrukking veranderen in een blik die droefheid uitstraalt. Ik ben een levende illustratie van de uitdrukking 'de tijd is niemand gunstig gezind.' Eens was ik iedere week op de televisie te zien, gewoonlijk laat op de avond, in een reclamespotje waarin ik klanten lokte om een dieet te volgen in de vorm van een spel kaarten. Het heette 'Het Dieetspel'. Misschien herinner je je het. Je deelde jezelf een willekeurige kaart toe, bijvoorbeeld met een afbeelding van een biefstuk, en dan mocht je biefstuk eten. Als je jezelf een afbeelding van een gestoomde broccolistronk toedeelde, mocht je broccoli eten. Er zat niet veel denkwerk achter, behalve dat er slechts één biefstuk in elk kaartspel van tweeënvijftig kaarten zat, tegen vijf broccolistronkjes en vijf appels. Ik vermoed dat als een dikkerdje zichzelf een broccoli toedeelde, ze zou beweren dat ze niet goed geschud had en zichzelf nog een kaart zou toedelen, en nog een, en nog een, totdat ze eindelijk kreeg wat ze wilde: de popcornkaart of de chocoladekaart.

'Ik was op de televisie,' zeg ik om haar uit haar misère te helpen. 'Het Dieetspel.'

'O,' zegt ze. 'Was *jíj* dat?' Nu begint de vergelijking. Ik zat in het deel van de gevangenis dat onveilig was. Maar 'onveilig' is niet wat je denkt. Het gaat hier niet om een countryclub, tenzij je het hebt over een countryclub waar professionele golfspelers regelmatig rectale onderzoeken ondergaan, waar de tennisbanen twee keer per dag worden afgesloten om koppen te tellen, en waar je wordt neergestoken omdat je per ongeluk iemands doucheschuim hebt gebruikt. Vijf jaar lang geen controle hebben – volgens het schema van iemand anders leven, alleen kunnen schijten als je daar toestemming voor hebt, vierentwintig uur per dag zichtbaar zijn voor de bewakers, vreemde soorten vlees eten met slagaderlijke dwarsprofielen – deze vijf jaren hebben mijn gezicht veranderd van dat van een knappe acteur uit B-films in een loser uit C-films. Je bent nooit meer dezelfde als je vrijkomt. Elke ex-gevangene zal dat beamen.

'Mijn televisiedagen liggen ver achter me,' zeg ik. 'Zoals ik al zei, ben ik gewoon een normale vent die probeert zijn brood op een eerlijke manier te verdienen.'

Ze denkt even over mijn woorden na, en uiteindelijk zegt ze: 'Jammer.'

Ik glimlach. Haar opmerking is zo perfect, zo verrassend dat ik wel moet happen. 'Hoezo?'

'Ik heb een klus voor je.'

'Wat voor klus?'

Ze trekt haar schouders op.

'Ik heb geen interesse,' zeg ik.

'Je weet niet eens wat het inhoudt.'

'Dat hoeft ook niet. Luister, dame, je wilde een drankje met me drinken. Een gratis drankje sla ik nooit af. Ik vond het gezellig.' Ik hou mijn glas whisky op om haar te laten zien hoezeer ik ervan genoten heb en ook om haar te tonen wat er nog van over is. Het verbaast me dat er nog een paar slokken in zitten. Ik giet de drank achterover en zet mijn glas neer. 'Maar ik heb al een baan, en ik ben er erg blij mee.'

Ik werk bij Economy Cleaners – een stomerij en wasserette in één – in Sunnyvale. Hiervoor krijg ik tien dollar per uur betaald, plus fooi. Geef jij weleens fooi in een stomerij? Dat dacht ik al. In het jaar dat ik daar nu werk, heb ik drie keer fooi gevangen. Twee keer ging het om muntgeld dat per ongeluk uit iemands broek was gevallen.

'Ik betaal je honderd,' zei ze.

'Dollar?'

'Nee.'

'Honderddúízend?'

'Ja.'

'Dat klinkt aanlokkelijk,' zeg ik. 'Maar toch bedankt.'

'Wil je niet weten wat de klus inhoudt?'

'Nee.'

'Weet je wie mijn man is?'

'Nee.'

Als om haar eigen vraag te beantwoorden, zet ze haar zonnebril af. Zoals ik al vermoedde, heeft ze een blauw oog. 'Hij heet Edward Napier. Weet je wie dat is?'

Dat weet ik. Hij is een Las Vegas-magnaat. Een impresario, zoals de media zouden zeggen. Ik neem aan dat hij zo genoemd wordt omdat hij een impressie op mensen achterlaat. En waarom ook niet? Hij is eigenaar van casino The Clouds op de *Strip*. Hij is lang en aantrekkelijk, en zonder overdrijven goed voor een miljard. Verder heeft hij banden met de maffia. Let wel, dat is nooit bewezen. Maar mensen die te hard met hem onderhandelen verdwijnen ineens. Zo worden er zaken gedaan.

Nu hij Las Vegas heeft veroverd, is Ed Napier naar Silicon Valley gekomen. Recentelijk heeft hij zichzelf geïntroduceerd als een durfkapitalist. Hij heeft met geld in de rondte gestrooid en tientallen miljoenen in internetbedrijven geïnvesteerd. In de *Wallstreet Journal* stond een interview met hem. Hij zou onder andere gezegd hebben dat hij, als het stof was opgetrokken, een klein percentage van de Nieuwe Economie zou bezitten. Niet veel mensen twijfelen aan hem; dat wil zeggen, niet hardop.

'Nee,' zeg ik. 'Wie is dat dan?'

Ze glimlacht. 'Het is een eenvoudige klus.'

Een eenvoudige klus die honderdduizend dollar oplevert, bestaat niet. Tenzij je nieuwslezer of senator bent. 'Zoals ik al zei: nee bedankt.' Ik sta op.

'Ga je weg?'

'Ja.'

'Waarom?'

'Omdat ik je niet geloof. Ik geloof niet dat je me toevállig in een kroeg hebt gezien. Ik denk dat je weet wie ik ben, en dat dit allemaal doorgestoken kaart is.'

'Maar ik zweer je –'

'O, je zweert? Nou, in dat geval...' Ik ga weer zitten.

Ze kijkt verrast.

'Grapje,' zeg ik. Ik sta weer op. 'Laatste kans. Wie heeft je gestuurd?'

'Niemand.'

'Tot ziens.' Ik draai me om en wil weglopen.

'Wacht,' zegt ze. Ze trekt aan mijn broekspijp. 'Hier.'

Ik draai me naar haar om. Ze geeft me een visitekaartje. LAUREN NAPIER staat erop. Verder alleen een telefoonnummer. Geen functienaam. Geen adres. 'Dat is het nummer van mijn mobiele telefoon,' zegt ze. 'Je kunt me altijd bellen.'

'Waarom zou ik dat doen?'

'Omdat je misschien nog van gedachten verandert.'

'Daar zou ik niet op rekenen,' zeg ik. 'Bedankt voor het drankje.' Ik laat mevrouw Lauren Napier aan het tafeltje achter en ren naar mijn Honda. Als ik mazzel heb, bestaat mijn rit naar huis uit precies een uur in de hete zon op de snelweg.

Om zeven uur ben ik thuis. Het is zomer, dus is het nog lang licht.

Ik woon in een flatgebouw met vier verdiepingen in het centrum van Palo Alto. Het is nog niet helemaal vervallen, maar het voldoet ook niet meer aan de standaard van de buurt. Het flatgebouw wordt omgeven door prachtige appartementencomplexen die met een hekwerk zijn afgesloten, waar eenkamerappartementen voor een half miljoen van de hand gaan. Mijn flatgebouw is opgetrokken uit oud, goedkoop gipspleister. Het heeft een open parkeerterrein, de rotte appel van de buurt. Mijn huurbaas, die in het appartement boven mij woont, is negentig jaar oud. Hij heeft het gebouw in 1958 gekocht, lang voordat de streek bekend werd als Silicon Valley. De eerste tien jaar dat hij het gebouw in zijn bezit had, hield hij een kippenren in de achtertuin. Tegenwoordig rekent hij vierhonderd dollar huur voor mijn eenkamerappartement, terwijl de markt er twaalfhonderd dollar per maand voor zou vragen. Het is me niet duidelijk of zijn beleid het gevolg is van koppig fatsoen of seniliteit.

In ruil voor de lage huur help ik hem met dingen. Ik hoef niet veel te doen: de heg knippen, elke dinsdag de vuilnis bij de weg zetten, en de man van Sears bellen als de gemeenschappelijke wasmachine kuren heeft.

Vandaag loopt meneer Grillo me al tegemoet als ik kom aanrijden. Hij draagt een onderhemd met eroverheen een badstoffen badjas. Hij schuifelt naar mijn auto en vraagt: 'Kip, kun jij het peertje boven verwisselen?' Hij is een kleine man, verschrompeld en versleten als een uitgekauwd hondenspeeltje. Hij spreekt met een Italiaans accent. Zijn levensverhaal heb ik ontelbare keren gehoord: hij kwam tijdens de Depressie uit Italië naar de Verenigde Staten, werkte bij Shift, een vleesverpakkingsfabriek in San Francisco, verdiende een redelijk salaris en begon onroerend goed op te kopen terwijl de rest van zijn familie hem bespotte omdat hij te veel betaalde voor boerenland in de rimboe – Palo Alto. Nu levert de grond waarop het flatgebouw staat waarin ik woon – midden in het centrum, het middelpunt van de grootste hausse in de geschiedenis van het kapitalisme – een miljoen dollar op wanneer hij het zou verkopen. De kans bestaat dat hij dat nooit zal doen. Dus zullen zijn erfgenamen het geld krijgen. Ik signaleer ze regelmatig. Ze bezoeken hem nu frequenter, alsof ze voelen dat de dood nadert. Er is niets wat liefde sterker maakt dan geld.

'Geen enkel probleem, Delfino,' zeg ik.

Hij gaat me voor. Zijn slippers schuifelen over het beton. Ik loop achter hem aan terwijl hij om het gebouw heen sloft en de trap beklimt. Op de begane grond zijn twee woningen: die van mij en die van een jonge gescheiden vrouw, en op de eerste verdieping ook: die van Delfino en die van een professor aan Stanford. Het kost Delfino ruim een minuut om de dertien treden naar boven te beklimmen. Uiteindelijk bereikt hij de galerij van de eerste verdieping. Hij wijst naar een gloeilamp aan het plafond. 'Die daar,' zegt hij. Hij graait in de zak van zijn badjas en haalt er een peertje uit tevoorschijn, alsof hij een goocheltruc opvoert. Hij geeft het aan mij.

Ik kijk naar de fitting aan het plafond. Als ik op mijn tenen ga staan, kan ik er misschien net bij. Ik rek me uit en hou mijn handen hoog in de lucht om de glazen kap eraf te draaien. Ik bevind me gevaarlijk dicht bij de rand van de betonnen trap. Ik maak de kap los. Mijn lichaam spant zich.

Van onder aan de trap roept een stem: 'Delfino, nee!'

Ik laat de glazen kap bijna vallen en kijk naar beneden. Het is de kleinzoon van meneer Grillo, die de trap op holt.

Hoewel Delfino hem zijn kleinzoon noemt, is hij niet echt familie. Hij is de echtgenoot van de kleindochter van meneer Grillo. Wat betekent dat hij nog net op tijd in de familie van Delfino is gekomen. Jarenlang kwam de kleindochter slechts sporadisch bij de oude man op bezoek. Maar nu meneer Grillo op zijn eind loopt, en zijn bezittingen op het punt staan verdeeld te worden, laat de kleinzoon zich geregeld zien. Misschien hoort hij een kassa rinkelen.

De kleinzoon komt ergens uit het Midden-Oosten, Egypte misschien. Hij heeft donkere krullen en een getinte gelaatskleur. Zijn Engels is vrijwel accentloos. Van beroep is hij makelaar in onroerend goed. Hij ziet eruit als een man die de gewoonte heeft de waarde van dingen te taxeren.

Laatst vertelde Delfino me dat deze kleinzoon hem helpt met zijn administratie – rekeningen, bankafschriften, belastingen. Het is niet alleen omdat ik een ex-crimineel ben, dat ik iets verdachts ruik. Het zou me niet verbazen als meneer Grillo's testament is gewijzigd, misschien zelfs zonder zijn medeweten.

Maar net zoals alle oudere slachtoffers, vermoedt meneer Grillo niets. Hij noemt zijn kleinzoon teder zijn 'Arabier', alsof de jongen een paard is. Ik denk dat de kleinzoon het hoogst irritant vindt, maar hij weet het goed te verbergen. Nog een jaartje of twee, zegt hij vast tegen zichzelf.

De Arabier vliegt de trap op, om zich ervan te verzekeren dat ik zijn grootvader niet verder help. Niemand mag op dit moment tot meneer Grillo toegelaten worden, niet nu er testamenten gewijzigd worden. Hij voegt zich bij ons op de galerij. 'Delfino, hoe vaak heb ik het je al gezegd?' vraagt hij boos, alsof hij het tegen een kind heeft. 'Je mag huurders niet vragen om klusjes op te knappen.'

'Ik vind het helemaal niet erg...' begin ik.

Hij negeert me. Alsof ik niet besta, vervolgt hij: 'De volgende keer bel je míj.'

Meneer Grillo lacht goedhartig. Hij is slechthorend, dus het is niet zeker of hij heeft gehoord of begrepen wat zijn Arabier zei. Hij wendt zich tot mij. 'Dat is mijn kleinzoon,' legt hij uit. 'Mijn Arabier.'

'Ja,' zeg ik vriendelijk. 'Dat weet ik.'

De kleinzoon houdt zijn handpalm naar me op. Het duurt even voordat tot me doordringt dat hij om het peertje vraagt. Ik geef het hem. 'Ik handel het verder wel af,' zegt hij tegen me.

Of hij het peertje bedoelt of het onroerend goed onder zijn voeten, is onduidelijk.

'Prima.' Ik wend me tot meneer Grillo. 'Pas goed op uzelf, meneer Grillo.'

Meneer Grillo gniffelt. Misschien weet hij wat er gaande is, misschien niet. Zonder nog een woord tegen de Arabier te zeggen, vertrek ik naar mijn appartement.

Mijn appartement bestaat uit een woonkamer, een slaapkamer, een keukentje, een oud elektrisch gasfornuis waarvan drie van de vier pitten het nog doen, groen tapijt dat stamt uit de tijd van president Eisenhower, en twee gebroken ramen die zijn vastgezet met isolatietape en plakband. Verder is er een badkamer met een afzuigsysteem dat klinkt als de machinekamer van de Queen Elizabeth II. Als er iets kapotgaat, val ik meneer Grillo daarmee niet lastig. Zoals ik al zei rekent hij maar vierhonderd dollar per maand huur.

In mijn woonkamer staan een computer en talloze dozen gevuld met vitaminen. Ik run een internetbedrijfje in voedingssupplementen. Het heet MrVitamin.com. Het is helemaal legaal, jammer genoeg...

Ik verdien er ongeveer twintig dollar per maand mee.

Ik moest achthonderd potjes vitaminen van de groothandel afnemen om een redelijke korting te krijgen. Mijn woonkamer ziet er dan ook uit als een pakhuis, volgestapeld met dozen vitamine E, betacarotene, multivitaminen en seleniumtabletten. Mocht de wereld ooit overstappen op een economie die gebaseerd is op selenium, dan mag ik me een rijk man noemen.

Voorlopig is het nog droevig met me gesteld. Ik strompel over de dozen vitaminen naar mijn computer. Die staat op een oude gammele speeltafel. Ik had mijn programmeur gevraagd om een programma te schrijven waarmee ik de meest recente verkoopresultaten kan zien. Hij ontwierp een screensaver voor me met een vitaminepilletje dat over het scherm stuitert. In de vitaminepil is het dagelijkse verkoopresultaat te lezen. Volgens mijn stuiterende vitamine heb ik vandaag, terwijl ik aan het werk was, voor 56,23 dollar aan vitaminen verkocht. Mijn brutomarge is ongeveer zeven procent. Dat betekent dat ik vandaag 3,94 dollar heb verdiend. Het kost me ongeveer tien dollar per dag om de website draaiende te houden. Ik verlies dus bij elke verkoop geld, maar hoop het met volume goed te maken.

In de keuken luister ik mijn antwoordapparaat af. Er zijn twee berichten. Het eerste is van Peter Room, mijn programmeur. Ik ontmoette Peter toen ik nog in de business van dieetspellen zat. Toen de verkoop een snelle groei doormaakte, kreeg ik honderden bestellingen per dag. Onze telefonisten schreven de aanvragen op indexkaarten. Ik besefte dat ik een professionele computerdatabase nodig had om alle namen en adressen van de dikkerdjes in op te slaan en om de bestellingen te ordenen. Anderson Consulting bood aan om op maat gemaakte software voor me te schrijven en te installeren voor vijfenzeventigduizend dollar op voorhand, plus tienduizend dollar per maand aan onderhoudskosten. Dat klonk me een beetje overdreven in de oren, dus fietste ik naar de campus van de Stanford-universiteit en hing een handgeschreven briefje aan een boom waarop stond: GEVRAAGD: COMPUTERPROGRAMMEUR. 10 DOLLAR P/U. Ik kreeg twintig reacties. Een was van Peter Room. Toen ik uiteindelijk naar de gevangenis in Lompoc werd gestuurd, had ik Peter in totaal twintigduizend dollar betaald. Ik weet zeker dat negentienduizend dollar ervan in de zak van Peters hasjdealer Miguel is verdwenen. Ik had het voor ons allemaal gemakkelijker kunnen maken door een directe deal met Miguel te sluiten.

In zijn bericht vertelt Peter me dat hij klaar is met het softwareprogramma voor mijn website: automatische, zichzelf herhalende bestellingen. Dit is het idee: mensen slikken elke dag vitaminepillen, dus in principe gaat een potje van dertig pillen precies een maand mee. Waarom zouden klanten dan elke maand terug moeten klikken naar MrVitamin.com om een nieuwe bestelling te plaatsen? Ik vroeg Peter om een programma te schrijven waarin klanten een verzoek konden indienen tot automatische, maandelijkse levering van vitaminen. Een keer per maand wordt er een bedrag van hun creditcard afgeschreven en wordt een nieuw potje multivitaminen geleverd. Automatisch.

Ik weet wat je denkt: in het verleden, vóór mijn tijd in de Lompocgevangenis, zou ik mijn klanten misschien niet verteld hebben dat ze zich automatisch voor deze service hadden ingeschreven. En misschien zou er ook veel vaker afgeschreven worden dan geleverd. Maar dat was de oude ik. Nu ben ik een brave burgerman. Braver vind je ze niet.

In zijn bericht vertelt Peter me het goede nieuws: de zich herhalende bestellingen zijn nu beschikbaar op MrVitamin.com. Daarna schraapt hij zijn keel. 'Dus, eh, luister...' zegt hij. 'Misschien kunnen we binnenkort mijn honorarium vaststellen?'

Peter is een goeie jongen. Sinds ik uit de gevangenis ben, heb ik hem nog geen cent betaald. Ik vermoed dat er een einde is gekomen aan zijn geduld en vrijgevigheid. Waarschijnlijk ben ik hem een paar duizend dollar verschuldigd. Met een brutowinst van 3,94 dollar per dag zou ik in staat moeten zijn om hem in tweeënhalf jaar af te betalen.

Uit de wanhopige toon in zijn stem maak ik op dat hij dezelfde berekening heeft gemaakt.

Het antwoordapparaat piept en het tweede bericht wordt afgespeeld. De stem verrast me. Ik heb al zes maanden niets meer van hem gehoord – sinds de kerst. Toby lijkt altijd in de buurt te zijn als er cadeautjes worden uitgedeeld.

'Hé, pa,' zegt Toby. 'Ik bel zomaar...' Zijn stem klinkt nonchalant – té nonchalant. Ik ken mijn zoon. Hij moet iets van me. 'Ik vroeg me gewoon af hoe het met je ging. Niets bijzonders.' Hij laat een stilte vallen en denkt na of hij nog meer details op het antwoordapparaat zal achterlaten. Hij besluit dat niet te doen. 'Oké, tot later.' Hij hangt op.

Ik kook mijn gebruikelijke avondeten: Ronzoni spaghetti (1,19 dollar bij Safeway) en Ragu tomatensaus (2,30 dollar per pot). Terwijl ik eet, neem ik de dag door; mevrouw Lauren Napiers verrassende aanbod om me in te huren voor een mysterieuze klus die honderdduizend dollar oplevert; het vage telefoontje van mijn zoon.

Mannen zoals ik voelen dingen aan hun water. Mijn water zegt dat dit verhaal nog maar net begint.

2

DE *PIGEON DROP* werkt als volgt.

Je loopt van de supermarkt naar je auto. Je ziet een mooie meid op je af lopen en je glimlacht naar haar. Terwijl je haar passeert, kijkt ze naar de grond. 'Wauw, moet je kijken!' roept ze.

Je blijft staan en volgt haar blik. Ze heeft een bruine papieren zak gevonden. Zelfs zonder hem aan een grondig onderzoek te onderwerpen, zie je dat er briefjes van twintig uit steken; de zak zit boordevol geld.

Ze bukt en raapt de zak op. Ze haalt er een pak geld zo dik als een zaterdagskrant uit en bladert erdoorheen. 'Jezus,' zegt ze.

Ze kijkt weer in de zak en vindt een briefje. Terwijl ze de zak tegen haar borst houdt, geeft ze het aan jou. 'Meneer, leest u het briefje even, dan tel ik het geld.'

Je ontvouwt het briefje terwijl zij zo onopvallend mogelijk het geld telt.

Je leest het briefje hardop voor. Er staat het volgende in:

Tyrone, dit is jouw deel van de deal. Ik heb de politie al afgekocht. Jij regelt de boel met de officier van justitie, zoals we hebben afgesproken. Tot ziens in Cabo. Juan.

Nadat je het briefje hebt voorgelezen, maak je de optelsom. Je zegt: 'Dit geld is van een drugsdeal.'

De lokvogel (zoals de vrouwelijke oplichter wordt genoemd) is klaar met tellen. Half fluisterend verkondigt ze: 'Er zit meer dan vijfduizend dollar in de zak! Wat zullen we ermee doen?'

Voordat je kunt antwoorden, komt er achter je een goedgeklede jongeman in kostuum aanlopen. Dit is de 'medeplichtige', de tweede oplichter. Hij zegt tegen het meisje: 'Luister, ik wil me er niet mee bemoeien, maar als ik jullie was, zou ik niet zo opvallend met dat geld zwaaien. Dit is nu niet bepaald de veiligste plek.'

Het meisje is verbaasd dat iemand haar het geld heeft zien tellen, ondanks haar poging tot subtiliteit. Gegeneerd antwoordt ze: 'We hebben het net gevonden en we weten niet wat we ermee moeten doen.' Tegen jou zegt ze: 'Laat hem het briefje eens lezen.'

Je geeft het briefje aan de jongeman in het kostuum. Hij leest het. 'Dit is illegaal drugsgeld,' verklaart hij.

'Moeten we het terugleggen?' oppert het meisje. 'Misschien moeten we het bij de supermarkt afgeven, voor het geval iemand ernaar vraagt.'

De man glimlacht om haar naïviteit. 'Jongedame, ik denk niet dat er veel drugdealers zijn die het komen claimen.'

'Nou,' zegt het meisje. 'Kunnen we het ook houden?'

De man haalt zijn schouders op. 'Ik weet het niet.' Hij denkt even na. 'Maar weet je wat? Ik ben advocaat-assistent en werk voor een invloedrijke advocaat. Hij weet het antwoord vast wel. Ons kantoor ligt drie straten verderop. Als je wilt, vraag ik hem wat je met het geld moet doen.'

'Oké,' zegt het meisje.

De medeplichtige loopt weg, zogenaamd om met zijn baas te overleggen. In werkelijkheid loopt hij naar de dichtstbijzijnde koffieshop en bestelt een donut en een bakkie troost. Terwijl hij weg is, zegt de leuke meid tegen jou: 'Luister, meneer. Ik wil niet dat u een verkeerd beeld van me krijgt. Ik ben opgevoed met het idee dat ik altijd eerlijk moet zijn. U was erbij toen ik het geld vond, dus de helft ervan is van u, oké?'

Je bedankt de lokvogel dat ze zo fatsoenlijk is.

Een paar minuten later is de medeplichtige weer terug. 'Ik heb goed nieuws, mensen. Mijn baas zegt dat jullie het geld absoluut mogen houden. Als je het helemaal legaal wilt doen, tel je het aan het eind van het jaar op bij de inkomstenbelasting, maar verder ben je er helemaal vrij in.'

Terwijl je nadenkt of je echt de moeite gaat nemen om jouw helft van de ruim vijfduizend dollar op je belastingformulier in te vullen, voegt de jongeman er nog iets aan toe. 'Het enige wat belangrijk is, is dat je dertig dagen moet wachten voordat het geld wettelijk van jou is. Je mag dus geen cent uitgeven voordat een maand is verstreken.'

'Dat geeft niet,' zegt het meisje. 'Dan houden ik en meneer hier' – ze bedoelt jou – 'het geld gewoon een maandje vast.' Ze denkt even na. 'Hé, luister,' zegt ze tegen jou. 'Ik woon hier nog maar net. Ik heb nog niet eens een bankrekening geopend. Waarom bewaart u het geld niet zolang?' Ze houdt je de bruine papieren zak voor.

Voordat je hem kunt aannemen, graait de jongeman de zak uit je handen en geeft hem terug aan het meisje. 'Ho, ho,' zegt de jongeman. 'Wacht even.' Hij kijkt het meisje aan alsof ze de domste persoon op aarde is. 'Je kent deze man helemaal niet. Hoe weet je of hij het geld niet voor zichzelf houdt?'

Het meisje reageert boos. 'Luister, meneer. Ik waardeer uw hulp. Ik ben zelfs bereid u een deel van mijn aandeel te geven in ruil voor uw tijd en moeite. Maar ik vind het niet prettig hoe u over deze aardige meneer praat. Hij was erbij toen ik het geld vond. Toevallig vertrouw ik hem volledig.'

De medeplichtige verontschuldigt zich. 'Oké, sorry. Het is jouw geld. Doe ermee wat je wilt.' Hij valt even stil en denkt erover na. 'Als je iemand een paar duizend dollar aan contant geld geeft, moet je wel zeker weten dat hij te vertrouwen is. Hij zou eigenlijk een bewijs van goed vertrouwen moeten overhandigen, meer niet.'

Je staart naar de zak met geld die maar een paar centimeter van je verwijderd is. Het meisje had hem bijna aan je gegeven. Dus vraag je: 'Wat bedoelt u met een "bewijs van goed vertrouwen"?'

'Luister,' zegt de medeplichtige. 'De kans is natuurlijk groot dat u een fatsoenlijk mens bent. Maar hoe weet deze dame dat u geen oplichter bent? U kleedt zich keurig, maar misschien hebt u geen rooie cent. Als u helemaal geen geld hebt, zult u geneigd zijn om het hele bedrag uit te geven voordat de dertig dagen om zijn...'

'Ik heb wel geld,' zeg je.

'Maar hoe weet zíj dat? Kunt u bewijzen dat u betrouwbaar bent? Dat u zelf over voldoende vermogen beschikt?'

Op dit moment kunnen er twee dingen gebeuren. Of je biedt vrijwillig aan om hen te laten zien dat je geld hebt, of je doet het niet. Als je stil blijft, zal het meisje het ineens volledig met de medeplichtige eens zijn. 'Ja,' zal ze zeggen. 'U hebt vast gelijk. Ik weet niet of deze man geld heeft. Misschien moet ik de zak toch maar zelf houden...'

In beide gevallen zul je snel overtuigd worden van het belang om te laten zien dat je kapitaalkrachtig bent.

Dus ga je je twee vrienden voor naar de dichtstbijzijnde pinautomaat, of – als de oplichters besluiten dat je dagelijkse opnamecapaciteit bij de pinautomaat te laag is – overtuigen ze je ervan om persoonlijk bij je bank langs te gaan. Om te 'bewijzen' dat je vermogend bent, neem je vijfduizend dollar van je rekening op.

Je komt terug met vijfduizend dollar aan contanten en toont het aan het meisje en haar wantrouwende nieuwe vriend. Het meisje is gepast onder de indruk. 'Oké,' zegt ze. 'U hebt me overtuigd.'

'Ja,' geeft de medeplichtige schaapachtig toe. 'Mij ook. Excuses dat ik aan u twijfelde.'

Je zegt dat je het wel begrijpt en dat je waarschijnlijk hetzelfde zou hebben gedaan.

Het meisje neemt je geld aan en stopt het in de bruine papieren zak bij het drugsgeld. Nu wisselen jullie drieën naam, adres en telefoonnummer uit. Je spreekt af dat je de zak met geld dertig dagen voor hen zult bewaren en dat je je twee nieuwe vrienden belt als de maand voorbij is.

Wat je niet weet, is dat het meisje de bruine papieren zak, terwijl er telefoonnummers werden uitgewisseld, heeft verruild voor een identieke zak gevuld met kranten. Voor het afscheid nemen, geeft ze de zak aan jou. Ze zegt: 'Bewaar hem op een veilige plek. Ik vertrouw op u.'

De jongeman blikt nog altijd wantrouwend over het parkeerterrein. 'Als je slim bent,' waarschuwt hij, 'hou je de zak gesloten. Zwaai niet met de flappen in de rondte. Hou hem verborgen en gesloten totdat je thuis bent. Beloof je dat?'

'Ja,' zeg je. 'Dat beloof ik.'

Afhankelijk van je eigen hebzucht heb je je twee vrienden wellicht een valse naam en valse contactinformatie gegeven. Misschien heb je zelfs al bedacht waaraan je de volledige vijfduizend dollar gaat besteden.

Of misschien ben je in je hart goudeerlijk maar oliedom. Misschien ben je echt van plan om het geld na dertig dagen te verdelen, onder het mom van 'belofte maakt schuld'.

Het maakt niet uit. Want als je thuiskomt en de papieren zak opent, ontdek je dat je ertussen bent genomen.

3

DE VOLGENDE OCHTEND vertrek ik om zes uur naar mijn werk, waar ik om zeven uur aankom. Het is mijn taak om de winkel te openen voor mijn baas Imelda. Het stomerijwezen is een onaangename business. De helft van de klanten staat al vóór acht uur op de stoep. De andere helft komt in je lunchpauze. De rest van de dag zit je in een lege winkel de geur van katoen op te snuiven.

Als je al eens klanten spreekt, zijn ze niet aardig. Iedereen heeft haast. Niemand is blij je te zien. Jij bent de vent die hun bezwete overhemden en stropdassen met pastaklodders aanneemt. Niemand vindt het prettig om zijn kleren in die staat te zien. Je herinnert hen alleen maar aan hun eigen smerigheid en imperfectie.

Maar een ex-gedetineerde, die elf maanden op vrije voeten is, heeft niet veel keuze wat werk betreft. Ik heb bij negen bedrijven sollicitatiegesprekken gevoerd voordat Imelda besloot me in dienst te nemen. Ze vroeg niet eens of ik ooit in de bak had gezeten, dus toen de eerste tien minuten van het sollicitatiegesprek voorbij waren, bracht ik het zelf ter sprake. 'Lieverd,' zei ze. 'Zo gemakkelijk kom je niet van me af. Al was je een katholieke priester. De baan is voor jou.'

God zegene Imelda, al betaalt ze maar tien dollar per uur. Plus fooi.

Vanochtend is het verkeer op de snelweg meedogenloos. Ik kom vijf minuten te laat bij de winkel aan. Als ik eindelijk de deur opendoe, staat er al een rij van vier boze klanten.

'Mijn excuses,' zeg ik terwijl ik de sleutel in het slot steek. Ik duw de deur open, doe het licht aan en loop om de balie heen. Voordat ik de kans krijg mijn sleutels neer te leggen, duwt een man een bundel overhemden in mijn armen. Hij bromt zijn achternaam.

Ik probeer te glimlachen. 'Donderdag na één uur,' zeg ik tegen hem.

Ik schrijf een bonnetje uit en geef het hem. Zonder iets te zeggen verlaat hij het pand.

De volgende klant, een vrouw van in de veertig met het voorkomen van een advocate, is nog erger. Ze is geïrriteerd dat ze vijf minuten heeft moeten wachten voordat de zaak openging. Met haar blik zegt ze: ik kost driehonderd dollar per uur. Hoeveel ben jij waard? Ik heb de neiging te antwoorden: tien dollar per uur plus fooi, om vervolgens naar de fooienpot te wijzen. Ze schuift een gekreukelde blouse en een broekpak naar me toe. Als ik haar het bonnetje geef, maakt ze geen oogcontact. Dit is mijn baan in een notendop: ik ben onzichtbaar voor de klanten, een onbezield onderdeel van de stomerij, zoals een radertje of een wastrommel.

Ik bedien de twee andere klanten en doorsta de ochtenddrukte. Imelda komt om halftien aanzetten. Imelda is veertig en van onbestemde, Aziatische afkomst. Ik denk dat ze van de Filippijnen komt. Ze meet één meter vijfenvijftig, heeft een zware stem en een adamsappel ter grootte van een Granny Smith. Nog belangrijker: haar handen zijn reusachtig. Als ze de in plastic gewikkelde kleerhangers van het rek met gestoomde kleren tilt en die de klanten met opbollende biceps aanbiedt, moet je wel naar die kolenschoppen zo groot als ovenwanten staren.

Ze walst de zaak in en roept op monotone toon: 'Hallo, lieverd!'

Imelda draagt óf een auberginekleurige pruik óf ze is slachtoffer van een gruwelijk ongelukje met kleurspoeling. In het vroege ochtendlicht dat door de etalage naar binnen schijnt, vang ik een glimp op van donker gezichtshaar. 'Goedemorgen, Imelda,' zeg ik.

'Hoe gaat het vandaag met mijn favoriete vent?'

Als Imelda met me probeert te flirten, kan ik alleen maar naar die reusachtige handen en voeten van haar kijken, die me de rillingen bezorgen. 'Niet slecht,' antwoord ik.

'Er was gisteren nog een telefoontje voor je, toen je net weg was. Een of andere vent.'

'Heeft hij zijn naam doorgegeven?'

'Nee.' Ze neemt me grijnzend van top tot teen op, alsof ik een verrukkelijk geheim met me meedraag. 'Wil je me misschien iets vertellen?'

Imelda denkt dat iedereen stiekem homo is. 'Nee,' antwoord ik.

'Afijn, hij zei dat het niet belangrijk was.'

Ik denk terug aan het bericht dat mijn zoon op mijn antwoordapparaat thuis heeft ingesproken. Nu weet ik het zeker. Hij zit in de problemen. Zoals gewoonlijk.

Imelda verdwijnt achter de rekken met kleren naar de toiletruimte. Even is het stil, maar dan hoor ik ineens een lange, mannelijke scheet die in de porseleinen toiletpot weergalmt. Ik ga op mijn kruk zitten en staar gedachteloos uit het raam, naar de keurig geklede zakenlieden die naar hun kantoor lopen.

Om zes uur die avond kom ik weer thuis. Meneer Grillo staat me op de oprit op te wachten. Hij draagt zoals gewoonlijk zijn badjas en heeft een opgerolde krant in zijn hand, alsof hij me een tik wil verkopen.

Als ik uit mijn Honda stap, zegt hij: 'Mijn kleinzoon wil je even spreken.' Hij gniffelt.

'O?' Ik kijk om me heen. Ik zie de kleinzoon nergens.

Dan hoor ik ineens zijn stem achter me. Hij loopt vanaf de zijkant van het gebouw naar me toe. In zijn handen heeft hij een kwast die druipt van de witte verf, en een emaillen emmer.

'Hoi, Kevin,' zegt hij.

'Kip,' corrigeer ik hem.

'Natuurlijk.' Hij zet de verfemmer neer en legt de kwast ernaast. Ik zie dat het pleisterwerk van de buitenmuur achter hem nat is. De kleinzoon heeft wat opfriswerk gedaan. Dat is geen goed teken. 'Luister,' zegt de Arabier. Hij doet een stap naar voren. 'Ik heb met mijn grootvader gesproken. Hij wil je huur verhogen.'

Ik kijk naar meneer Grillo. Hij glimlacht vrolijk, alsof hij blij is dat hij er eindelijk in is geslaagd om ons tweeën te verenigen. 'Is dat waar, meneer Grillo?' vraag ik.

Meneer Grillo beantwoordt een andere vraag: 'Mijn kleinzoon is Arabier,' zegt hij.

De kleinzoon zegt: 'Natuurlijk is het waar.'

Ik heb geen huurcontract met meneer Grillo afgesloten. Alles is indertijd informeel afgehandeld, mondeling. Ik woon er al sinds mijn ontslag uit de gevangenis, voor vierhonderd dollar.

Ik wend me tot de kleinzoon. Het heeft geen zin om te beweren dat meneer Grillo hier de baas is. 'Hoeveel is de nieuwe huur dan?'

‘Twaalfhonderd,’ antwoordt hij. Hij zwaait grootmoedig met zijn hand. ‘Maar mijn grootvader kan nog wel een maandje wachten. Zullen we het in juni laten ingaan?’

‘Oké,’ zeg ik.

Ik voel ineens de dringende behoefte om mijn appartement binnen te vliegen en de dagopbrengst van MrVitamin te controleren. Ik hoop op een wonder.

Nog voordat ik de deur van mijn appartement bereik, weet ik dat er iets mis is. Jaren van voortdurend behoedzaam zijn – eerst toen ik vrij man was en mensen oplichtte, later toen ik gevangenzat en bang was voor een plotselinge steek tussen de ribben – hebben mijn gevoeligheid voor dreiging vergroot. Vandaag voel ik het terwijl ik langs de rozenstruiken over het pad naar mijn appartement loop. Mijn nekharen prikken van opwinding. Als ik bij de voordeur aankom, zie ik dat er iets niet klopt: de deur staat op een kier... Vanochtend heb ik de deur gesloten achtergelaten.

Ik duw de deur met mijn vinger open, klaar om achteruit te springen zodra er een loden pijp in mijn gezicht wordt geslingerd.

Er komt niemand naar buiten. Ik stap over de drempel. De gordijnen zijn dichtgetrokken. Het is donker. Zelfs de kartonnen dozen met vitaminen langs de muur kan ik niet ontwaren. Aan de andere kant van de kamer stuitert de vitaminepil van mijn screensaver vrolijk over het beeldscherm. Ik zie de dagopbrengst in het midden van de vitamine: 9,85 dollar. Ergens door mijn achterhoofd flitst de gedachte dat als er inderdaad een moordlustige indringer in mijn appartement is, de schamele dagopbrengst in de stuiterende vitamine het laatste is wat ik ooit zal zien.

Ik sluit de deur achter me en roep: ‘Wie is daar?’

Ik hoor iemand ademhalen. In gedachten loop ik snel de potentiële wapens af die ik in huis heb. Op het aanrecht in de keuken een messenblok. In mijn slaapkamer een nagelschaartje. In het kastje onder de wasbak een schroevendraaier.

Ik zet een stap de duisternis in en bereken mijn kansen. Kan ik de keuken in rennen en een mes pakken voordat de indringer in actie kan komen? Het is per slot van rekening míjn appartement; ik ken de indeling beter dan de indringer. Als ik snel ben...

De lichten gaan aan. Ik knipper met mijn ogen tegen het felle licht. Er zit een jongeman aan de keukentafel. Hij leunt achterover in zijn stoel en zijn vingers betasten het lichtknopje achter hem.

'Hoi, pa,' zegt hij.

Toby heeft de belachelijke 'ik-heb-je'-grijns van een vijftienjarige opgezet. Helaas voor ons allebei is Toby al vijfentwintig. Hij ziet er goed uit, hoewel zijn donkere haar te lang is en in vieze dreadlocks zit. Hij toont zijn grote brede glimlach. 'Heb ik je bang gemaakt?' vraagt hij.

'Je had wel dood kunnen zijn,' zeg ik.

'Ja, hoor.' Hij lacht. 'O, wat ben ik bang.' Om zijn angst weer te geven beweegt hij zijn vingers heen en weer naast zijn gezicht.

'Jezus, Toby, wat doe je hier?'

'Niets. Ik heb je al een poosje niet meer gezien. Ik dacht dat je me misschien miste.'

'Natuurlijk mis ik je.'

De laatste keer dat ik Toby zag, was voor mijn vrijlating uit de gevangenis, de enige keer dat hij me kwam opzoeken. Na nog geen vijf minuten vroeg hij al of hij geld van me kon lenen, om een koffieshop te openen in Seattle. Toen ik hem uitlegde dat mijn opsluiting en het feit dat ik bankroet was het moeilijk maakten om nieuwe zaken op te zetten, trok hij dat kniezerige gezicht dat ik zo goed van hem ken. Een paar minuten later vertrok hij. Sinds mijn vrijlating heeft hij me een paar keer gebeld, wanneer hij boos was op Celia, zijn moeder, of wanneer hij geld nodig had. Ik doe altijd mijn uiterste best om hem te helpen, zonder vragen te stellen. Het laatste wat ik hoorde, was dat hij in Aspen woonde en daar als skileraar werkte.

'Woon je nog in Aspen?' vraag ik.

'Niet echt.'

'Niet echt? Waar woon je dan?'

'Overal en nergens.'

'Stel dat je moest kiezen: is het dan overal of nergens?'

'Ik logeer meestal bij vrienden. Voornamelijk in San Francisco.'

Ik slik en probeer niet boos te klinken. 'Je bedoelt dat je híér woont?' San Francisco is maar dertig kilometer hiervandaan. Een halfuurtje rijden als het verkeer meezit. Ik heb de neiging om verdriet te tonen over het feit dat mijn zoon zo dichtbij woont, maar niet één keer de moeite heeft genomen om langs te komen, of te bellen, of me te laten weten dat hij in de buurt woont. Maar verdriet tonen heeft bij Toby geen effect. Dus zeg ik, zo opgewekt als ik mijn stem kan laten klinken: 'Nou, dat is fantastisch!'

'Ja, je weet wel, het is... Laat maar.'

Ik knik. Ja, het is: laat maar.

'Hoe bevalt het in de skibusiness?' vraag ik.

Hij haalt zijn schouders op. 'Het bevalt... Nou ja, ik ben er wel een beetje klaar mee.'

'Er wel een beetje klaar mee?' In mijn verbeelding zie ik mijn zoon met honderd kilometer per uur met het kwijl om zijn mond van de hellingen suizen.

'Het beviel toch niet zo,' legt hij uit.

'Oké,' zeg ik vriendelijk.

'Pa, waarom val je me altijd aan?'

Ik steek mijn handen in de lucht als om me over te geven. 'Ik val je helemaal niet aan. Ik vind je geweldig.'

'Nu doe je neerbuigend.'

'Nee, hoor. Ik hou van je.' Dat is waar. Wie houdt er niet van zijn zoon? Wat die zoon ook allemaal uitvreet? En als Toby een beetje de weg kwijt is, wie is daaraan dan schuldig? Ik toch zeker? Toen hij veertien was, scheidde ik van zijn moeder, nadat ze me had betrapt met haar beste vriendin, Lana Cantrell. Twee jaar later draaide ik de bak in wegens post- en aandelenfraude. Toby's vader is een ontrouwe, rokkenjagende, corrupte crimineel. Wat kan hij dan van zijn zoon verwachten?

'Ik ben gewoon blij je te zien, Toby,' zeg ik. Ik loop naar hem toe en omhels hem. Hij blijft stijf in zijn stoel zitten. Terwijl ik hem omhels, kijk ik recht op zijn schedel. Hij is kalend, nog erger dan ik. Nu voel ik me behalve gekwetst en ongeliefd ook nog eens stokoud.

We steken de straat over om een biertje te drinken in het Blue Chalk Café. Toby wil een tafel op de eerste verdieping met uitzicht op de gasten beneden. Hij kiest voor deze tafel, vermoed ik, om de Stanford-studentes eronder te begluren.

De serveerster brengt ons ieder een pul bier. We tikken onze glazen tegen elkaar en ik zeg: 'Ik ben blij je te zien, Toby.'

'Ik jou ook, pa.'

Ik neem een slok bier.

Toby drinkt. En niet te zuinig ook: hij klokt zijn bier luidruchtig naar binnen, totdat driekwart van de bierpul leeg is. Met een klap zet hij het glas op tafel en roept: 'Aaah.'

'Dus je blijft slapen?' vraag ik.

Toby houdt zijn hoofd schuin en kijkt me vragend aan. Even denk ik dat ik te ver ben gegaan en dat ik hem geen ruimte geef. Maar dan zegt hij: 'O. Nou, dat hoopte ik eigenlijk wel. Voor een tijdje.'

'Voor een tijdje?' vraag ik. 'Prima.' Ik pak mijn bierglas op en neem een slok. Ik wil hem vooral niet het gevoel geven dat ik hem aanval. Een beetje temperen, het langzaam aan doen, is het devies. Dus tel ik in gedachten tot drie. Oké. Nu. 'Hoelang wil je blijven?'

'Dat weet ik nog niet. Totdat de boel, je weet wel, een beetje is overgewaaid.'

'Natuurlijk.' Ik glimlach vriendelijk. Ik wacht op meer informatie over wat er precies moet overwaaien. Maar hij blijft stil, neemt een slok van zijn resterende bier en staart naar een tafel met Stanford-studentes beneden ons. Hij drinkt de rest van het gerstenat op en schuift het lege glas naar het midden van de tafel.

'Kom op,' zegt hij. 'Drink eens door.'

Ik neem nog een slok. Als ik zeker weet dat Toby niet van plan is vrijwillig meer over de crisis in zijn leven te vertellen, vraag ik: 'Wat is er aan de hand dat je moet onderduiken?'

'Niets bijzonders. Ik wil je er niet mee lastigvallen.'

In gedachten zie ik de komende zes maanden voor me: Toby in een slaapzak op de grond in mijn woonkamer met lege bierflesjes naast zich, en ik die 's nachts over hem struikel tijdens de drie keer die ik altijd naar het toilet moet. 'Je bent geen last voor me, Toby.'

'Nou, ik denk dat ik een vergissinkje heb begaan.'

Ik knik. Ik wacht. Eén, twee, drie... Oké. 'Wat voor vergissing?'

'Je weet toch dat ik een tijdje grof geld heb verdiend met sporten? Echt super was dat. Tijdens het rugbyseizoen heb ik volgens mij wel tienduizend dollar verdiend.'

'Nee, dat wist ik niet.'

'Nou ja, zo vaak praten we ook niet.' Hij wuift met zijn hand om de aandacht van de serveerster te trekken. Als ze hem ziet, houdt hij zijn lege glas omhoog en twee vingers. Voor het geval ze het niet begrijpt, beweegt hij zenuwachtig met zijn vingers heen en weer, van mij naar hem.

Hij richt zijn aandacht weer op mij en zegt: 'Afijn, het ging echt van een leien dakje. Het is net alsof ik er talent voor heb, weet je wel? Dus heb ik een paar grote weddenschappen afgesloten.'

'Hoe groot?'

Hij beantwoordt een andere vraag. 'Het punt is dat ik helemaal niet met flappen hoefde te zwaaien. Ze wisten dat ik er goed voor was.' Hij kijkt me aan, alsof ik onder de indruk zou moeten zijn.

'Hoeveel heb je verloren?'

'Ach, het gaat er niet om hoevéél je verliest.' Zijn stem is ineens zachter. Hij leunt naar voren in zijn stoel. Zijn ogen richten zich op de mijne. Zijn gezicht en houding hebben ineens iets serieus. Zo heb ik hem nog nooit gezien. Zo... volwassen. Als we het nu niet over zijn buitensporige gokschulden hadden, zou ik misschien trots op hem zijn.

Hij zegt: 'Als je geen geld hebt om het verlies van je eerste weddenschap te betalen, mag je geld lenen voor de volgende. Het idee is dat je wint en vervolgens je schulden in één keer terugbetaalt.'

'Maar dat gebeurde niet.'

'Nee.' Hij schudt zijn hoofd. 'Dat gebeurde niet.'

'Hoe groot is je schuld?'

De serveerster verschijnt en zet twee bierpullen neer. Mijn eerste glas is nog vol. Ze zet mijn nieuwe glas ernaast en vervangt zijn lege. Vrolijk vraagt ze: 'Mag ik u attenderen op onze specialiteiten? We hebben heerlijke kipstukjes!'

'Kipstukjes,' roept Toby ineens kinderlijk enthousiast. 'Dat klinkt lekker.'

De serveerster vraagt: 'Wilt u een portie bestellen?'

Toby kijkt naar mij. 'Ik heb reuze honger, pa. Vind je het goed?' Hij vraagt niet of ik ze met hem wil delen; hij vraagt of ik de rekening wil betalen.

'Natuurlijk,' zeg ik. 'Ga je gang.'

'Verder nog iets?' vraagt de serveerster.

'Dat was het voorlopig,' antwoord ik.

De serveerster knikt en loopt weg. Ik wacht totdat Toby het verhaal van zijn gokschulden hervat. Maar hij kijkt om zich heen en gluurt naar vrouwen.

'Toby,' zeg ik. 'Hoe groot is je schuld?'

Even lijkt het alsof hij niet weet waar ik het over heb. Maar ineens herinnert hij het zich weer. Hij focust, richt zijn aandacht weer op mij en leunt achterover in zijn stoel. 'Zestig.'

'Zestigduizend dollar?'

Hij haalt zijn schouders op en glimlacht alsof hij wil zeggen: Wat doe je eraan?

'Aan wíé ben je dat verschuldigd?' vraag ik.

'De jongens. Zoals ik al zei, vertrouwden ze me.'

'Toby...'

'Volgens mij behoren ze tot de maffia. Degene met wie ik te maken heb heet Sergei Rock.'

'Sergei de Rock?'

'Zonder "de".'

'Nooit van gehoord.'

'Moet dat dan?' Hij doet alsof hem ineens iets te binnen schiet. 'O, natuurlijk. Je bent een topcrimineel. Een meesteroplichter die een televisiester werd en vervolgens weer oplichter.'

Ik ga er niet op in. 'Voor wie werkt die Sergei Rock?'

'Voor André Sustevich.'

'O,' zeg ik. Díé naam ken ik wel. Nadat La Casa Nostra in het kader van de RICO-wet, de Racketeer Influenced and Corrupt Organizations Act, na een reeks federale processen was gesloten, verhuisden de Russen naar Californië. Hier regeren ze de wereld van de prostitutie en verstrekken ze illegale leningen tegen woekerrente. Ze zijn slimmer en ambitieuzer dan de Italianen, maar ook duizendmaal wreder. Italië was tenslotte ooit het hart van het Romeinse Rijk. Zelfs aan het gajes is enige beschaving blijven hangen. Italianen zijn weliswaar zware jongens, maar ze kennen nog regels. De Russen komen van de koude, woeste steppen, land waar de beschaving nooit is doorgedrongen, waar het kwaad een lang donker seizoen duurt, waar je wordt vermoord omdat je op het verkeerde moment naar de verkeerde persoon kijkt, waar achtereenvolgens je zoon, je kleinzoon en je achterkleinzoon vogelvrij worden verklaard wegens een verkeerde opmerking of een gedachteloos gebaar.

De leider van de Armeniërs – of *khan* – in Noord-Californië is André Sustevich. Sustevich is van Russisch-Armeense afkomst en kan dus rekenen op de loyaliteit van beide bevolkingsgroepen. Hij staat bekend als de Professor, hetzij vanwege zijn promotie in de economische wetenschappen aan de Universiteit van Boedapest, hetzij vanwege zijn levenslange studie naar de effecten van marteling op het menselijk lichaam. Ik gok op optie nummer twee.

'Hebben ze je bedreigd?' vraag ik aan Toby.

Toby wuift smalend met zijn hand en glimlacht breed. 'Wie? Jongens als Sergei Rock en André Sustevich? Bedreigen? Omdat ik hun zestigduizend dollar verschuldigd ben? Kom op, pa. Doe even normaal. Wat denk je wel niet?' Voor het geval ik zijn sarcasme niet opmerk, voegt hij er – dit keer rustiger – knarsetandend aan toe: 'Natuurlijk hebben ze me bedreigd. Volgens mij waren ze van plan me flink te grazen te nemen. Ik ben nog net op tijd gevlucht.'

'Je bent maar vijftig kilometer verderop. Dat noem ik geen vluchten.'

'Maar ze weten toch niet dat ik hier ben?'

Ik schud mijn hoofd. Ik ken mijn zoon. Binnen vierentwintig uur weet iedereen – zelfs mensen die hem helemaal niet kennen – dat hij hier is.

'Wat is je plan?' vraag ik.

'Mijn plan? Naar jou toe gaan.'

'Dat is alles?'

'Ik heb je hulp nodig, pa. Alsjeblíéft.'

Ik zucht. 'Toby, ik heb geen zestigduizend dollar.'

'Ma zegt van wel. Dat je het ergens hebt weggestopt.'

Celia is ervan overtuigd dat ik een fortuin op een Zwitserse bankrekening heb staan, dat ik onroerend goed bezit in Florida en jachten aan de Rivièra. Ik zou willen dat ik half de topcrimineel was die ze denkt dat ik ben. Als ze mijn appartement en mijn badkamer met de smerige toiletpot eens kon zien. Als ze zou weten dat er op de afstandsbediening van mijn televisie geen volumeknop meer zit, waardoor ik gedwongen ben alle programma's op een oorverdovend volume te bekijken. Als ze een paar eentonige uurtjes bij mij in de stomerij zou doorbrengen terwijl ik overhemden en broeken in krimpfolie verpak. Als ze dat allemaal zou doen, zou ze misschien eindelijk beseffen dat ik niets heb en dat ik niets meer ben dan de persoon die ze voor zich ziet: een eerlijke man die probeert de eindjes aan elkaar te knopen. En daar niet in slaagt...

Ik zou willen dat ze Toby niet zulke leugens vertelde. Het arme kind danst op een koord en rekent op een vangnet dat er niet is.

'Je moeder ijlt,' zeg ik. 'Ik heb je helemaal niets te bieden, Toby.'

'Maar wat moet ik dan doen?'

Er is maar één ding dat Toby kan doen om te voorkomen dat Russische belagers hem de schedel inslaan: hij moet in mijn garage een tijdmachine bouwen. Als hij daarmee klaar is, moet hij terug in de tijd reizen en zijn weddenschap wissen bij de bookmakers die voor André 'de Professor' Sustevich werken.

Maar omdat die optie uitgesloten is, moet Toby maken dat hij wegkomt.

'Je moet ergens onderduiken,' zeg ik.

'Waar?'

'Dat weet ik niet. Ergens ver weg.'

'Pa, dat kan niet. Jij en ma wonen allebei híér.'

Even ben ik ontroerd. Dan besef ik weer dat Toby me tien seconden geleden nog om zestigduizend dollar vroeg. Zijn liefde voor mij is grillig.

'Toby, als je hier blijft, vinden ze je.'

'Ik had bedacht dat jij misschien met hen kon praten.'

'Met wie?'

'Met André Sustevich. De Professor.'

'En wat moet ik dan zeggen?'

'Je weet wel, dat ik er geschikt voor ben.'

'Ben je dat dan?'

Hij kijkt me aan alsof hij vraagt: jij wel dan?

'Ik ken die Sustevich helemaal niet,' zeg ik.

'Hij kent jou wel.'

'O?'

'Hij zei dat je een klassieker bent.'

'Heb je met hem gepraat?'

'Niet echt,' antwoordt Toby snel. 'Ik heb het gehoord. Het punt is dat ik je hulp nodig heb.'

'Ik wil je ook graag helpen, Toby. Ik weet alleen niet hoe.'

'Laat me ten minste in je appartement slapen.'

'Natuurlijk,' zeg ik. Maar ik vraag me af: voor hoelang?

Ik verwacht een bedankje, maar het kind kijkt om zich heen en zoekt opnieuw de serveerster. 'Wil je nog een biertje?' vraagt hij. Het verbaast me dat hij zijn tweede alweer op heeft. Voordat ik kan antwoorden, heeft hij al oogcontact gemaakt met de serveerster en maakt hij een reeks handgebaren als een beurshandelaar op de beurs van Chicago. Binnen enkele seconden is een nieuw rondje onderweg.

4

ALS IK OM VIJF UUR 's ochtends wakker word, ben ik ineens De Verbazingwekkende Largo, de Grootste Mentalist ter Wereld, en zijn al mijn voorspellingen uitgekomen.

Ten eerste: Toby die in een slaapzak op de vloer van mijn woonkamer ligt te snurken. Ten tweede: dat ik gedwongen ben in het donker over hem heen te springen om mijn blaas te legen. Dat, als ik twintig minuten later uit de badkamer kom, nadat ik heb gedoucht en me heb geschoren, Toby zich niet heeft verroerd. Even vrees ik dat hij dood is, omdat ik hem niet meer hoor snurken. Ik stel me voor dat ik zijn moeder moet uitleggen dat Toby tijdens mijn wacht is overleden, na het drinken van vier glazen bier en het flirten met Stanford-studentes in een bar. Maar zijn gesnurk begint weer, en opgelucht besluit ik dat ik een alternatief verhaal zal verzinnen voor Celia, mocht het ooit zover komen, namelijk dat Toby is overleden na het bijwonen van een vermoeiende operavoorstelling.

Over een halfuur komt de zon pas op, maar ik moet nu naar mijn werk. De competitie voor ruimte op de snelweg is zo meedogenloos geworden dat er een narcoleptische wedloop is uitgebroken. De mensen in Californië gaan nu nog vroeger van huis om de files voor te zijn. Hierdoor begint het spitsuur vroeger; hierdoor gaan mensen nog eerder van huis. Het is een gekmakende cyclus die volkomen uit de hand is gelopen. We hebben behoefte aan een mandaat van de Verenigde Naties, of humanitaire tussenkomst van Jimmy Carter om deze waanzin te stoppen, voordat de inwoners van het Schiereiland straks gedwongen worden om 's nachts om twee uur op te staan.

In het donker strompel ik naar de keuken. Ik graai met mijn hand op de koelkast totdat ik het notitieblokje vind. Ik schrijf: TOBY, TOT VANAVOND. PA.

Snel verlaat ik het appartement. Ik draai de deur niet achter me op slot, omdat ik wil dat Toby doorslaapt. Rammelen met sleutels, nachtsloten dichtdraaien en deurknoppen controleren, het maakt allemaal te veel kabaal. Dus ga ik weg zonder het appartement fatsoenlijk af te sluiten, toegankelijk voor iedereen die binnen wil lopen, terwijl mijn slapende zoon in de woonkamer ligt.

In Sunnyvale begint mijn dag met een donut en een kop koffie bij de bakkerij vlak bij mijn werk. Ik lees de *San José Mercury News* en veeg mijn vingers af aan een servetje. Ik laat een kwartje achter als fooi. Ik hoop dat het later, als karma, weer bij me terugkomt.

Als ik bij mijn werk aankom, is het even voor zessen. Ik draai de deur van het slot en laat hem een stukje openstaan om de katoengeur te laten ontsnappen voordat Imelda arriveert. Ik draai het bordje aan de voordeur om naar de tekst: KOM BINNEN, WE ZIJN OPEN, waarna ik achter de balie ga staan.

Nadat ik de ochtenddrukte heb afgehandeld, arriveert Imelda om tien uur. Ze draagt een geel gebloemd jurkje, dat haar gezichtsbeharing accentueert. Ze zwaait met haar grote hand naar me en roept: 'Hallo, lieverd!'

'Goedemorgen, Imelda,' zeg ik. 'Jij bent opgewekt vanochtend.'

'Is dat zo?' Ze brengt haar hand naar haar gezicht en bloost. 'Ik kan ook niets geheimhouden, hè?'

'Daar lijkt het op.'

Ik heb niets gevraagd, maar ze brengt haar nieuwtje vrijwillig. 'Ik ben verliefd.'

Ik wil haar niet aanmoedigen om verder te vertellen. Imelda's seksualiteit – en haar sekse – is haar zaak. Zoals zoveel andere dingen in het leven is ambiguïteit prettig en zekerheid verstikkend. 'Aha,' zeg ik.

'Het is een geweldige man,' gaat Imelda verder. 'Een danser.'

Ik probeer me een lenige Russische balletdanser voor te stellen in bed met Imelda.

'Tápdanser,' voegt ze eraan toe.

Nu is Imelda's geliefde in mijn verbeelding ineens zwart. Gregory Hines in een maillot.

'We hebben elkaar ontmoet in de Bay to Breakers. Wist je dat ik de hele acht kilometer heb gerend?'

'Er is veel wat ik niet van je weet, Imelda,' antwoord ik, in de hoop dat het zo blijft.

Ik ben opgelucht als de telefoon rinkelt. Het is een zeldzame gebeurtenis in een stomerij. Klanten hebben weinig reden om te bellen. Niemand belt om te vragen: Doet u ook overhemden?

Imelda zet de telefoon op de balie. Ze klemt haar reusachtige hand om de hoorn alsof het een prulletje is, en houdt hem tegen haar oor. 'Hal-lóóó!' zingt ze in de telefoon. Ze luistert naar de stem aan de andere kant van de lijn. 'Hij staat naast me,' antwoordt ze. Ze draait zich naar me om en geeft me de hoorn. Haar gezicht is lijkbleek. 'Het is voor jou.'

Ik neem de hoorn aan. 'Met Kip,' zeg ik.

'Meneer Largo?' vraagt een vrouwenstem.

'Ja.' Ik krijg een naar voorgevoel. 'Met wie spreek ik?'

'Meneer Largo, met de Spoedeisende Hulp van het Stanford Ziekenhuis. Uw zoon Toby is hier net binnengebracht. Kunt u hiernaartoe komen?'

Ik race over snelweg 85 en vervolgens over de 101. Als ik in Palo Alto aankom, veranderen de borden die de maximumsnelheid aangeven voor mij in borden met adviessnelheden. Ik neem de Lytton door de binnenstad, om te voorkomen dat ik durfkapitalisten aanrijd, die in deze tijd van het jaar over de wegen van Palo Alto schieten als eekhoorns op zoek naar nootjes.

Ik arriveer bij het Stanford Hospital, volg de bordjes SPOEDEISENDE HULP en parkeer mijn Honda op het trottoir. Een zwarte man wiens taak het is om parkeren alleen toe te staan in geval van echte spoed, besluit na het zien van mijn bleke, bezwete gezicht dat ik aan die voorwaarde voldoe. Hij laat me begaan.

Ik ren door de automatische schuifdeuren en word abrupt bevangen door de kille ziekenhuislucht. Verder dan de zusterpost kom ik niet.

'Kan ik u helpen?' vraagt een verpleegster.

'Jullie hebben gebeld. Mijn zoon is gewond. Toby Largo.'

Ze typt iets in op de computer en kijkt op. 'Het gaat goed met hem,' zegt ze. Het is een even grote opluchting voor haar als voor mij. En ik dacht dat ík een rotbaan had. Broeken in krimpfolie verpakken is niets vergeleken bij vaders informeren dat het níét goed gaat met hun kinderen. 'Hij ligt op zaal 108. Aan het einde van de hal links.' Ze wijst.

Ik loop naar zaal 108. Toby ligt in bed met zijn been omhoog getakeld in het gips. In zijn arm steekt een infuus. Hij heeft een flink blauw oog en hij is wakker. Mijn ex-vrouw Celia staat bij hem. Op een of andere manier slaagt ze er altijd in om als eerste aan Toby's zijde te zijn. Dat was al zo toen we nog getrouwd waren. Hoewel zij de emotionele en onevenwichtige van ons tweeën was, met haar woedeaanvallen en voortdurende beschuldigingen, had Toby altijd een betere band met haar. Ik was zijn rots in de branding, maar pas echt dol was hij op haar zachtheid.

Als ik binnenloop, kijkt Celia naar me op. Ik had nog liever dat ze me helemaal negeerde dan het gezicht dat ze nu naar me trekt: een combinatie van woede (dat ik dit Toby heb laten overkomen), teleurstelling (dat ik laat ben) en vertrouwdheid (dat ik zoals altíjd laat ben). Geen enkel medeleven, geen teken dat we samen de liefde voor onze zoon delen. Alleen verbittering.

Ik ga naast Toby staan. Met breekbare stem zegt hij: 'Hoi, pa.'

'Wat is er gebeurd?'

'Ik kreeg bezoek.'

'Van Sergei de Rock?'

Hij probeert te knikken, maar het gebaar doet hem duidelijk pijn. 'Ja,' zegt hij. 'Maar zonder "de". Gewoon Sergei Rock.'

Celia laat zich nu horen. 'Ze hebben zijn been en twee ribben gebroken.' Ze zegt het beschuldigend, alsof ik Toby persoonlijk heb afgeranseld.

Als ik haar aankijk, weet ik weer waarom ik haar ooit aantrekkelijk vond. Ze heeft lang donker haar dat golvend over haar schouders valt. Ze is slank, met donkere ogen die schitteren als de lonten van voetzoekers die op het punt staan af te gaan. Haar neus is klein, met een bobbeltje erop. Tweeëntwintig jaar nadat ik met haar trouwde, zijn de kwaliteiten die me eens aantrokken, gestold. Lang geleden straalde haar gezicht kracht uit. Nu zie ik wallen onder haar ogen, en ze ziet er moe uit; alsof al die kracht waarvan ik eens zo hield, haar volledig heeft uitgeput. Haar houding, die eens sierlijk en elegant was, is veranderd en oogt nu agressief, als die van een panter, gespannen en klaar om aan te vallen.

'Hoi, Celia,' zeg ik zo vriendelijk mogelijk.

Een jongeman in een witte laboratoriumjas komt de kamer binnen. Hij lijkt even oud als mijn zoon, maar heeft een opvallend glad babyhuidje. Ik herinner me dat Stanford een academisch ziekenhuis is, en ineens voel ik me weer halfdood; geschokt door het besef dat de volgende generatie artsen, die over niet al te lange tijd mijn ouderdomskwaaltjes zullen behandelen, welke dat ook mogen zijn – hartfalen, kanker, diabetes – jonger is dan mijn eigen kind. De wereld draait door, meedogenloos.

'Meneer Largo?' vraagt de jonge arts. 'Ik ben dokter Cole.'

Ik schud hem de hand. 'Hallo, dokter.'

'Het komt allemaal goed met uw zoon. Hij heeft een flinke optater gehad, maar gelukkig was uw huisbaas er snel bij.'

Toby valt hem bij: 'Die jonge.'

Fijn, denk ik. Nu ben ik de Arabische kleinzoon van meneer Grillo niet alleen huur, maar ook het leven van mijn zoon verschuldigd.

Dokter Cole vertelt verder. 'Het komt allemaal goed. Ik vertelde uw vrouw al –'

'Ex-vrouw,' zegt Celia.

'Pardon. Ik vertelde uw ex-vrouw al dat we uw zoon hier nog een nachtje ter observatie willen houden, om er zeker van te zijn dat hij geen inwendige bloedingen heeft. Waarschijnlijk mag hij morgen naar huis.'

'Dat is fijn,' zeg ik.

Dokter Cole wendt zich tot Toby. 'De politie komt nog langs om je wat vragen te stellen.'

'Oké,' zegt Toby.

'Ik kom later vandaag nog even bij je kijken,' zegt dokter Cole. 'Beterschap.'

'Dank u, dokter.'

Als de dokter weg is, zeg ik tegen Toby: 'Natuurlijk kun je de politie niet veel vertellen, aangezien je geen idee hebt wie je dit heeft aangedaan, of waarom. Het was tenslotte een willekeurige overval.'

'Oké, pa.'

Celia schudt vol afschuw haar hoofd. 'Kan ik je even spreken?' zegt ze tegen mij. Voordat ik kan antwoorden, loopt ze de kamer uit, vol vertrouwen dat ik haar zal volgen. Ik trek mijn wenkbrauwen op, kijk naar Toby en loop haar achterna.

Ze leidt me door de gang naar een zithoek met een frisdrankautomaat. Het is bloedheet en ik begin onmiddellijk te zweten.

'Waar ben je mee bezig?' vraagt Celia.

'Hoe bedoel je?'

'Waar heb je hem in meegesleept?'

'Nergens in. Ik zweer het je. Hij kwam gisteravond bij me. Ik had geen idee dat hij in de stad was. Hij zei dat hij mensen geld schuldig was.'

'Wat voor soort mensen?'

'Slechte.'

'Waarom geef je hem het geld niet?'

'Omdat ik het niet heb.'

Ze schudt haar hoofd en lacht. 'En dat moet ik geloven?'

'Celia, hoe vaak moet ik je nog vertellen dat –'

'Je bent toch zo'n geweldige meesteroplichter? Je kunt vast wel...'

Ze stopt met praten. Een vrouw van middelbare leeftijd loopt de zithoek in en doet alsof ze ons gesprek niet hoort. We doen een stap naar achteren, terwijl zij naar de frisdrankautomaat loopt. Ze voert een slap dollarbiljet in de machine in. De automaat pakt het en slikt het in. Even later verandert hij kennelijk van gedachten, want het biljet wordt met een rancuneus gebrom weer uitgespuugd.

De vrouw trekt het dollarbiljet eruit en draait het om. Dan voert ze het opnieuw in. De motor bromt en pakt haar biljet. De machine denkt na en spuugt het vervolgens weer uit.

Celia en ik staan erbij en kijken naar deze ontmoeting tussen mens en machine. De vrouw lijkt te besluiten dat driemaal scheepsrecht is. Ze draait het biljet weer om en voert het opnieuw in. De machine accepteert het en denkt dit keer langer na. Ik heb goede hoop. Maar dan bromt de machine met robotachtige koppigheid en het biljet schiet er weer uit.

'Kan ik u misschien helpen?' vraag ik. Ik loop naar de machine toe, graai in mijn jaszak en voer vier munten van 25 cent in. 'Wat wilt u hebben?'

'Een cola light.'

'Eén cola light voor mevrouw,' zeg ik. Ik druk op de knop. Er valt een blikje naar beneden. Ik raap het op en geef het haar.

'Dank u,' zegt ze. Ze draait zich om en wil weglopen.

'Hé,' zeg ik.

Ze stopt en draait zich met een verwarde gezichtsuitdrukking naar me om.

Ik hou mijn hand op. Het duurt even, uit traagheid van begrip of uit gêne. Ik vermoed het laatste. Uiteindelijk legt ze het verkreukelde dollarbiljet in mijn hand.

'U ook bedankt,' zeg ik.

Ik blijf nog twee uur in het ziekenhuis, eerst om de komst van de politie af te wachten en daarna tot Celia weggaat. Ik wil per se langer blijven dan zij. Toby moet weten wie het meest van hem houdt. Ik vermoed dat ik minder haast heb om weg te gaan – nóg vijf uur achter de balie van Economy Cleaners – terwijl Celia kan kiezen tussen lunch met haar vriendinnen, een dagje shoppen, of misschien een spelletje bridge. Als een topbelegger die uit de markt stapt, is Celia precies op het juiste moment van mij gescheiden en heeft de helft van mijn geld meegenomen – slechts enkele maanden voordat ik alles verloor. Om een of andere reden weigert ze te geloven dat ik nu arm ben. Ze is er stellig van overtuigd dat ik érgens nog geheime activa heb. Waarschijnlijk zitten er nog wel een paar muntjes tussen de kussens van mijn bankstel, maar meer verborgen schatten heb ik niet.

Toby brengt het er bij de politie goed vanaf. De agenten van Palo Alto sturen een ongehuwde rechercheur, een jonge vrouw die heel toepasselijk inspecteur Green heet. Ze neemt Toby's verklaring op, lokt niets uit en stelt geen vervolgvragen. Ze accepteert Toby's verhaal: hij verliet mijn appartement om ergens een kop koffie te gaan drinken toen hij werd overvallen door twee zwarte mannen. Hoewel het niet politiek correct is om toe te geven, ben ik trots op Toby's manier van aanpak: hij is zich bewust van het latente racisme in politieagenten, en weet dat een verhaal over gemene zwarte mannen sneller geloofd zal worden dan een verhaal over een overval door twee blanke Stanford-studenten. Misschien heeft Toby toch nog iets van mijn gewiekstheid meegekregen.

Nadat inspecteur Green vertrokken is, duurt het nog een uur voordat Celia de handdoek in de ring gooit. Met berusting in haar stem, waarmee ze praktisch toegeeft dat ik heb gewonnen, zegt ze: 'Nou, het lijkt erop dat jij langer kunt blijven dan ik. Ik ga maar eens.'

'Prima,' zeg ik.

Ze kust Toby gedag, leunt over zijn bed en fluistert tegen hem: 'Ik hou van je. Tot later.'

Ze loopt langs me op weg naar buiten. 'Doe geen domme dingen,' zegt ze tegen me.

Ik weet niet wat ze daar precies mee bedoelt, maar het is moeilijk om er bezwaar tegen te maken. Het lijkt me een goede regel om naar te leven.

Om drie uur in de middag ben ik weer terug in mijn appartement. Ik stap over de bloedspetters op het tapijt bij de ingang. Ik kijk de kamer in en bedenk hoe het gegaan moet zijn. Modderige voetstappen, twee verschillende paren. De Professor heeft zijn boodschap afgeleverd via twee mannen. Misschien was een van hen Sergei Rock, zijn spierbundel. Toby's slaapzak ligt nog op de grond, opengeritst alsof hij net is opgestaan. Ik stel het me zo voor: hij hoorde de voordeur opengaan, werd wakker en stond op om de gasten te begroeten. Die bleken een honkbalknuppel bij zich te hebben. Ze duwden hem terug de kamer in en sloten de deur achter zich. Toen brachten ze hun boodschap over. Ze lieten Toby bewusteloos op de vloer achter, met de deur op een kier.

Ik loop naar de keuken. Op het antwoordapparaat staat een boodschap van Peter Room, mijn computerprogrammeur. 'Ik bel zomaar,' zegt hij. 'Bel maar even terug.' Dit laat zich vertalen in: Wanneer betaal je me eens voor het programmeerwerk dat ik voor je heb gedaan?

Ik controleer de stuiterende vitamine op het scherm in mijn woonkamer. Sinds ik naar mijn werk vertrok: niks verkocht. In stilte vervloek ik het Amerikaanse kapitalisme. Ik probeer de kans op een plotselinge revolutie te berekenen, een gewelddadige omverwerping van het systeem en herverdeling van de rijkdom van het land. Die kans is klein tijdens mijn verblijf op aarde. Ik kijk naar de dozen met multivitaminen die langs de muur van mijn woonkamer staan opgesteld. Ik moet nog heel wat inventaris liquideren voor de Dag des Oordeels.

Er wordt op de deur geklopt. Ik doe open en zie de Arabische kleinzoon staan. Hij kijkt onzeker.

'Kom je net bij het ziekenhuis vandaan?'

'Ja.'

'Alles goed?'

'Ja.' Hoewel het me grote moeite kost, voeg ik eraan toe: 'Bedankt voor je hulp, dat je de ambulance hebt gebeld.'

'Graag gedaan,' zegt hij. Hij tuurt naar binnen en kijkt naar de vitaminedozen. 'Wat is dat allemaal?'

'Niets. Vitaminen.'

Hij denkt even na. Ik zie hem overwegen of ik soms geestig probeer te zijn door het woord 'vitaminen' te gebruiken. Het komt over als een hint, alsof ik doel op 'cocaïne'.

'Je runt vanuit je appartement een bedrijf?' vraagt hij. Uit de manier waarop hij het vraagt, maak ik op dat ik 'nee' zou moeten antwoorden.

'Nee,' antwoord ik. Ik denk even na. 'Een non-profitorganisatie,' voeg ik eraan toe.

Hij loert de kamer in. Ik merk dat hij wil dat ik hem binnenvraag, maar dat weiger ik te doen. Ik ga rechtop in de deuropening staan en blokkeer zo het zicht.

Uiteindelijk vraagt de Arabier: 'Weet mijn grootvader dat je een bedrijf vanuit je appartement runt? Ik weet zeker dat je daarvoor een vergunning nodig hebt.'

Ik weet zeker dat jij een stomp in je maag nodig hebt, wil ik antwoorden. Maar in plaats daarvan zeg ik: 'Ik zou me er niet al te druk over maken.'

'Ik moet het wel met mijn grootvader opnemen.'

'Doe dat,' zeg ik.

Er volgt een onaangename stilte. Ten slotte zegt hij: 'Ik ben blij dat het met je zoon goed is afgelopen.'

'Bedankt,' zeg ik, waarna ik de deur in zijn gezicht dichtsla.

Vijf minuten lang denk ik, alleen in mijn appartement, aan het geld dat ik mijn zoon niet kan geven. Vervolgens bel ik toch het mobiele telefoonnummer van Lauren Napier.

De telefoon gaat over, en ze neemt meteen op. 'Hallo?'

'Met Kip Largo. We hebben elkaar een paar dagen geleden in de kroeg ontmoet. In de Blowfish.'

'Oké,' zegt ze. Ze probeert haar stem neutraal te houden. 'Dat klinkt goed. Maar ik moet eerst met mijn man overleggen. Hij is net thuis.'

'Mij best,' zeg ik. Ik hang op.

Ik loop naar de koelkast en pak een biertje. Mijn briefje van vanochtend hangt er nog: TOBY, TOT VANAVOND. PA. Het is geschreven in een kinderlijk handschrift. Ik schreef het in het donker, voor zonsopgang. Nu al lijkt vanochtend eeuwen geleden.

Ik probeer niet te denken aan wat ik op het punt sta te doen. Ik weet dat ik een beslissing neem die me zal achtervolgen. Het eerste teken van gevaar: uit wanhoop in iets verwikkeld raken. Hoeveel plannen die in wanhoop zijn beraamd zijn in de wereldgeschiedenis succesvol gebleken? Kijk om je heen naar de rijkste, gelukkigste, succesvolste mensen. Kun je je voorstellen dat ook maar een van hen roekeloos speculeert? Het is typisch iets voor een verliezer om aan iets te beginnen omdat je geen andere keuze hebt. Dat is het grappige ervan: winnaars hóéven nooit te winnen.

Maar welke keuze heb ik? Toby is mijn zoon. Hij heeft mijn hulp nodig. Ik heb hem in mijn leven al talloze keren laten zitten. Wat zou jij doen als je in mijn schoenen stond? Wat zou jij doen voor je zoon?

Ik trek het blikje bier open en ga aan de keukentafel zitten. Ik kijk op mijn horloge. Even over drie. Te vroeg om te drinken, maar aangezien het einde van mijn wereld nadert, besluit ik het toch te doen. Het bier spoelt koel en gemakkelijk naar binnen.

Een minuut later gaat mijn telefoon.

'Met mij,' zegt Lauren Napier. 'Sorry van daarnet.'

'Je bent erg ondeugend.'

'Wie heeft je dat verteld?'

'Kun je nu praten?' vraag ik.

'Ik wil je in levenden lijve zien,' zegt ze. 'Ergens afspreken. Op een veilige plek. Ergens waar mijn echtgenoot nooit komt.'

'Bij mij om de hoek staat een kerk,' zeg ik grappend.

'Dat klinkt goed,' antwoordt ze. Ze meent het.

'Prima. St. Mary's in Homer Street in Palo Alto. Het is een katholieke kerk. Ik hoop dat je daar niet mee zit.'

'Ik heb niets tegen katholieken,' zegt ze. 'Alleen tegen die vieze spaghettivreters.'

Ik glimlach. Nog een teken van gevaar: ik begin haar te mogen. Dat is het moment waarop de hel losbarst: je valt voor een vrouw, en je ziet de stomme waarheid niet meer, al staat die recht voor je neus.

Ik trek andere kleren aan om de ziekenhuisgeur kwijt te raken. Misschien doe ik dat ook wel omdat ik me herinner dat Lauren Napier een aantrekkelijke vrouw is, en je weet maar nooit. Ik trek mijn mooiste overhemd aan, een linnen broek en instappers. Ik poets mijn tanden, kam mijn haar. Als ik in de spiegel kijk, vervloek ik mezelf. Waar ben je mee bezig, Kip? Je zou beter moeten weten.

Ik rijd naar St. Mary's, vijf straten verderop, en parkeer om de hoek. St. Mary's heeft witgeverfde buitenmuren van overnaadse planken en een toren met daarop een smaakvolle crucifix. De kerk oogt eerder Anglicaans dan katholiek. Dat gebeurt er met je als je te lang in Noord-Californië woont: hoe radicaal je ook begint, je eindigt steevast rustig, gematigd en gewoon. Ik ken een lid van de Black Panthers dat zich hier in 1972 vestigde. Hij had een afrokapsel ter grootte van een astronautenhelm. Nu, dertig jaar later, is hij een blanke die bij de natuurwinkel biologische gerst koopt.

In de kerk is het donker en koel. Ik zoek haar in de kerkbanken, maar ze is er nog niet. De kerk is leeg.

Ik ga op een bank in de middenrij zitten en staar naar het altaar. Boven het toneel hangt een beeld van Jezus aan het kruis. Ik ben hier voor de vierde keer. De eerste keer was twee weken nadat ik uit de gevangenis kwam. Drie opeenvolgende weken ging ik elke zondag. Het hoorde allemaal bij mijn voornemen om een ander mens te worden – een beter iemand. Na een maand verloor ik mijn motivatie. Ik ben nog steeds dezelfde, alleen minder ambitieus.

Ik hoor voetstappen achter me en draai me om. Ze draagt weer een zonnebril, maar niet met Jackie O-glazen. Het is een bril met kleine blauwe glaasjes, zoals John Lennon. Nu ze geen blauwe plekken meer heeft, heeft ze niets te verbergen.

Ik kan me niet herinneren dat ze zó leuk was om te zien. De vorige keer, in de kroeg in Sunnyvale, was ik niet geïnteresseerd. Ten eerste omdat ze haar gezicht probeerde te verbergen achter die belachelijke zonnebril. Maar ze leek ook te hoog gegrepen voor mij: te rijk, te mooi – van een andere sociale klasse dan waarin ik normaal gesproken verkeer.

Vandaag ziet ze er anders uit. Ze is nonchalant gekleed in een spijkerbroek en een geel T-shirt. Nu is ze gewoon een meisje. Misschien is dit wel haar echte ik: haar blonde haren bijeengebonden in een paardenstaart, zongebruinde blote armen, weinig make-up.

Ze gaat naast me zitten op de kerkbank. 'Je hebt je dus bedacht?' vraagt ze.

Even klinkt het alsof ze het over mijn gevoelens voor haar heeft.

'Misschien.'

'Het is een eenvoudige klus.'

'Ik weet zeker dat je me op een gegeven moment zult vertellen wat de klus inhoudt.'

'Je hoeft alleen maar te doen waar je goed in bent, en de honderdduizend dollar zijn voor jou.'

'En waar ben ik volgens jou goed in?'

Ze glimlacht. Ze opent haar tas en haalt er twee fotokopietjes uit, die ze aan me geeft.

Het is een kopie van een artikel van zes jaar geleden in het *San Francisco Magazine*, met als titel: DE TERUGKEER VAN DE GROTE OPLICHTER. Het werd gepubliceerd tijdens mijn proces. Het was een loftuiting op mij en een aantal van mijn oplicherspraktijken: de nep-antiekzaak in Cape Cod, de timesharing van moerasland in Florida, de Ongeclaimde-Fondsen-Zwendel in Knoxville. Elke andere zakenman zou een profielschets in een glossy tijdschrift verwelkomen. Maar in mijn bedrijfstak is dat de kus des doods. Ook helpt het niet mee als je de jury ervan probeert te overtuigen dat ze de verkeerde man voor zich hebben.

'Dat artikel klopt voor geen meter,' protesteer ik. Dat is waar. De schrijfster van het artikel was nog niet half op de hoogte van al mijn oplicherspraktijken voordat ik mijn grote slag sloeg met het Dieetspel. Een paar details waren correct: dat mijn vader een zwendelaar was, dat ik als kind met hem al *pigeon drops* uithaalde, dat ik dat op mijn twintigste allemaal achter me liet om aan CUNY te gaan studeren omdat ik het rechte pad op wilde en advocaat wilde worden, maar dat ik me uiteindelijk met een stervende vader en een eenzame, hulpeloze moeder weer tot de enige carrière wendde die zekerheid bood: mensen van hun geld scheiden, op elke mogelijk manier.

'Ik vond het wel romantisch,' zegt ze.

Iedereen denkt dat flessentrekkerij romantisch is. Ze kijken te veel naar films. Oplicherspraktijken draaien erom dat je oude mensen van hun geld berooft, werkende mensen hun pensioen afhandig maakt, doet alsof je verliefd bent op dat lelijke meisje om vervolgens haar bankrekening te plunderen. Er is niets romantisch aan, behalve die koffer met geld onder je bed.

Ik vouw het artikel dicht en steek het in mijn borstzakje.

'Wat is de bedoeling?'

'Mijn echtgenoot,' zegt ze, alsof dat alles verklaart. Ze ziet dat ik meer informatie nodig heb. 'Ik wil dat je geld van hem wegneemt. Dat je het steelt.'

'Weet je, dat is precies de reden waarom ik altijd keurig de toiletbril naar beneden deed toen ik nog getrouwd was. Vrouwen zijn zo prikkelbaar.'

'Ken je mijn man?'

'Ik weet alleen dat hij een man is met wie je geen geintjes moet uithalen.'

'Nee,' zegt ze. 'Hij is een man die niet in de gaten mag hebben dat je geintjes met hem uithaalt.'

Ik haal mijn schouders op.

'Ik heb hem vier jaar geleden leren kennen,' zegt ze. 'Ik was toen achttien. Model. Weggelopen van huis, niets bijzonders. We ontmoetten elkaar tijdens een Galante-show. Hij was zesenveertig. Ik werd halsoverkop verliefd op hem. Hij haalde me op in een limousine, vloog met me naar zijn eigen hotel in zijn privévliegtuigje. Een grote suite. Ik heb alles voor hem opgegeven. Alles.'

'En nu?'

'Hij is toch niet de man die ik dacht dat hij was.'

Ik denk bij mezelf: Hij slaat je dus. Domme pech. Ga bij hem weg.

Alsof ze mijn gedachten heeft gelezen, zegt ze: 'Ik wil wel bij hem weg, maar dat kan ik niet.'

'Waarom niet?'

'Ik heb een overeenkomst getekend. Als we scheiden, krijg ik niets.'

'Je bent ook met niets gekomen.'

'De reden waarom ik niet bij hem weg kan gaan, is iets wat hij heeft gezegd.'

'Wat heeft hij dan gezegd?'

'Hij vertelde me wat er zou gebeuren als ik hem ooit verliet.'

'Wat dan?' vraag ik, hoewel ik het antwoord al weet.

'Hij zei dat hij elke cent zou gebruiken om me op te sporen. Daarna zou hij...'

Ze stopt als ze het geluid van voetstappen achter ons hoort. Ik draai me om en zie een oude vrouw met een wandelstok over het middenpad naar voren lopen. We wachten tot ze voorbij is. De vrouw bereikt het altaar, knielt en legt haar stok neer. Ze buigt haar hoofd in gebed.

Lauren vertelt verder. Op zachtere toon vervolgt ze: 'Hij zei dat hij me zou opsporen en dat hij me daarna zou vermoorden.'

'En dus wil je nu al zijn geld stelen.'

Ze glimlacht. 'Ik ben geen heilige. Heb ik ook nooit beweerd. Maar ik heb dat geld nodig. Om weg te komen. Je kent mijn echtgenoot niet. Hij is een monster.'

'Hoe kan dat nou? In het tijdschrift *People* werd hij nog een van de meest sexy mannen ter wereld genoemd.'

'Voor mij is hij dat niet,' antwoordt ze afwezig, alsof ze zich een aantal voorvallen herinnert waarin hij totaal niet sexy was. 'Ik heb geld nodig om bij hem weg te komen. Ik duik ergens onder, misschien in het oosten. Misschien in Parijs. Ik begin ergens anders helemaal opnieuw, want ik heb nog een heel leven voor me.'

'Hoeveel wil je dat ik voor je steel?'

'Dat weet ik niet. Twintig miljoen dollar?'

'Natuurlijk,' zeg ik. 'Dat klinkt redelijk.'

'Maar hij is miljarden waard...'

'Eens kijken. Ik steel twintig miljoen dollar, en zelf mag ik daarvan honderdduizend houden. Dat is ongelooflijk gul van je.'

Ze wuift met haar hand. 'Goed. Wat is eerlijk? Ik bedoel, in jouw...' Ze denkt even na. 'In jouw bedrijfstak?'

'Beschouw me als een ober. Je weet wel, zo'n vent die je diner serveert in zo'n chique restaurant. Hoeveel fooi zou je hem geven?'

'Tien procent.'

'Kom nou. De ober in restaurant Evvia.'

'Twintig procent.'

'Dat lijkt er meer op.'

'Van twintig miljoen dollar.'

'Juist.'

'Dat is veel geld.'

'Het is een heerlijk diner.'

Ze glimlacht. Ze heeft grote witte tanden, die perfect recht staan. Ze zet haar zonnebril af en klapt hem in. Eindelijk zie ik haar ogen. Blauw en geel, katachtig. 'Je maakt het me niet gemakkelijk.'

'Maar ook niet moeilijk,' antwoord ik. 'Dat is altijd mijn probleem geweest.'

'Accepteer je de klus?'

'Weet je, ik zou zijn geld kunnen stelen en jou helemaal niets geven.'

'Maar dan zou je nooit een kans maken.'

'Een kans? Waarop?'

Onze ogen ontmoeten elkaar, en voor het eerst besef ik dat ik verliefd op haar ben.

5

IN HET VAKJARGON van een oplichter is de 'lokvogel' degene die de interesse moet wekken van het doelwit in het verhaal. De lokvogel strikt het doelwit. Meestal gebeurt dit door aan de hebzucht, ijdelheid of genitaliën van het doelwit te appelleren. Of aan alle drie.

6

EEN GROTE ZWENDEL OPZETTEN is als het beklimmen van de Mount Everest. Het belangrijkste is de logistiek. Of je erin slaagt heeft weinig te maken met hoe je klimt, en alles met voorbereiding. Voordat je aan de tocht begint, is al duidelijk of je zult slagen of falen. Heb je je basiskamp voldoende bevoorraad? Heb je de beste gidsen ingehuurd? Verkeer je in goede gezondheid? Ben je eersteklas uitgerust? Kun je erop vertrouwen dat je medeklimmers je klimtouwen bewaken?

Dus voordat ik twintig miljoen dollar jat, moet ik ervoor zorgen dat alles in mijn basiskamp piekfijn in orde is. Ik kan mijn zoon niet in elkaar laten slaan of vermoord laten worden terwijl ik midden in een oplichting zit. Vóór alles moet ik ervoor zorgen dat Toby veilig is.

Hoe kun je een gangster zo ver krijgen om je zoon met rust te laten? Eenvoudig: maak het voor hem de moeite waard. De eerste stap is tijd rekken. In het geval van André Sustevich, de Professor, kan het niet eenvoudiger. Ik hoef alleen maar aan zijn deur te kloppen.

Sustevich woont op een landgoed in Pacific Heights. Hij vestigde zich in San Francisco, vertelde hij eens aan een journalist, omdat het hem deed denken aan Moskou: koud, grijs en deprimerend. Maar terwijl ik naar zijn kampong rij, besef ik dat ik helemaal niet gedeprimeerd zou zijn als ik hier woonde. Het huis is in de jaren negentig van de negentiende eeuw door een spoorwegbaron uit San Francisco gebouwd en heeft de aardbeving en brand van 1906 doorstaan. Het neemt een heel huizenblok in beslag. Het is een Victoriaans huis met fijn afgewerkte houten gevels, een hoektoren en opzichtige ornamenten. Het hout aan de buitenkant is citroengeel geschilderd, misschien om de depressie af te weren die natuurlijk onvermijdelijk is als je in een landhuis met zestien kamers en vrij uitzicht op de baai en de Golden Gate Bridge woont.

Ik parkeer mijn auto aan het einde van de straat en loop naar het huis. Het is omringd door een statig gazon met figuursnoeikunst in de vorm van dieren: een zwaan, een everzwijn, een olifant, allemaal dieren die je hetzij wilt doden hetzij wilt opeten. Het gazon is van de straat afgescheiden door een zwart smeedijzeren hekwerk. Een beer van een vent, gekleed in een maatpak dat om hem heen zit als het vel om een worst, houdt de wacht. Hij draagt een supermodern, vederlicht headsetje met microfoon. Zijn uitrusting valt uit de toon, als een diadeem bij een doelverdediger.

'Hallo,' zeg ik tegen hem. 'Ik kom voor André Sustevich.'

'Hebt u een afspraak?' Hij spreekt met een zwaar Russisch accent.

'Nee, maar wilt u alstublieft zeggen dat Kip Largo er is? Ik ben de vader van Toby Largo, en ik wil de heer Sustevich graag een miljoen dollar schenken.'

De man knikt alsof dit hem dagelijks overkomt: bezoek van een vreemde die een miljoen dollar aanbiedt. Hij houdt het microfoontje voor zijn mond en zegt iets in het Russisch. Ik hoor de namen Kip, Largo en Toby, maar heb geen idee of die woorden zijn verbonden met Russische woorden voor 'seniele ouwe vent' en 'sukkel van een zoon'.

Even later duwt de Russische krachtpatser het microfoontje bij zijn mond weg en richt hij zich tot mij. 'Meneer Sustevich kan u ontvangen,' zegt hij. 'Volgt u mij, alstublieft.'

Hij duwt tegen het zwarte hek, dat krakend opengaat. Ik stap de tuin in. Uit het huis komt nog een grote Rus aanlopen. Hij heeft kort blond haar en schouders als varkenskluiven.

'Hou uw armen omhoog, alstublieft,' zegt de blonde man. Ik hou mijn handen boven mijn schouders. De blonde man betast mijn overhemd, mijn ribbenkast en mijn rug. Vervolgens legt hij voorzichtig zijn handen om mijn ballen. Ik voel de neiging hem in te fluisteren dat hij zich dáárover geen zorgen hoeft te maken: dat wapen heb ik al zo'n vijf jaar niet meer gebruikt. Tevreden over het feit dat ik geen vuurwapen of riem met explosieven draag, begeleidt de blonde man me naar het huis.

Eerste stop: een reusachtige foyer, twee verdiepingen hoog, met afwisselend zwarte en witte vierkante marmeren vloertegels. Omdat ik twee maanden van mijn voormalige leven steenrijk ben geweest, heb ik ook huizen als deze bekeken. Ik weet dus dat de vloertegels Italiaanse Carrera zijn, honderd dollar per vierkante meter. Een chique wenteltrap leidt naar de eerste verdieping, waar een balkon met een zithoek over de hal uitkijkt.

De blonde man blijft in de foyer staan en draait zich naar me om. 'Hebt u een mobiele telefoon bij u?'

In eerste instantie denk ik dat hij hem wil lenen, misschien om een privételefoontje naar Minsk te plegen. Maar dan dringt het tot me door: mobiele telefoons kunnen allerlei soorten elektronica bevatten: afluisterapparatuur, doelzoekers, camera's. Ik haal mijn Motorola uit mijn jaszak en geef die aan hem. 'U krijgt hem terug als u weggaat,' zegt hij.

Dat is je geraden ook, antwoord ik in stilte, terwijl ik terugdenk aan het feit dat ik er destijds tweehonderd dollar voor heb neergeteld, toen het nog het nieuwste model was.

Ik loop achter de blonde man aan een grote woonkamer in met ramen die een panoramisch uitzicht bieden op de tuin en verder weg, langs een steile heuvel, op de baai van San Francisco. Door de mist heen zie ik de Golden Gate Bridge.

De blonde man gebaart naar een bankstel en vertrekt. Ik ga zitten en staar naar de muren. Ze zijn spierwit en behangen met grote schilderdoeken die ik raadselachtig vind: vormen en kleuren, zwart en wit, spetters rood. Het zijn stukken moderne kunst of politieschetsen van een plaats delict.

Na een paar minuten hoor ik voetstappen achter me. Ik draai me om en zie een man van middelbare leeftijd – mager, een bril en peper-en-zoutkleurig haar – de kamer in lopen. Het eerste wat ik denk is dat hij er echt uitziet als een professor, en dat het enige kwaad dat hij kan doen bestaat uit een onvoldoende geven voor een examen. Het tweede wat ik denk is dat hij verantwoordelijk is voor de afranseling van mijn zoon, voor het breken van zijn been, en dat hij me doodsbang heeft gemaakt.

De man loopt met uitgestoken hand op me af. 'Meneer Largo?' vraagt hij. Ik sta op van de bank en schud zijn hand. Met een Russisch accent vervolgt hij: 'Wat een aangename verrassing.'

'Ik was in de buurt,' antwoord ik. 'Dus ik dacht: ik wip even langs voor een blini met kaviaar.'

Hij kijkt oprecht verbaasd, alsof ik echt een drankje en een hapje had verwacht en hij zo onbeschoft is me dat niet aan te bieden. 'O? U wilt iets te drinken? Thee, misschien?'

'Nee, het was maar een grapje.'

'Ah.' Hij gebaart me te gaan zitten. Zelf blijft hij staan. 'Goed, eens kijken. Wie bent u nu precies?'

Ik heb het gevoel dat hij best weet wie ik ben. Dat hij het precies weet. Een Rus die zo geobsedeerd is door beveiliging dat hij eist dat je ballen worden betast en je mobiele telefoon in beslag wordt genomen, laat een volslagen vreemde niet zomaar, zonder afspraak, zijn huis binnenlopen, na een vage belofte van een miljoen dollar.

Maar ik speel het spelletje mee. 'Mijn zoon heet Toby Largo,' zeg ik. 'Hij is u wat geld verschuldigd.'

Hij schudt zijn hoofd en wuift met zijn handen, alsof deze triviale details letterlijk als muskieten om zijn hoofd zwermen, en hem irriteren. 'Er zijn zo veel mensen die me geld verschuldigd zijn,' zegt hij. Of hij zich hier verontschuldigt voor het feit dat hij mijn zoon niet kent, of dat hij de doelloosheid van de maatschappij in het algemeen betreurt, is niet duidelijk.

'Mijn zoon heeft zaken gedaan met iemand die voor u werkt. Sergei de Rock.'

'Sergei de...' Zijn stem sterft weg. Hij kijkt verward. Maar dan begrijpt hij het. 'Zonder "de". Gewoon Sergei Rock.' Hij spreekt de achternaam uit als 'rook.' Met zijn Russische accent klinkt het nog helemaal niet zo gek.

'Ja,' zeg ik. 'Sergei Rock.'

Sustevich draait zich om naar de deur achter zich. Zonder zijn stem te verheffen zegt hij rustig: 'Dmitri.'

De blonde man die me eerder heeft begeleid, verschijnt in de kamer. Sustevich spreekt snel in het Russisch. Ik hoor de naam Sergei.

De blonde man knikt en verdwijnt.

'Ik laat hem halen,' legt de Professor uit, alsof ik een sul ben die geen idee heeft wat er zojuist is besproken.

Even later loopt er weer een man de kamer in. Ik moet grote moeite doen om niet in lachen uit te barsten. Wat is het allerbelachelijkst aan hem? Dat hij een duur Armani-pak draagt, ondanks het feit dat hij het vierkante lichaam van een gewichtheffer heeft, even breed als hij lang is? Of dat er een paars litteken over zijn gezicht loopt, van zijn kin tot aan zijn voorhoofd, dat nog het meest lijkt op een goedkoop feestartikel voor Halloween? Of is het het idee zelf: dat een Russische maffiabaas met de naam 'Professor' – die rustig en innemend is, moderne kunst aan de muur heeft hangen, een elegante bril draagt en uitzicht op de baai heeft – zich laat omringen door vlezige druiloren uit een Russische gangsterfilm?

Sergei de Rock, of Sergei Rook, of hoe hij zichzelf ook noemt, loopt naar me toe. De Professor zegt: 'Sergei, dit is de heer Key Largo.'

'Kip,' zeg ik. 'Kip Largo.'

Hij negeert me en blijft zich tot Sergei wenden: 'Doe jij zaken met zijn zoon?'

Sergei glimlacht. Hij legt een reeks afgebrokkelde tanden bloot, als het blad van een metaalzaag. 'Ja.' Hij lijkt prettige herinneringen te hebben aan de zakelijke ontmoeting met Toby van gisteren.

Sustevich wendt zich tot mij. 'U schijnt gelijk te hebben.'

'Fijn om te horen.'

Sustevich vraagt Sergei iets in het Russisch. De reusachtige gorilla antwoordt in het Engels: 'Zestigduizend.'

Sustevich knikt. Hij zegt weer iets in het Russisch. Sergei gromt en verlaat de kamer.

'Waarom bent u hier?' vraagt Sustevich me. 'Betwist u de schuld?'

'Nee, mijn zoon zal het u zeker verschuldigd zijn.' Ik kan er niets aan doen, maar terwijl ik dit zeg, dwalen mijn gedachten af naar al die keren dat Toby me heeft teleurgesteld: zakken voor biologie, bijlessen volgen, studie niet afmaken, zijn arrestatie voor het verkopen van wiet. 'Maar ik wil u een zakelijk voorstel doen.'

De Professor knikt. 'Ah, zaken,' zegt hij. Het idee lijkt hem aan te spreken. 'Laten we dan een wandelingetje maken in de tuin.'

Hij gaat me voor door de woonkamer. Het geluid van zijn voetstappen wordt weerkaatst door het hoge plafond. We lopen de tuin met de figuursnoeikunst in. Het is een kille, bewolkte middag. Ik loop een een paar meter achter hem aan de tuin in en sta vervolgens oog in oog met een buxus in de vorm van een olifant.

'Weet u wat dit is?' vraagt Sustevich aan mij.

Ik denk dat hij het over de figuursnoeikunst heeft. 'Een olifant?'

'Nee, ik bedoel dít.' Hij zwaait met zijn arm in de rondte naar de tuin, het huis, het uitzicht op de baai. 'Weet u wat dit allemaal is?'

‘Nee,’ antwoord ik. ‘Wat dan?’

‘Dit is het resultaat van zeer veel zakendeals, die stuk voor stuk verstandig waren.’

‘Ah,’ zeg ik. ‘Ik begrijp het.’

‘Wat voor business hebt u voor mij?’

Ik voel dat er iemand achter ons staat. Als ik me omdraai, zie ik tot mijn verbazing nóg een vlezige Rus. Deze heeft haar dat zo donker is als de rivier de Moskou. Hij houdt zich afzijdig en blijft discreet op tien meter afstand. Ook hij draagt een headsetje. Ik heb hem het huis niet horen uit komen en hem ook niet in de tuin gezien toen we die in liepen.

‘Mijn zoon is u zestigduizend dollar verschuldigd. Ik zal zijn schuld aflossen en u vervolgens nog een paar miljoen geven.’

Sustevich trekt het gezicht van een professor die een nieuwe academische theorie overdenkt. Ja, hiermee zullen de grondvesten waarop de hele discipline is gebouwd gaan schudden, maar het is toch zeker de overweging waard! Zijn gezicht blijft uitdrukkingsloos terwijl hij het bewijs, de voor- en nadelen afweegt. Hij steekt zijn hand in zijn jaszak en haalt er een pakje Marlboro uit. Zijn sigaret steekt hij met een lucifer aan. Hij neemt een trekje en gooit de lucifer, die nog steeds brandt, op het gras. Die vlamt even op en dooft.

Tot mijn verbazing draaft de donkerharige Russische schurk ernaartoe, bukt zich, pakt de lucifer van het gras en loopt weer terug naar zijn plek tien meter verderop.

Sustevich heeft door dat ik het ritueel opmerk. Hij kijkt geamuseerd. ‘Ziet u? Hier is de wetenschap van de rentabiliteit aan het werk. Comparatief Voordeel. David Ricardo. Ik ben beter in nadenken dan de arme Hovsep. Hovsep is weliswaar niet erg behendig in het oprapen van lucifers, erg incompetent zelfs’ – hij werpt de donkerharige schurk een vuile blik toe – ‘maar hij is er minder slecht in dan ik. En ik ben beter in het gebruiken van mijn hersenen.’

Hij zegt iets in het Russisch tegen Hovsep. De woorden klinken kwaad. Met een angstig gezicht schuifelt Hovsep terug naar de voeten van de Professor, zakt op zijn handen en knieën en zoekt in het gras. Hij scheidt de grassprietjes met zijn vingers alsof hij op zoek is naar een gevallen diamant. Uiteindelijk vindt hij wat hij zocht: een klein puntje van de lucifer, alleen de kop, die nu uit zwarte as bestaat. Hij laat de Professor de luciferkop tussen zijn vingers zien en trekt zich weer terug.

'Fascinerend,' zeg ik.

Sustevich richt zich weer op mijn zakelijke voorstel en vraagt: 'Vanwaar die gulheid? Waarom biedt u mij miljoenen extra aan?'

'Omdat ik u er twee dingen voor terug wil vragen.'

'Ja,' zegt hij, alsof hij had verwacht dat ik zoiets zou zeggen. 'Rentabiliteit heeft alles met uitwisseling te maken, nietwaar?'

'Juist,' zeg ik. 'Zoiets.' Ik loop voorop, in de richting van een gesnoeide zwaan. Ik bewonder de manier waarop de details zijn uitgewerkt: de smalle bek, de opgeheven linkervleugel, alsof de buxus op het punt staat weg te vliegen. Ik laat mijn hand over de sierlijke, gebogen nek glijden. Daarna draai ik me naar Sustevich om. 'Ik denk dat u wel weet wie ik ben.'

Ik verwacht dat Sustevich het ontkent, het verhaal blijft ophouden dat ik een willekeurige bezoeker ben. Maar daar is hij te slim voor, en zijn tijd is kostbaar. 'Ja,' zegt hij. 'U bent Kip Largo. U bent een meesteroplichter. Ik weet alles van u.'

'Dan weet u dus waar ik mijn brood mee verdien.'

'Niet anders dan dat ik dat doe. Niet anders dan Gucci, of Steven Wynn, of Ralph Lauren, toch? U scheidt mensen van hun geld in ruil voor een illusie.'

'Ik waardeer uw vriendelijke woorden,' zeg ik, hoewel ik niet helemaal zeker weet of ze wel vriendelijk zijn bedoeld.

'En, oplichtersvriend,' zegt Sustevich, 'wat wilt u van mij?'

'Wat ú van mij wilt,' antwoord ik. 'Ik bied u de kans om in een van mijn... zakendeals te investeren.'

'Juist.'

'In ruil daarvoor krijgt u een deel van de winst.'

'En over wat voor zakendeals hebben we het hier?'

'Ik vrees dat ik u dat niet kan vertellen. Ik kan u alleen zeggen dat de verwachte opbrengst aanzienlijk is.'

Hij knikt. 'Ah,' zegt hij. Hij denkt even na. 'Ik heb laatst een telefoontje gehad. Van een durfkapitalist die exclusief in *e-commerce* investeerde. U weet wel, reizen boeken via internet, wijn kopen via internet, schoenen kopen via internet, speelgoed kopen via internet. Internet, internet, internet. Alles via internet.'

‘Toch geen vitaminen, mag ik hopen?’

Sustevich negeert mijn opmerking. ‘Afijn, deze durfkapitalist beloofde me dertig procent per jaar, minimaal.’

‘Ik kan meer bieden,’ zeg ik snel.

‘O?’

‘Ik kan uw geld verdubbelen in slechts twee maanden tijd.’

‘Mijn geld verdubbelen? In slechts twee maanden?’ Hij wendt zich tot Hovsep, die nog steeds bleek ziet en trilt na het luciferfiasco. ‘Hovsep, hoor je dat? Meneer Largo biedt aan om mijn geld in twee maanden tijd te verdubbelen. Zou jij investeren in zo’n deal?’

De Rus kijkt onzeker. Is het weer een test? Hij denkt over zijn antwoord na. Uiteindelijk antwoordt hij rustig, maar onzeker – alsof het een vraag is in plaats van een antwoord: ‘Nee?’

‘Nee?’ herhaalt Sustevich, alsof hij het tegen een domme student heeft. ‘Nee?’

‘Nee,’ herhaalt Hovsep. Ik weet wat hij denkt: dat stellig antwoord geven met een man als Sustevich belangrijker is dan het antwoord zelf. Dus herhaalt Hovsep, terwijl hij zijn best doet om zelfverzekerd te klinken: ‘Ik zeg: Niet in deze zakendeal investeren.’

‘Niet?’ Sustevich verheft zijn stem. ‘Kom hier.’ Hij gebaart de donkerharige Rus naar hem toe te komen. Hovsep beweegt zich schichtig en kijkt angstig.

De Professor brengt zijn gezicht slechts enkele centimeters van dat van Hovsep. ‘Jij zou niet investeren in een deal waarmee je geld in twee maanden tijd wordt verdubbeld?’

‘Nou,’ antwoordt Hovsep, die nu onzeker klinkt. ‘Misschien toch wel.’

Grote vergissing. Met een snelheid die me verbaast, haalt de Professor uit en slaat Hovsep tegen zijn wang. ‘Ben je achterlijk?’ vraagt de Professor. ‘Jij zou niet investeren in een deal waarmee je geld in twee maanden tijd wordt verdubbeld? Begrijp je het niet? Dat is een jaarwinst van zeshonderd procent!’

‘Ja,’ zegt Hovsep. Zijn wang vertoont een grote, rode handafdruk. ‘Nu begrijp ik het.’

‘Bah,’ zegt Sustevich vol walging. Hij wuift met zijn hand en stuurt Hovsep weg. ‘Uit mijn ogen. Dit is nu precies de reden dat jij lucifers oppraapt en ik het denkwerk doe.’

‘Ja,’ beaamt Hovsep. Hij lijkt opgelucht dat hij mag vertrekken. Als een nerveuze hofnar die een krankzinnige koning dient, schuifelt hij weg.

Verontschuldigend zegt Sustevich tegen mij: 'Neemt u het Hovsep alstublieft niet kwalijk. Hij is heel erg dom.'

'Maar hij is wel goed met lucifers.'

Sustevich richt zijn aandacht weer op de deal. 'Hoeveel moet ik in deze zakendeal investeren?'

Hoewel ik het antwoord klaar heb, doe ik alsof ik er hardop over nadenk. 'Nou, even denken. In elk geval heb ik startkapitaal nodig. Om de zwendel op te zetten. U weet wel, een kantoor inrichten, IT-voorzieningen treffen, juridische kosten en boekhoudkosten. Ik zal ongeveer tien mensen in dienst moeten nemen. En natuurlijk de luxe speedboot die ik op het oog heb.'

Sustevich kijkt me aan. 'Echt?' vraagt hij. Schijnbaar weet hij mijn gevoel voor humor niet erg te waarderen.

'Nee,' zeg ik. 'Grapje. Dat van die speedboot.'

'Dus hoeveel?'

'Zes miljoen dollar.'

'En ik krijg twaalf terug?'

'Zeker.'

'Akkoord,' zegt Sustevich. Zijn ogen trekken weg naar de Baai. Zijn gedachten zijn al weer elders. 'Ik heb een hekel aan dit weer,' zegt hij. 'Altijd grijs.'

'Akkoord?' vraag ik. Zijn snelle acceptatie van mijn voorwaarden doet mij betreuren dat ik niet meer heb gevraagd.

'Ja, ja,' zegt hij. Hij wuift met zijn vingers. 'En wat is uw tweede verzoek?'

Ik ben zo overrompeld door de snelheid waarmee alles gaat, dat ik geen idee heb waar hij het over heeft.

Sustevich biedt me de helpende hand. 'U zei dat u twee verzoeken had. Om zaken te doen.'

'Juist. Nou, het ene betrof het geld. En dan is er nog mijn zoon. Ik wil dat u Toby met rust laat terwijl ik met deze zakendeal bezig ben.'

'Ah.'

'Hebben we dus een deal?'

'Ja,' zegt hij. 'Was dat alles?'

Ik knik.

'Dmitri,' zegt hij rustig, alsof de man naast hem staat. Tot mijn verbazing komt Dmitri enige seconden later het huis uit lopen. Sustevich zegt tegen hem: 'We gaan zes miljoen dollar in de nieuwe zakelijke onderneming van de heer Largo investeren.'

'Ja, Professor,' zegt Dmitri.

'En jij zegt tegen Sergei dat hij de zoon van de heer Largo met rust laat.'

'Ja, Professor.'

Tegen mij zegt hij: 'U belt Dmitri als we het geld naar uw bankrekening kunnen overmaken. Opent u alstublieft een rekening bij de Bank of Northern California. Met die bank heb ik speciale regelingen getroffen.'

Ik heb het gevoel dat deze regelingen te maken hebben met betalingen aan topfiguren om wetten aangaande witwaspraktijken te negeren en aan IT-managers om beveiligingssoftware te herschrijven dat verdachte transacties signaleert. Ik bewonder de Professor om zijn vrijpostigheid.

'Dmitri,' zegt de Professor.

'Ja, Professor.'

Alsof hij een reisagent een potentieel reisplan voor een aangenaam dagtochtje voorlegt, zegt Sustevich: 'Als de heer Largo niet binnen twee maanden twaalf miljoen dollar op onze rekening heeft gestort, maak je hem af. En zijn zoon ook.'

'Hoe, Professor?' vraagt Dmitri.

'Op de manier die jij het fijnst vindt.'

Dmitri glimlacht.

Sustevich denkt even na. Ineens komt zijn controlerende aard naar boven. 'Nee,' zegt hij, waarmee hij een streep haalt door het 'op de manier die jij het fijnst vindt'-idee. 'Met gif.'

'Ja, Professor,' zegt Dmitri. Hij kijkt teleurgesteld. Of dit is omdat het gebruik van gif onaangenaam is en rotzooi geeft, of omdat het verzoek Dmitri's creativiteit belemmert, weet ik niet.

'Het is mij een genoegen zaken met u te doen,' zegt Sustevich tegen mij.

'Insgelijks,' zeg ik. Maar het enige waar ik op dit moment aan denk is dat ik niet moet vergeten mijn mobiele telefoon terug te vragen.

7

IK RIJ BIJ SUSTEVICH weg en verlaat de stad via de I-280. De snelweg kronkelt door de heuvels en kijkt uit over ravijnen met jeneverstruiken en blauwe meren. De route is aangenaam en pittoresk. Er zijn maar weinig mensen die weten dat de weg met cartografische precisie de exacte lijn van de St.-Andreasbreuk volgt. In feite slinger je door een smalle ruimte tussen twee tektonische platen. Aan weerszijden word je omgeven door een oud, onderzees continent, een uitgestrekt grondgebied dat groter is dan heel Noord-Amerika. En beide helften van de aarde zitten vast, als een reusachtig zeil op een zeilboot, en spannen zich om zich los te scheuren en op hun natuurlijke plaats te vallen – boven op jou. Dit besef, dat elke keer weer bovenkomt wanneer ik over deze weg rij, is weer een bevestiging van mijn theorie van het leven: dat schoonheid altijd iets te verbergen heeft, dat alles waarvan je geniet een geheime prijs kent.

Terwijl ik in zuidelijke richting rij met zes miljoen dollar aan investering om mijn plan te financieren, besef ik dat het spel nu echt in voorbereiding is. Het effect is fysiologisch: mijn hartslag versnelt, mijn ademhaling wordt dieper. Zoals bij een sprinter in de startblokken is de reactie onwillekeurig, maar niet onwelkom. Ik weet dat ik ten dode ben opgeschreven, dat deze onderneming gedoemd is te mislukken, maar – aan de andere kant – hoeveel jaar wil ik nog bij Economy Cleaners werken? Hoeveel jassen en overhemden wil ik nog van de gemotoriseerde kledingrekken trekken, hoeveel pastavlekken wil ik nog met fluorescerende tape markeren? Morgen bel ik Imelda om haar te vertellen dat ik ontslag neem, dat familieverplichtingen me roepen. Ze zal met haar tong klakken en veelbetekenend zeggen: 'Kip, lieverd, waar ben je mee bezig? Weet je niet waar dit toe leidt?' En ik zal geen antwoord geven, omdat ze gelijk heeft. Waar dit toe leidt? Terug naar de bak als ik geluk heb, of anders een vroegere dood dan ik had gepland.

Maar ik zie geen andere uitweg. Mijn zoon heeft me nodig. Zonder mijn hulp is hij er geweest. Heel even heb ik een ingeving, luid en helder, dat mijn situatie niet uniek is. Dat alle wegen die we kiezen van tevoren zijn bepaald, door beslissingen uit een ver verleden, soms zelfs van voor onze geboorte; en dat de keuzes die we maken helemaal geen keuzes zijn. Mijn lot, om weer in de bak in Lompoc te belanden, met twee vergrijpen op mijn naam, was al bepaald op de dag dat ik ter wereld kwam als zoon van Carlos Largo, een uitgekookte kruimeldief, een afstandelijke man die zijn zoon afkeurde, omdat zíjn vader hém ook had afgekeurd. En dus ben ik voorbestemd om zijn fouten te herhalen, of om er verlossing voor te vragen – door de hel te betreden omwille van mijn eigen zoon. De pijn zal bij mij ophouden, besluit ik. Ik zal verlossing nastreven voor ons allen.

Eenmaal in Palo Alto is het een rechte lijn van de I-280 naar Sand Hill Road. Misschien heb ik daarom wel voor deze route gekozen: niet vanwege het uitzicht op de ravijnen, maar omdat ik weet dat de weg slechts honderd meter bij het Stanford Hospital vandaan loopt, waar mijn zoon Toby ligt.

Ik parkeer in de ondergrondse garage van het ziekenhuis – geen spoedgeval vandaag – en loop naar boven om mijn zoon op te halen. De artsen zeiden dat hij vanmiddag naar huis mocht. Natuurlijk bied ik hem mijn appartement aan; zelfs mijn bed, want hij kan niet op de grond liggen met een gebroken been en twee gebroken ribben. Het is geen geringe opgave om voor hem te zorgen, om hem te helpen douchen, eten en om hem bezig te houden, terwijl ik ook nog een zwendel moet plannen; maar ik ben ertoe bereid. Nu ik de Professor de belofte heb ontfutseld dat Toby veilig is, in elk geval voor een poosje, is het goed dat hij in de buurt is, voor hem en voor mij. Ik verheug me op de kans om weer vader te zijn.

De lift zoeft van de garage naar de begane grond. De deuren openen naast een verpleegsterspost. Ik wil doorlopen naar de kamer waar ik Toby gisteren heb aangetroffen, maar word tegengehouden door een mannelijke verpleger. 'Kan ik u helpen?'

'Ik kom voor mijn zoon. Toby Largo. Hij ligt in kamer 108.'

Ik draai me weer om, maar de verpleger zegt: 'Toby Largo? Die is al vertrokken.'

Ik kijk op. De verpleger kijkt de gegevens na in de computer en tikt op het toetsenbord. 'Yep,' zegt hij. 'Ongeveer een uur geleden.'

'Vertrokken? Kan hij lópen dan?'

'Hij had hulp. Zijn moeder is gekomen.'

Die verdomde Celia. Wederom doe ik het zware werk – onuitgenodigd het huis van een Russische topcrimineel binnen lopen en een belofte ontfutselen voor de veiligheid van mijn zoon, mijn leven geven als borgsom – terwijl Celia de overwinning claimt door op het allerlaatste moment het ziekenhuis in te vliegen en Toby mee te nemen voor een glorieuze thuiskomst.

Mijn woede schijnt zichtbaar te zijn, want de verpleger vraagt: 'Meneer Largo, gaat het?'

Ik probeer te glimlachen. 'Prima. Ik denk dat er sprake is van een communicatiestoornis.'

'Waarschijnlijk zitten ze al thuis op u te wachten,' zegt de verpleger. Hij probeert behulpzaam te zijn, maar helaas heeft hij het maar voor de helft bij het rechte eind. Ze zijn inderdaad al thuis, maar ze zitten niet op mij te wachten.

'Dank u.'

Ik loop terug naar mijn auto en rijd Sand Hill Road weer op. Ik zou me niet op Toby en Celia moeten concentreren; ik moet nog zoveel andere dingen doen, zoals mijn werk bellen en ontslag nemen, de oplichterij plannen, mijn team samenstellen; alvast scenario's en contrascenario's bedenken, alternatieven en contra-alternatieven. Maar het knaagt aan me. Ik sta op het punt om alles op te geven, het normale, saaie bestaan waarnaar ik zo lang heb verlangd. Ik had toch minstens een bedankje verwacht.

Ik pak mijn mobiele telefoon uit mijn jaszak en toets Celia's nummer in. De lijn gaat vier keer over, en haar voicemail neemt op. 'Dit is de voicemail van Celia en Carl,' zegt ze. 'We zijn niet thuis, maar u kunt na de piep een boodschap inspreken.' Het verbaast me de naam van een man te horen. Het is lang geleden dat ik haar voor het laatst heb gebeld, en ik had er geen idee van dat ze weer afspraakjes maakte, laat staan dat ze met iemand samenwoonde. Ik probeer me voor te stellen wat Toby hiervan vindt, gedegradeerd te worden tot de bank terwijl zijn moeder en een vreemde man in de slaapkamer ernaast de liefde bedrijven.

Ik hang op zonder een boodschap in te spreken. Er komt een andere gedachte bij me op. Dat goeddoen op zich al een beloning is, en dat ik daarvoor geen lofbetuigingen of dankwoorden hoef te verwachten.

Even overdenk ik die gedachte. Ik eindig met de conclusie dat het voor hen hoe dan ook een kleine moeite was geweest om even te bellen.

8

IK ZAL JE VERTELLEN hoe je je eigen bankinspecteurzwendel kunt uitvoeren.

Zoek allereerst een doelwit. Oudere mensen zijn het geschiktst, maar vrijwel iedereen komt ervoor in aanmerking. Het belangrijkste is dat ze alleen wonen. Dus: weduwnaars en weduwen zijn goed – mensen zonder vrienden en familie, mensen die zo eenzaam zijn dat een vreemde stem aan de telefoon een welkome inbreuk op hun miserabele leven is.

Als je een doelwit hebt gevonden, moet je informatie verzamelen: bankrekeningnummer, eventueel een lijst met recente banktransacties. Het stelt allemaal weinig voor. Open gewoon willekeurige brievenbussen en ga op zoek naar bankenveloppen.

Een handige truc: breek het slot van de postsorteerruimte achter de brievenbussen van een appartementencomplex open. Het kost de huurbaas twee dagen om het op te merken en te laten herstellen. Ga terug naar de opengebroken brievenbusruimte na de eerstvolgende postbezorging. Je zult je voelen als een verslaafde in de voorraadkast van een apotheek. Zoek naar brievenbussen met enveloppen van pensioenfondsen.

Als je een bankafschrift vindt dat geadresseerd is aan een weduwe of weduwnaar, neem het dan mee naar huis. Maak een kopie van de inhoud. Plak de envelop weer dicht. Stuur hem opnieuw naar je doelwit.

Wacht een week.

Nu begint het. Bel je doelwit op. Stel jezelf voor als, laten we zeggen, Frank Marley, bankinspecteur bij de Wells Fargo Bank (of bij welke bank je doelwit zijn bankzaken ook regelt). Zeg zoiets als: 'Meneer Jones, we zitten hier bij Wells Fargo met een nogal gênante situatie. Het vermoeden bestaat dat een van de kasbedienden op uw vestiging onbetrouwbaar is. Ze steelt geld van de rekeningen van onze klanten, onder meer die van u.'

'Mijn hemel,' zal het doelwit zeggen. 'Hoeveel is er gestolen?'

'Laat ik eerst uw gegevens met u doornemen,' zeg je dan. 'Wilt u uw identiteit even bevestigen? Doet de volgende informatie een belletje bij u rinkelen?'

Op dit punt lees je alle bankinformatie op die je van hem hebt gestolen. 'Uw rekeningnummer is 444-555, klopt dat?' vraag je. 'Hebt u op 3 maart 675 dollar gestort en op 15 maart 400 dollar opgenomen?'

'Eh... inderdaad,' zal je doelwit zeggen.

'Ah, daar was ik al bang voor. Het lijkt erop dat we inderdaad een probleem hebben. De kasbediende heeft tijdens uw laatste opname honderd dollar van uw rekening verduisterd. Sinds het begin van dit jaar heeft ze in totaal ongeveer tweeduizend dollar van uw rekening vervreemd.'

'Mijn hemel,' zal het doelwit ongerust uitbrengen. 'Hoe is het mogelijk dat ik er niets van heb gemerkt?'

Negeer de vraag. Zeg: 'Meneer Jones, we hebben uw hulp dringend nodig. We willen de kasbediende op heterdaad betrappen. Zo versnellen we het proces van de terugbetaling van het geld dat van uw rekening is gestolen. Ook mag ik u vertellen dat Wells Fargo een beloning van duizend dollar in het vooruitzicht stelt voor uw hulp bij het vangen van deze crimineel.'

Het doelwit is nu helemaal overstag: overstuur door het feit dat hij bestolen is, opgetogen over de beloning van duizend dollar. 'Wat moet ik doen,' zal hij vragen.

'Het is heel eenvoudig. We hebben een vermoeden hoe de kasbediende onze klanten besteelt, maar we moeten het bevestigd zien. Zoals u weet, wordt de bank met een gesloten cameracircuit beveiligd. We zullen de videobanden nauwkeurig bestuderen. Ik wil u vragen om uw vestiging vanmiddag om één uur te bezoeken en vierduizend dollar in biljetten van honderd dollar op te nemen. Het is heel belangrijk dat u de biljetten zelf niet aanraakt. Vraag de kasbediende om de biljetten voor u in een envelop te doen.'

'Goed,' zal het doelwit zeggen.

'Meneer Jones, nu komt het belangrijkste: ik weet niet hoeveel medewerkers van uw vestiging bij deze verduistering betrokken zijn. Daarom mag u hier met níémand over praten. Als u iemand vertelt waar u mee bezig bent, brengt u het hele onderzoek in gevaar.'

'Oké,' zal meneer Jones zeggen.

'Goed, nadat u het geldbedrag hebt opgenomen, moet het onderzocht worden. Rijdt u alstublieft naar het parkeerterrein achter de K-mart. Mijn partner, bankinspecteur Smith, zal u daar treffen en de envelop inspecteren. Volgt u mij nog?'

'Ja, ik geloof van wel,' zal meneer Jones zeggen.

Om één uur stuur je je handlanger 'Sam Smith' naar het parkeerterrein van de K-mart. Hij moet zijn auto naast die van het doelwit parkeren en bij hem in de auto stappen. Smith moet een visitekaartje laten zien waarop zoiets staat als: SAM SMITH, INTERNE CONTROLE, WELLS FARGO.

'Prima werk,' zal Sam Smith zeggen. Hij zal vragen of hij de envelop met geld mag zien. Hij onderzoekt de inhoud van de envelop en noteert nauwgezet de serienummers van alle honderddollarbiljetten op een vel papier met de kop: ONDERZOEKSGEGEVENS.

Hij schrijft een kwitantie uit voor vierduizend dollar en geeft die aan het doelwit. 'Zorgt u er alstublieft voor dat u dit bonnetje niet verliest. Na afloop van het onderzoek krijgt u de vierduizend dollar van ons terug, plus een beloning van duizend dollar voor uw moeite. Maar verlies het bonnetje niet.'

'Oké,' zal het doelwit zeggen. 'En hoe gaat het nu verder?'

'U gaat naar huis en doet verder alsof er niets is gebeurd. We bellen u vanavond op om u te laten weten hoe het onderzoek verloopt. Maar alstublieft, meneer Jones, rept u hier met geen woord over. We hebben lang en hard aan dit onderzoek gewerkt. Als het nu in de openbaarheid komt, is alles voor niets geweest.'

'Ik begrijp het,' zal meneer Jones zeggen.

Het doelwit zou goed moeten zijn voor nog twee à drie vervolgzetten. Wil je hem nog meer geld ontfutselen? Bel hem die avond dan op en meld je weer als de heer Marley, de bankinspecteur. Bedank hem voor zijn medewerking en deel mee dat de bank en de politie dankzij zijn hulp de lijst met onbetrouwbare kasbedienden hebben weten terug te brengen tot twee of drie. Er zijn nog maar een paar kasopnames nodig om de identiteit van de dief met zekerheid vast te stellen.

Regel nog een paar geldopnamen en nog een paar ontmoetingen met Sam Smith.

Zodra je het doelwit hebt beroofd van al het geld waar hij volgens jou goed voor is, of zodra je ook maar de minste twijfel in zijn stem hoort, verdwijn je voor een paar weken. Je kunt later weer terugkomen om nog een laatste grote slag te slaan.

9

MIJN AVOND BEGINT met een telefoontje naar Peter Room, mijn computerprogrammeur. Peter is verbaasd om mijn stem te horen. Ik heb zijn telefoontjes zo lang genegeerd, omdat ik niet in staat was om hem voor zijn werk aan MrVitamin.com te betalen, dat mijn plotselinge, spontane contactopname op hem moet overkomen als een miraculeuze visitatie van de engel Gabriël.

'Kip!' zegt hij. 'Waarvoor bel je?'

'Je krijgt nog geld van me. Over een paar dagen heb ik het.'

'Nou, ik zit er niet om verlegen, hoor.' Peter behoort tot de elite van computerprogrammeurs in Silicon Valley. In tegenstelling tot hun collega's die in vaste dienst zijn, wippen deze computerexperts van klus naar klus. Ze laten zich inhuren als tijdelijk personeel en worden binnengehaald als extra vuurkracht om een falend project te redden, een onmogelijke deadline te halen, of een programma te herschrijven na een mislukte start. Ze vragen uitzonderlijke bedragen – tweehonderd, driehonderd dollar per uur – en sommigen van hen hebben zelfs agenten, zoals honkbalspelers, die ritselen en de diensten van hun cliënten aan de hoogste bieder proberen te slijten.

De programmeerklussen nemen een maand in beslag, soms twee of drie, en dan verdwijnen ze weer een halfjaar uit de wereld van werken en loonstrookjes. Ze gaan surfen in Pukhet Bay, fietsen in Nepal of hangen gewoon rond en worden stoned in hun appartement in Palo Alto, totdat hun geld opraakt en ze gedwongen zijn weer een klus aan te nemen. Dan begint het hele proces weer opnieuw.

Peters telefoontjes naar mij, met als doel de duizenden dollars op te strijken die ik hem voor MrVitamin verschuldigd ben, begonnen drie weken geleden. Ik vermoed dat rond die tijd Peters geld begon op te raken en dat hij van alles probeerde – zelfs hopeloze dromen nastreefde, zoals geld bij mij innen – om het weer moeten werken een paar maanden uit te stellen.

Maar nu ik hem opbel en aanbied hem te betalen, is hij ineens niet langer bezorgd, wat betekent dat hij een nieuwe klus heeft.

'Het heeft geen haast, Kip,' zegt hij tegen me. 'Betaal me gewoon wanneer het je uitkomt.'

'Je weet dat ik een man van mijn woord ben. Ik ben het je verschuldigd en ik ben bereid te betalen.' Eigenlijk, denk ik bij mezelf, ben ik bíjna bereid te betalen. Zodra Sustevich' geld overgeboekt kan worden, over een paar dagen. Maar ik bespaar hem de details. 'Ik wil ook graag een afspraak met je maken,' zeg ik. 'Ik heb een nieuw project, waarvoor ik advies nodig heb.'

'O, o,' zegt Peter Room. 'Slecht nieuws, man. Ik heb net een nieuwe klus aangenomen. Ken je dat bedrijf waarmee Linus is gefuseerd? Het is nog topgeheim; ze zouden over drie maanden de markt op gaan.'

'Ja, daar heb ik van gehoord,' lieg ik.

'Nou, dat gebeurt dus niet,' zegt Peter, alsof deze informatie me verrukkelijk in de oren zal klinken.

'Je maakt een grapje.'

'Afijn, ik heb een contract met hen getekend tot september. Ik ben dus niet beschikbaar.'

'Prima. Ik was ook niet van plan om je in te huren. Deze klus is niet helemaal...' Ik laat mijn stem wegsterven. Zachter, vol bedekte toespeling, voeg ik eraan toe: '*Kosher*.'

'Je meent het.'

'Ik wilde alleen advies bij je inwinnen. Meer niet. Misschien kun je me in de juiste richting wijzen. Over technische dingen.'

Zoals ik verwacht had, prikkelt de hint dat ik iets illegaals van plan ben hem. Hij zit zijn hele leven al achter een computerscherm softwarecodes te schrijven. Het illegaalste wat hij ooit heeft gedaan, was het roken van een hasjpijp zo groot als een tuba. Ik ben zijn enige, subtiele link met een duistere, opwindende wereld. Ik vermoed dat hij mijn naam laat vallen als hij indruk wil maken op de vrouwtjes. Ken je die kerel van het Dieetspel, zegt hij tegen de beoogde doelwitten in die deprimerende kroegen die hij regelmatig bezoekt. Die vent die in de bak is beland? Ik heb een paar jaar voor hem gewerkt. We waren praktisch partners.

'We kunnen wel iets afspreken,' antwoordt Peter net iets te enthousiast.

'Weet je het zeker? Je hebt toch net een nieuwe klus –'

'Je wilde toch alleen advies?'

'Dat klopt.'

'Wat dacht je van Zott's, over ongeveer een halfuur?'

Zott's is een kroeg die ligt tussen Palo Alto en niemandsland. Het laatste is letterlijk een feit. Aan de rand van de stad ligt een strook land dat noch tot Palo Alto behoort, noch tot het nabijgelegen Portola Valley. Het is een strook grasland aan de voet van de heuvels, een gebied waarvan de overheid heeft bepaald dat er ruimte open moet blijven. Bouwwerken, waaronder ook wandelpaden en hekken, zijn verboden. De weinige bouwsels die er staan, stammen uit zeer vroege tijden. Behalve Zott's staat er in een straal van honderd meter geen enkel gebouw.

Zott's was oorspronkelijk een stal waar paarden sliepen en poepten. Tijdens de Drooglegging werd de stal opgekocht door de familie Zoteratelli en werd het een saloon voor Stanford-studenten. In een tijdperk waarin nieuwe Italiaanse migranten als vies en gevaarlijk werden beschouwd en hun taal als hopeloos exotisch werd gezien, kortten de blanke zoons van de spoorwegmagnaten die aan Stanford studeerden, de naam van hun nieuwe toevluchtsoord af tot Zott's. De naam heeft generaties lang voortbestaan, wat ook geldt voor de kroeg zelf. Hij ziet er bijna nog precies zo uit als in de jaren tachtig van de negentiende eeuw. Bij de ingang bevinden zich nog steeds een trog en een paal met een haak voor een paard. Binnen is de betonnen vloer bedekt met bladeren, takken en modder.

Vanavond is de kroeg gevuld met Stanford-types, die in de zithoekjes naar een honkbalwedstrijd van de Giants zitten te kijken op de televisie achter de bar. Ik zie dat Peter Room al in een hoekje op me zit te wachten. Peter heeft lang rood haar dat hij in een losse paardenstaart draagt en met een scheiding in het midden. Hij heeft sproeten en grote witte hazentanden. Hij draagt een zwart T-shirt met de tekst: CODE WARRIOR. Zodra ik hem zie, weet ik dat hij perfect is voor de rol. Zulke types verzin je niet.

Hij ziet me en zwaait. Ik ga in de zithoek tegenover hem zitten. Onze knieën raken elkaar.

‘Kip, kerel,’ zegt hij. Ik zie dat hij al een biertje heeft.

‘Wil je een biertje?’ vraag ik toch maar, terwijl ik stiekem opgelucht ben dat ik misschien alleen voor mezelf hoef te bestellen. Ik heb vijftien dollar in mijn portefeuille, waarmee ik het moet zien te redden totdat de nieuwe bankrekening is geopend en voorzien van het startkapitaal van Sustevich.

‘Neuh, ik heb nog.’

‘Oké, wacht even.’

Ik verlaat de tafel en loop naar de bar. De barman van Zott’s is tevens de kok. Links van hem staan de biertaps, rechts een grill met hamburgers. Het is een man van middelbare leeftijd, en hij draagt een bevlekt schort over zijn dikke buik. De vlekken zijn van afgeveegde vingers. Ik heb zo het vermoeden dat hij de schort niet afdoet als hij naar het toilet moet.

Niettemin heb ik ineens enorme honger. Sinds vanochtend heb ik al niets meer gegeten. En nu ik niets voor Peter hoef te bestellen, heb ik het gevoel dat ik goed bij kas zit. Dus bestel ik een cheeseburger en een *Anchor Steam.*

‘Wil je er friet bij?’ vraagt de barman.

‘Is dat gratis?’

‘Kost vijftig cent.’

‘Nee, bedankt.’

Ik loop terug naar Peter met in mijn hand een biertje en een bonnetje dat moet bewijzen dat de cheeseburger van mij is. Ik zie dat hij naar het bonnetje tuurt. ‘Had je soms ook een cheeseburger gewild?’ vraag ik.

‘Nee, hoor.’

‘Afijn,’ zeg ik om van onderwerp te veranderen. ‘Bedankt dat je bent gekomen.’

‘Graag gedaan. Wat doe je nu? Hoe gaat het met je sinds je bent... Je weet wel.’

Peter bedoelt: sinds je bent vrijgekomen.

‘Ik kan me redden.’

‘Hoe gaat het met MrVitamin? Ik vond het een geweldig idee.’

‘Wel goed,’ antwoord ik. Ik denk even na. ‘Nou, niet zo goed als ik had gehoopt.’

‘Verkoop je al iets?’

‘Een paar potjes per dag.’

‘Het is een begin,’ merkt Peter op.

Ik denk alleen maar: Ja, een begin is het inderdaad, van de weg terug naar de bak. ‘Ja,’ zeg ik. ‘Dat zal wel.’

‘Ik heb bewondering voor wat je doet; helemaal opnieuw beginnen.’

Toen ik Peter zes jaar geleden leerde kennen, studeerde hij nog en woonde hij in een studentenflat met een papieren globe over een gloeilamp, terwijl ik een succesvolle ondernemer was die een miljoen per maand verdiende en in een Tudor-huis met vier slaapkamers in Professorville woonde. Het was mijn taak om hem aan te moedigen. Nu zijn de rollen omgekeerd. Hij kan een inkomen van zes nullen vragen wanneer hij besluit weer eens te gaan werken. Mijn leven bestaat eruit lichaamsgeuren proberen te negeren wanneer ik afgedragen kostuums aanneem.

‘Het valt niet mee om opnieuw te beginnen,’ zeg ik. Ik wil een verklaring geven voor het feit dat ik op het punt sta weer een zwendel op te zetten. Ik wil hem uitleggen dat je je lot niet kunt ontlopen, dat je aard iets is waar je zelf niet voor kiest, dat je hele leven al is uitgestippeld op de dag dat je ter wereld komt. Maar het beste wat ik zo snel kan bedenken is: ‘Je kunt niet voor jezelf weglopen. Je bent wie je bent.’

Het klinkt als een ongeloofwaardige, nietszeggende filosofie, en dat is iets waar Peter bekend mee is. ‘Ja,’ zegt hij. ‘Vertel mij wat.’

‘Afijn, daarom wilde ik ook met je praten. Ik heb advies nodig.’

‘Prima.’

‘Maar eerst moet je me iets beloven. Wat we hier bespreken, blijft onder ons.’

‘Ja, oké.’

Peter probeert nonchalant over te komen, maar ongewild communiceert hij opwinding. Hij leunt voorover in zijn stoel; de huid rond zijn ogen is samengespannen.

‘Ik probeer aan geld te komen.’

‘Daar is niets mis mee,’ zegt Peter.

‘Nee, ik bedoel dat ik het van iemand anders ga afpakken.’

‘Is dat legaal?’

Ik trek een gezicht naar Peter. Hij beseft als snel de domheid van zijn vraag en vervolgt: ‘Van wie?’

‘Een heel slechte man.’

'Wie?'

Ik negeer zijn vraag. 'Dus probeer ik mensen te vinden die me kunnen helpen. Ik dacht dat jij, in jouw bedrijfstak, vast wel jongens kent die weer jongens kennen.'

'Wat voor jongens?'

'Computerexperts. Mensen die verstand hebben van beveiligings... zaken.'

'Hackers bedoel je?'

'Nou, het zit eigenlijk zo. Ze hoeven niet echt te hacken. Ze hoeven niet echt illegale dingen te doen. Ze moeten alleen doen alsóf. Ze moeten een mooi verhaal kunnen ophangen. Ze moeten doen alsóf ze hackers zijn. Het is eigenlijk een acteerklus.'

Dit is het kritieke onderdeel van mijn verhaal: Peter uitleggen dat zijn deel van het werk niet echt illegaal is. Jongens zoals Peter bellen nog steeds één à twee keer per week met hun ouders. Je moet ze geruststellen dat ze nooit iets laag-bij-de-gronds hoeven uit te leggen, zoals waarom ze ervoor gekozen hebben om aan een illegaal complot mee te werken waarvoor ze in de bak kunnen belanden. Tot dusver kan alles wat ik Peter verteld heb uitgelegd worden in een verontschuldigend telefoontje naar zijn ouders. 'Pa en ma, hij verzékerde me dat hij niets illegaals deed. Hij beweerde dat het een acteerklus was.'

Peter zegt: 'Waar hebben we het over? Is dit net zoiets als het Dieetspel?'

'O nee,' zeg ik. Ik wil niet dat hij aan het Dieetspel denk. Hij associeert dat – helaas niet helemaal ten ontrechte – met mijn vijfjarige verblijf in de bak. 'Dit is iets heel anders. Het Dieetspel was geen goed idee.'

Het grappige is dat het niet mijn bedoeling was om mensen op te lichten met het Dieetspel. Ik probeerde er eenvoudigweg een gewone zaak mee te runnen. Mijn verlangen om koste wat kost eerlijk zaken te doen, veroorzaakte mijn ondergang. Oplichting is veel makkelijker, je loopt minder risico. Een oplichtingszaak ga je in met een plan – een precieze en onveranderlijke strategie – en met een vluchtroute. Je houdt je aan je plan. Het is veel moeilijker om volgens de regels te werken. Altijd is er de verleiding: om harder te werken, minder te betalen, de regels op te rekken. Als je geen plan hebt, neemt je instinct het over.

Het voert te ver om dit allemaal aan Peter uit te leggen. In plaats daarvan zeg ik: 'Het Dieetspel was een vergissing, omdat het maar doorging en doorging. De klus waar we het nu over hebben, neemt maximaal zes weken in beslag. Dan is het afgelopen. Voordat iemand doorheeft waar ik mee bezig ben, is het alweer afgelopen.'

'Ik begrijp het,' zegt Peter. 'Ik ken wel een paar geschikte jongens...'

'Het moeten wel goeien zijn. Betrouwbare types. Er staat een riante beloning tegenover, dus het is de moeite waard.'

'Hoeveel?' vraagt Peter terwijl hij zijn best doet om ongeïnteresseerd over te komen.

'Voor de computerjongens? Ik weet niet. Iets van een miljoen dollar.'

'Een miljoen?'

Ik doe alsof ik hem verkeerd begrijp – dat hij verbaasd is over de geringe beloning. 'Het is maar een maandje werk.'

'Juist,' zegt Peter.

Ik kijk op en zie dat de barman met de vettige schort bij ons tafeltje staat. In zijn hand houdt hij een kartonnen bordje met een cheeseburger. 'Alstublieft,' zegt hij, en hij schuift hem over de tafel.

'Bedankt.'

Hij gebaart naar Peters bierglas, dat bijna leeg is. 'Wil je er nog een?'

Peter denkt nog steeds aan het miljoen en de kans om mijn opwindende wereld te betreden zonder veel risico voor hemzelf. Hij antwoordt niet meteen.

Ik weet dat ik nog vijf dollar in mijn portefeuille heb en dat het steeds aannemelijker wordt dat Peter gaat toehappen. Een gulle bui kan ik me dus wel veroorloven. 'Ja, geef hem er nog maar een. Ik betaal.'

De barman knikt en loopt weg.

'Afijn,' zeg ik tegen Peter. 'Ik wil je nog niet onder druk zetten om met namen of telefoonnummers te komen. Denk er thuis nog eens rustig over na. Vraag eens rond. Maar probeer zo min mogelijk details over de klus vrij te geven.'

'Oké.'

Hij staart naar de tafel en worstelt duidelijk met tegengestelde emoties: teleurstelling over het feit dat ik hem niet persoonlijk heb gevraagd, opwinding vanwege het vooruitzicht deel te nemen aan mijn klus. Hij durft zichzelf niet aan te bieden, uit vrees voor de consequenties.

Ik grijp de gelegenheid aan. 'Jammer dat je zelf niet mee kunt doen.' Ik neem een hap van mijn cheeseburger. 'Je zou er perfect voor zijn.'

'Waarom kan ik niet meedoen?'

'Jij hebt al een andere klus. Dat zei je net.'

'Ja, maar...' begint hij. Hij denkt even na. 'Ik werk er nog maar net. Ik kan nog weg.'

'Peter, je wilt toch niet betrokken raken bij dit soort dingen.' Ik gebaar met mijn kin naar zijn overhemd. 'Je bent een *code warrior.*'

'Ja, maar ik weet zeker dat ik het kan.'

'Het punt is dat het niet alléén een acteerklus is,' verklaar ik gemeen. 'Je moet ook codes schrijven. Ik heb behoefte aan indrukwekkende software, die heel snel geschreven moet worden. We proberen heel slimme mensen voor de gek te houden. Daarvoor moet je een combinatie van vaardigheden in huis hebben: acteren, coderen, je kop erbij houden.'

'Dat kan ik, Kip,' reageert hij. 'Dat kan ik echt.'

'Ik weet het niet, Peter. Ik had jou hiervoor eigenlijk niet in gedachten.'

'Ik doe graag mee.'

'Weet je, de kans is aanwezig...' zeg ik. Ik maak mijn zin niet af. Maar hij weet wat ik bedoel.

'Dat er iets misgaat.' Hij knikt. 'Dat weet ik.'

'Er zijn risico's aan verbonden.'

Een opmerking om mijn geweten te sussen. In mijn wereld betekenen die vijf woorden: grote kans gesnapt te worden.

'Dat weet ik,' zegt Peter.

'Maar het levert wel een miljoen dollar op.'

'Ik doe het.'

'Als je meedoet, kun je niet meer terug. Terugtrekken betekent dat je veel mensen schaadt, onder wie mij.'

'Ik doe mee.'

'Je weet waar je je mee inlaat?'

Voor het eerst zie ik een glimlach bij hem. Hij is opgelucht dat ik hem laat meedoen. 'Niet echt,' geeft hij toe.

Ik heb bewondering voor zijn eerlijkheid. Daar moet ik aan werken, het uit hem slaan.

'Oké,' zeg ik. 'Je mag meedoen.'

Op dat moment wordt zijn bier gebracht en verlaten de laatste vijf dollars mijn portefeuille.

Na tienen lukt het me eindelijk om Toby en Celia te bereiken. Ik ben in mijn appartement en kijk naar een herhaling van *Cheers* die, vanwege de ontbrekende volumeknop op mijn afstandsbediening en mijn eigen luiheid, veel te hard staat. Liggend op de bank heb ik om de tien minuten het telefoonnummer van Celia ingetoetst en weer opgehangen zodra ik haar hoorde verkondigen dat zij en Carl niet thuis waren en of ik een boodschap wilde achterlaten.

Ik heb geen idee waar ze kunnen zijn. Als ze voor Toby zorgt met zijn gebroken been en gebroken ribben kan ze nooit ver weg zijn. En toch heeft ze de telefoon al acht uur niet opgenomen.

Bij mijn tiende telefoontje neemt ze eindelijk op. 'Hallo?'

'Met mij.' Plotseling besef ik dat het feit dat we al zeven jaar gescheiden zijn een verdere introductie vereist. 'Met Kip,' voeg ik eraan toe.

'Heb je al eerder gebeld?'

'Nee.'

'Ik kijk op mijn nummerweergave en ik zie dat je...' Ze valt stil en in gedachten zie ik haar naar de satanische nummerweergave turen. 'Jezus, Kip. Je hebt négen keer gebeld!'

Ik verdom de moderne technologie, die in zijn streven de mensheid te perfectioneren lafheid en huichelarij als strategieën heeft geëlimineerd. Ik besluit tot de aanval over te gaan. 'Waar zát je?'

'Gewoon hier. Te doezelen.'

'Is hij er ook?'

'Wie?'

Zelfs toen ik het vroeg, wist ik eigenlijk niet wie ik bedoelde: Toby of Carl. Ik antwoord: 'Toby.'

'Natuurlijk. Ze hebben hem percodine voorgeschreven. Hij is helemaal van de wereld.'

Ik denk bij mezelf dat Toby percodine voorschrijven hetzelfde is als een bankrover vragen op je kluis te passen. Het idee is goed, de uitvoering slecht.

Op mijn televisie levert Sam – ex-alcoholist, door seks geobsedeerde barman – een rake slotzin. Het publiek op de geluidsband schatert het uit.

Geïrriteerd snauwt Celia: 'Wat hoor ik toch voor lawaai? Is dat je televisie?'

'Volumeknop,' leg ik uit. 'Stuk.'

'Hij staat zo hard.'

'Ja, hij moet gemaakt worden.' Ik heb zin om eraan toe te voegen: maar mijn ex-vrouw heeft me financieel helemaal uitgekleed. In plaats daarvan zeg ik: 'Beetje druk de laatste tijd.'

'Wat wil je, Kip?'

'Ik wilde Toby even spreken.'

'Hij slaapt. Moet ik hem wakker maken?'

'Nee, doe maar niet.' Ik denk even na. 'Ik wilde hem vragen of hij bij mij wil wonen. Tijdens zijn herstel.'

'Zie je dat zitten dan?' Ze klinkt verbaasd.

'Natuurlijk,' antwoord ik. Maar ik denk: misschien. 'Ik kan op de bank slapen, en hij in mijn bed.'

Hoewel ze de kans heeft, geeft Celia geen informatie vrij over de huidige logeerarrangementen in haar statige herenhuis in San José. Heeft Toby zijn eigen slaapkamer naast die van zijn moeder en Carl?

'Nou,' zegt Celia, 'vraag het hem zelf maar. Hij belt wel als hij weer wakker is.'

'Prima.'

'Ik ga nu slapen,' zegt Celia. Ze zegt het niet om intimiteit te delen. Het is een waarschuwing om haar niet wakker te bellen.

Ik meen dat ze nu gaat ophangen. Maar ineens zegt ze iets onverwachts: 'Het was leuk om je te zien, gisteren. Het was alweer een tijdje geleden.'

'Ja,' zeg ik. 'Jammer van de omstandigheden waaronder.'

'Maar het komt wel goed met hem.'

'Ja,' beaam ik.

Een lange, aangename stilte volgt, waarin twee ouders eindelijk iets delen: de liefde voor hun zoon.

'Welterusten, Kip,' zegt Celia.

'Welterusten.'

Als ik ophang, verbaas ik me erover dat ik haar heel even mis.

10

IK ZAL JE NU VERTELLEN hoe je de bankinspecteurzwendel afrondt.

Als je mijn instructies tot dusver hebt gevolgd, heb je het oudere doelwit van zo'n tienduizend dollar beroofd door zijn hulp in te roepen bij het vangen van een corrupte kasbediende.

Je hebt nu nog één kans om het doelwit voor de laatste keer te plukken. Dat doe je zo.

Wacht allereerst een paar maanden. Dit geeft het doelwit de tijd om over het misdrijf na te denken. Nadat de twee bankinspecteurs, de heer Marley en de heer Smith, van de aardbodem zijn verdwenen, zal het doelwit beseffen dat hij bedonderd is. Hij stapt misschien zelfs naar de politie, waar ze meelevend zullen knikken terwijl ze zijn verklaring opnemen, om die vervolgens in een stoffig archief weg te stoppen. (Geen geweld + geen hoop de fraudeur te vinden = geen onderzoek.)

Maar de kans bestaat dat het doelwit het misdrijf helemaal niet meldt. Dat is het voordeel van oplichterspraktijken. Slachtoffers vertellen bijna nooit iemand dat ze zijn afgezet. In jouw geval schaamt het doelwit zich. Hoeveel keren heeft de oude man niet van zijn kinderen te horen gekregen dat hij te goed van vertrouwen is, dat hij niet meer met geld om kan gaan, dat hij een gemakkelijke prooi is? Dit zal de bezorgdheid van zijn kinderen alleen maar bevestigen. Misschien laten zijn kinderen hem wel incompetent verklaren als ze horen dat hij opgelicht is, stoppen ze hem in een verpleegtehuis en pakken ze hem zijn financiële onafhankelijkheid af.

Maar of hij het misdrijf aangeeft of niet, de oude man zal zich ellendig voelen. Hoe heeft hij zo dom kunnen zijn? Hij zal helemaal geobsedeerd raken door de zwendel, beginnen te dromen over wraak. Kon ik die rotzakken maar terugpakken. Pakte de politie hen maar op...

En dan kom jij in beeld. De beste tijd: ongeveer twee maanden na het begin van de oplichterij. Het gaat als volgt.

Er wordt bij het doelwit aan de deur geklopt. Het is een nieuw gezicht voor de oude man – iemand die hij niet eerder heeft gezien. De bezoeker stelt zich voor als 'inspecteur Thomas'. Om te bewijzen dat hij van de politie is, toont hij een grote, glimmende gouden penning.

Hij zegt dat hij geweldig nieuws heeft en vraagt of hij even mag binnenkomen.

Eenmaal binnen onthult hij het grote nieuws. 'We hebben de twee mannen opgepakt die u hebben opgelicht. Ze zitten momenteel in hechtenis. En dat is nog niet alles: ze hebben uw geld ook nog, dus dat kunnen we u over enkele dagen teruggeven.'

Het hoofd van je doelwit tolt. Hij kan zijn geluk niet op. Hij is zo blij dat hij nauwelijks luistert naar wat inspecteur Thomas verder vertelt.

'Er is maar één probleem,' zegt inspecteur Thomas. 'Het geld dat ze van u hebben gestolen, en het geld dat u van de bank hebt opgenomen, was vals. Klaarblijkelijk is het een behoorlijk ingewikkelde operatie. Maar maakt u zich geen zorgen. De bank heeft beloofd uw verlies terug te betalen, dus eigenlijk is er niks aan de hand.'

Je doelwit slaakt een zucht van verlichting.

'Afijn,' zegt de inspecteur. 'Wilt u met mij meekomen naar het politiebureau om de criminelen die uw geld hebben gestolen te identificeren?'

Natuurlijk stemt het doelwit in. Inspecteur Thomas gaat de man voor naar zijn onopvallende recherchewagen, die is uitgerust met een plastic zwaailichtje op het dashboard en een scanner die is afgestemd op de politiefrequentie. Inspecteur Thomas rijdt met de oude man het parkeerterrein van het politiebureau op.

'Wacht u hier even,' zegt de inspecteur. 'Dan regel ik binnen de confrontatie.'

De inspecteur laat het doelwit enkele minuten alleen op het parkeerterrein achter. Hij gaat het gebouw binnen, maakt gebruik van het toilet en koopt misschien een blikje cola uit de frisdrankautomaat. Na een poosje keert hij naar het doelwit terug.

'Goed nieuws,' zegt inspecteur Thomas. 'We kunnen u de onaangename confrontatie met de verdachten besparen. Mijn baas heeft erin toegestemd u een paar polaroidfoto's te tonen. Zou u zo vriendelijk willen zijn om deze stapel door te nemen en de man aan te wijzen die u heeft bestolen?'

Inspecteur Thomas geeft de oude man een stapel foto's. Hij kijkt er vluchtig doorheen. Op een van de foto's staat je partner, 'bankinspecteur Marley'. De oude man wijst naar de foto. 'Dat is hem.'

'Precies wat we dachten,' zegt de inspecteur. 'Goed, meneer Jones, we willen graag dat u het volgende doet. We gaan deze valse operatie tot op de bodem uitzoeken. De kasbediende die met deze man samenwerkt, is nog steeds op vrije voeten. Het is duidelijk een zaak van binnenuit.'

Het doelwit knikt. Hij is nog steeds met zijn gedachten bij het feit dat hij zijn gestolen geld terugkrijgt. Nog even en alles is weer goed.

'Ik ga met u mee naar de bank,' zegt inspecteur Thomas. 'Ik wil graag dat u precies dezelfde stappen herhaalt die u van de criminelen moest zetten. Ga in de rij staan bij dezelfde kasbediende. Loop naar binnen en neem vijfduizend dollar op.'

Meneer Jones stemt in. Hij wordt afgezet bij de bank. Binnen neemt hij vijfduizend dollar van zijn rekening op, waarna hij terugloopt naar de wagen.

Inspecteur Thomas bekijkt de biljetten. Een voor een houdt hij ze tegen het licht. Hij maakt zijn vinger nat en wrijft over het papier. 'Yep,' zegt hij. 'Vals. Stuk voor stuk. Die jongens zijn écht goed.' Vol verwondering schudt hij zijn hoofd.

Hij stopt het geld in een envelop met daarop de tekst: BEWIJS. Hij geeft het doelwit een kwitantie en zegt: 'We vervangen deze valse biljetten door echte en brengen die vanavond naar uw huis. Bent u rond zeven uur thuis?'

Het doelwit knikt bevestigend. U rijdt hem terug naar huis en bedankt hem voor zijn medewerking.

Het hoeft geen betoog dat er om zeven uur niemand bij meneer Jones voor de deur staat.

11

OM TWEE UUR 's nachts word ik wakker van de telefoon. Ik graai naar de hoorn en sla hem per ongeluk tegen het nachtkastje. Uiteindelijk weet ik hem toch tegen mijn oor te drukken. 'Hallo?' mompel ik.

Het is een vrouwenstem. Even denk ik dat het Celia is, maar al snel besef ik dat ze het niet is.

'Kip,' zegt ze. 'Sliep je al?'

'Nee,' antwoord ik.

'Weet je nog wie ik ben?'

'Natuurlijk weet ik dat.'

'Ik moest ineens aan je denken. Het is alweer een poosje geleden.'

Later verwonder ik me over het telefoontje. Of het toeval is of dat het deel uitmaakt van iemands plannetje. Maar nu ben ik alleen maar opgewonden om haar stem te horen. Het is inderdaad alweer een poos geleden.

12

HAAR NAAM IS, met ingang van heden, Jessica Smith, en het adres dat ze me geeft, is in het Mission District, een hoog gebouw omgeven door exotische restaurants en firma's die webpagina's ontwerpen.

Ik parkeer mijn Honda onder een bordje dat zich laat lezen als een raadselachtige Zen-code:

DO NIET PARKEREN
MA, WO, DO MAX. 2 UUR

Ik stap in de oude, krakende lift naar de tweede verdieping en loop een stampvolle receptie binnen. Aan de muur hangt een bordje met een wellustig vrouwensilhouet, van de soort die je ook aantreft op de spatlappen van grote vrachtwagencombinaties die over de snelweg scheuren. Op het bordje staat: ARIA VIDEO, INC. Achter de balie zit een zwaarlijvige mannelijke receptionist. Hij is zwart, heeft een kaalgeschoren hoofd, een diamantje in zijn oor, en spierballen die onder zijn strakke T-shirt met V-hals uitsteken. Hoewel hij zit, lijkt zijn pose tijdelijk, alsof hij elk moment kan opspringen om me een schop onder mijn kont te geven.

'Kan ik u helpen?' vraag hij. Zijn stem dondert als onweer.

'Is Jessica in de buurt?' vraag ik.

'En u bent?'

'Kip. Ze verwacht me.'

Hij glimlacht en onthult daarbij een spleet tussen zijn voortanden waar met gemak een Tictac doorheen past. 'Oké, Kip. Ze had je al aangekondigd. Je mag doorlopen naar achteren, maar wees wel stil. Misschien zijn ze aan het filmen.'

'Goed,' zeg ik. 'Begrepen.'

Ik loop door een kralengordijn en bevind me ineens in een grote ruimte – de helft van een rugbyveld – met halogeenverlichting op statieven. Een jonge latino heeft een witte reflector bij zijn voeten staan. Hij staart in het niets en lijkt totaal onbewogen onder het feit dat tien meter verderop, in het midden van de ruimte, een prachtige vrouw – blond, slank, met gigantische nepborsten – naakt op een futon haar poesje bevingert.

Aan de andere kant van de kamer bevindt zich een druk gezelschap dat het masturberende meisje ook volkomen lijkt te negeren. Ze lopen ordeloos rond, blikken op hun horloge, controleren hun lichtmeters en verwisselen de batterijen van de videocamera's op hun schouders.

Te midden van het gedruis ontwaar ik Jessica. Ze ziet er anders uit dan ik me kan herinneren. Ik ken haar als het meisje op de futon: naakt, op haar rug, druipend van – onder meer – seksualiteit. Maar tegenwoordig is Jessica brunette, geen blondine; ze ligt niet, maar ze staat; ze is gekleed in een conservatief donkergrijs broekpak waarin ze eruitziet als bankier, niet als pornoster. Haar haren zijn nu stijlvol kort geknipt, in laagjes, met een elegante boblijn. Haar prachtlichaam lijkt door kleding, sporten en diëten eerder een belofte dan bluf. Ze straalt kalme seksualiteit uit, als een wulpse ouderraadmoeder wier opmerkingen over huiswerk en excursies worden beloond met luidruchtig applaus van alle aanwezige vaders.

Een van de cameramannen biedt Jessica zijn beeldzoeker aan. Ze leunt naar hem toe en bekijkt de opname. Ze knikt goedkeurend.

Terwijl ik naar haar toe loop, roept een stem door de ruimte: 'We hebben een paal!'

Alsof er van wachttorens kilometers verderop wordt geschreeuwd dat er brand is, bulderen de woorden 'We hebben een paal!' door de holle ruimte. Een andere man roept uitzinnig: 'Een paal! Een paal!' Cameramannen nemen hun positie in. Lichtmannen zetten hun halogeenverlichting aan. De latino tilt het reflectorpaneel op. De blondine houdt op met vingeren en strijkt de haren op haar venusheuvel recht.

Nu zie ik waar alle consternatie om draait. Er komt een naakte man met een gigantische erectie omhoog uit een stoel. Het hele productieteam heeft gewacht tot hij uitgerust en in vol ornaat terugkwam om de volgende scène op te nemen.

'Een paal!' schreeuwt Jessica. 'Aan het werk!'

'Draaien!' roept een cameraman.

De man met de reusachtige penis loopt naar het midden van de ruimte die, zoals ik te laat besef, is aangekleed als een kamer in een studentenflat. Achter de blondine hangen vlaggetjes aan de muur – idioot genoeg van Harvard – en op de grond liggen een paar boeken. Ik zie dat een ervan *Oorlog en vrede* van Tolstoi is. Zeg nooit dat surrealisme in de bioscoop dood is.

'Begin maar bij "Neuk me, professor Johnson",' roept Jessica.

'Neuk me, professor Johnson,' zegt de blondine.

'O, dat ga ik zeker doen,' antwoordt de naakte man terwijl hij naar zijn liggende studente loopt. 'En vandaag ben ik een strenge meester.'

'O, jáááá,' brengt de blondine kreunend uit.

Een van de cameramannen holt de scène binnen met zijn Betacam. Hij knielt naast de mannelijke acteur neer en richt zijn camera – terwijl de penis van de man slechts centimeters van zijn gezicht is – op de genitaliën van het blonde meisje. Met haar vingers legt ze die behulpzaam bloot.

'Oké,' zegt Jessica Smith zakelijk. 'Magie wil ik zien.'

Ik ontmoette haar zeventien jaar geleden toen ze een callgirl van nog geen twintig jaar was.

Ik was wanhopig. Ik zocht een manier om een doelwit een paar dagen in de stad te houden terwijl ik hem aan het oplichten was. De gemakkelijkste manier om een vent in de buurt te houden is de belofte van heerlijke seks. Ik pakte de Gouden Gids, belde de ene na de andere escortservice en liet de meisjes naar mijn hotelkamer komen. De eerste vier kandidates vielen af; ze waren om verschillende redenen ongeschikt: aan de drugs, naaldafdrukken, zwart (doet het niet zo goed in Boise), achterlijk. Maar uiteindelijk had ik geluk en ontmoette de vrouw die ik nu bezoek. Indertijd heette ze nog Brittany Diamond, en ze had blond haar en een dubbele D-cup. Ze droeg netkousen en rook naar bubblegum.

De avond dat ze naar mijn hotelkamer kwam, vertelde ik haar dat ik geen seks met haar wilde. In plaats daarvan wilde ik dat ze voor een beloning van duizend dollar zou doen alsof ze verliefd was op een kalende accountant uit Boise. Ze speelde haar rol fantastisch. De accountant bleef in de stad hangen en gaf me zo de tijd om zijn bankinformatie te achterhalen en een nepinval door de FBI op te zetten, waardoor hij doodsbang naar huis zou vluchten. Uiteindelijk vertrok hij inderdaad, honderdduizend dollar armer, doodsbang en ervan overtuigd dat hij lange tijd zou moeten zitten als hij werd gepakt.

Voor mij en Brittany was dit het begin van een zakelijke relatie die al met al tien jaar zou duren. In eerste instantie werkten we samen aan gevondengeldtrucs, de zogenaamde *pigeon drops*. Zij speelde het aantrekkelijke meisje dat het verdachte pakketje geld vond. Later organiseerden we ontelbare *honey traps* of *sweetheart*-zwendels door advocaten en topmanagers te vangen met krantenadvertenties onder nummer, van een dame die een 'vrije seksuele relatie' zocht. (Er zijn maar weinig zwendels die zo gemakkelijk zijn als deze, waarin het doelwit – meestal een getrouwd man – je brieven stuurt die later dienen als voer voor chantage.)

Maar door de jaren heen groeiden we uit elkaar. Het eerste probleem was, zoals altijd, mijn vrouw. Celia stond zeer wantrouwend tegenover de prachtige vrouw die ik voorstelde als mijn 'verkoopassistente'. (De eerste tien jaar van ons huwelijk dacht Celia dat ik voor Caterpillar werkte, als regionaal verkoopmanager, verantwoordelijk voor het leasen van industriële installaties in het zuidoosten van de Verenigde Staten.)

Maar het grootste probleem vormde Brittany zelf. Na de eerste paar jaar was het nieuwe van mannen van middelbare leeftijd van hun geld ontdoen er wel af. Ze was het zat om zich steeds zorgen te maken – over de gevangenis in draaien en vermoord worden. Ze wilde een echte, legale carrière. Dus scheidden onze wegen zich, zonder dat we ooit formeel hadden besloten uit elkaar te gaan. Het was een geleidelijk proces. We zagen elkaar steeds minder, spraken elkaar steeds sporadischer, totdat we uiteindelijk beseften dat we eerder kennissen waren dan partners en dat we elkaar niets verschuldigd waren.

Ze verfde haar haren bruin, nam een andere naam aan en liet haar borsten verkleinen. Tegenwoordig is Jessica Smith, zoals ze zichzelf noemt, zakenvrouw – een porno-ondernemer: directrice en producent van klassiekers als *Hindfeld* en *Bumpin' Donuts*.

Het is vier jaar geleden dat ik haar voor het laatst zag. Een keer heeft ze me in de gevangenis bezocht, maar het was een onaangenaam bezoek. Ik kon het op haar gezicht lezen terwijl ze om zich heen keek naar het koude, grijze staal van de gevangenis: ze was blij dat ik het was die achter de tralies zat, en niet zij.

Sindsdien heb ik haar niet meer gezien of ook maar iets van haar gehoord. Tot het telefoontje van gisteravond.

Later, als de cast en de crew weer op een paal wachten, ontmoet ik haar in haar kantoortje, een kleine ruimte met een ficus, een Ikea-bureau en boekenkasten met VHS-banden, waarschijnlijk eigen productie.

'Wil je water?' vraagt ze.

'Uit de kraan of uit een verzegelde fles?'

'Heel grappig.' Ze reikt onder haar bureau naar een minikoelkast, pakt er een flesje Spa blauw uit en gooit het naar me toe. Ze ziet dat ik het flesje bestudeer. 'Het is verzegeld,' voegt ze eraan toe.

Ik draai de dop eraf en neem een slok. Ik staar haar aan. 'Je ziet er goed uit,' zeg ik uiteindelijk.

'Echt?' Ze raakt haar haren aan, als een getrouwde dame die verrast is door een compliment dat ze al jaren niet meer heeft gehoord. Heel even denk ik dat ze het spottend bedoelt. Maar dan zie ik dat ze oprecht blij is.

'Echt,' dring ik aan, aangezien ik vooruitgang boek.

'En jij?' vraagt ze. 'Hoe gaat het met jou?'

'Het gaat.'

'Je bent eindelijk vrijgekomen.'

'Een eerlijke vent hou je er niet onder.'

'Ben je nu een eerlijke vent, dan?'

'Tijdelijk.'

Ze bekijkt me van top tot teen: mijn gezicht, mijn haar, mijn bierbuikje. 'Je ziet er... goed uit.'

Ik negeer de duidelijke leugen. 'Hoe gaan de zaken?'

'Best goed.' Ze knikt en probeert zichzelf ervan te overtuigen. 'Ja, goed. Ik heb vorige maand de AVA-prijs gewonnen.'

'Voor welke film? *Shaving Ryan's Privates*?'

'Leuk, hoor,' zegt ze. 'Dat is trouwens een homofilm. Interessant dat je hem kent.'

'Ik ben onder de indruk van je productietalent van net.' Ik wuif met mijn hand in de richting van de Harvard-filmset. 'Tjonge, de universiteit is wel veranderd sinds mijn afstuderen.'

'Doe niet zo cynisch.'

'Sorry.' En dat meen ik. Eigenlijk ben ik jaloers op haar. Ze is uit het wereldje gestapt en heeft nooit gezeten. Ze verdient haar geld op legale wijze en heeft veel succes met Aria Video.

Met mijn eerste poging om op legale wijze geld te verdienen belandde ik in de bak en met mijn tweede eindigde ik acht uur per dag in een stomerij. 'Ik heb alleen maar medelijden met mezelf.'

'Moet je niet doen. Het siert je niet.'

Ze glimlacht. Ze is nog steeds mooi, maar haar gezicht vertoont wel tekenen van ouderdom: kraaienpootjes rond haar ogen, een ietwat losse huid onder haar kin. Ik vraag me af: is ze wel geschikt voor de oplichterij? Is ze wel in staat om Edward Napier te verleiden, om zijn interesse te wekken, om naakt in zijn bed te kruipen en zijn loyaliteit te winnen?

'Waar kijk je naar?' vraagt ze.

'Nergens naar.'

'Je kijkt op een vreemde manier naar me.' Ze knijpt haar ogen samen. 'Wat is er? Je vindt zeker dat ik er oud uitzie.'

'Nee, hoor.'

'Luister, Kip,' zegt ze. 'Jíj ziet er oud uit. Ik – ik ben nog steeds een lekker ding.'

Als teken van overgave steek ik mijn handen in de lucht. 'Oké.'

'Begrijp je?'

'Ja.'

Hoewel er vier jaar verstreken zijn, is het alsof we nooit uit elkaar zijn geweest. Tegenover mij zie ik geen hoer of meesteroplichter, maar de persoon met wie ik (besef ik nu) zou willen settelen, een zesendertigjarige vrouw die op een regenachtige avond instemt met Chinees laten bezorgen, knus voor de televisie hangen, een film kijken en in elkaars armen in slaap vallen.

Ik vraag me af: kunnen we op een of andere manier van hier naar daar komen? Dat is altijd mijn probleem geweest: ik weet waar ik ben, en ik weet waar ik wil zijn. Maar hoe ik van hier naar daar kom is een raadsel.

'Hoe gaat het met Celia?' vraagt ze.

'Gescheiden.'

'Hoeveel keer?'

'Alleen van mij. Ze heeft nu een nieuwe vent. Hij heet Carl.'
'Ziet hij er beter uit dan jij?'
'Vast. Hij is in elk geval slimmer.'
'Nou, dat zegt niet zoveel. Ben je nog steeds rijk van het Dieetspel?'
'Nee.'
'Heb je nog ergens geld?'
Ik haal nietszeggend mijn schouders op.
'Dus daarom ben je hier.'
'Wacht even; jij hebt míj gebeld.'
'Maar ik ken je, Kip,' zegt ze. 'Je zou nooit naar de stad rijden, tenzij je iets wilt.' Ze houdt haar hoofd schuin en kijkt me onderzoekend aan. Zachter voegt ze eraan toe: 'Wil je iets?'
Wat ik wil is met haar trouwen.
'Nee,' zeg ik.
'Laat me raden,' zegt ze. 'Een zwendel.'
'Nou, oké dan,' antwoord ik, aangezien een huwelijksaanzoek niet op zijn plaats is. 'Ik ben met iets bezig, en daarbij heb ik een meisje nodig.' Ik corrigeer mezelf. 'Een vrouw.' Dan corrigeer ik mezelf weer. 'Een meisje,' zeg ik uiteindelijk, omdat ik denk dat ik haar daarmee het meeste vlei. 'En aangezien je belde...' Ik laat mijn stem wegsterven.
'Ik dacht dat je op het rechte pad was.'
'Dat is ook zo.' Ik denk even na. 'Dat wás ook zo.'
'Wat is er gebeurd?'
'Toby.'
'Toby?'
'Mijn zoon.'
'Die is – hoe oud? – twaalf?'
'Soms wel,' antwoord ik, en ik trek mijn schouders op. 'Officieel is hij vijfentwintig.'
'Nee, maar. Je bent inderdaad een ouwe zak.'
'Dank je. Wil je met me trouwen?'
Ik zal het antwoord nooit weten, want er wordt aan de deur geklopt. De kale zwarte receptionist steekt zijn hoofd om de deur. 'Jessica,' zegt hij op de rustige, respectvolle toon van iemand die een bezoeker in de wachtkamer aankondigt, 'we hebben een paal.'
'Oké, Levon. Ik kom eraan.'

Levon vertrekt. Ze wendt zich weer tot mij. 'Kip, ik moet weer aan het werk.'

'Iets in de lift?'

'Dat is een goeie. Nooit eerder gehoord.'

'Echt niet?'

'Nee,' zegt ze. 'Ongeveer honderd keer. Deze week.' Ze staat op van haar bureau. 'Leuk je weer gezien te hebben, Kip.'

'Dat was het?'

'Dat was wat?'

'Dat was alles? We zijn klaar?'

'Ik moet weer aan het werk. Die stijven zijn waardevol... Je weet hoe het gaat.'

Is dat zo? 'Jess, even serieus...'

'Prima,' zegt ze. 'Ik doe het.'

'Wat?'

'De klus. De zwendel. Wat het ook moge zijn. Daarom ben je toch hier?'

Niet het huwelijk, dus. Misschien probeer ik het later nog eens.

'Ja, daarom ben ik hier,' beaam ik.

'Ik weet dat je het me niet zou vragen als het niet heel belangrijk voor je was. Je zou niet willen dat ik dit alles zomaar riskeerde.' Ze gebaart om zich heen naar het Ikea-bureau, de ficus, de minikoelkast. Zoals gewoonlijk weet ik niet of ze een grapje maakt of dat ze het serieus meent. Ze valt even stil. 'Het ís belangrijk, toch?'

'Toby zit in de problemen,' leg ik uit.

'Dan doe ik mee.'

'Wil je niet weten –'

'Zorg er alleen voor dat ik niet in de gevangenis beland.'

Ik knik. 'Afgesproken.'

'Dat is goed genoeg.' Ze loopt naar de deur en trekt hem open. 'Ik moet dit even afhandelen. Wil je kijken?'

'Niet echt.'

'Ik neem het je niet kwalijk,' zegt ze. Ze geeft me een vluchtige kus op mijn wang en verdwijnt naar de filmset.

Je vraagt je misschien af of ik ooit een romantische relatie met Brittany Diamond of Jessica Smith heb gehad. Er was een avond, in Santa

Barbara, dertien jaar geleden. Het doelwit van onze *honey trap* – de eigenaar van een supermarktketen in Nevada – kreeg last van zenuwen en kwam niet opdagen voor zijn romantische rendez-vous met een 'vrouw die een vrije seksuele relatie zocht'. Alleen in het hotel, ineens zelf vrij, met een warm briesje dat door de bladeren van de palmen voor ons raam woei, bedreven we tussen de koele lakens de liefde. We vielen in elkaars armen in slaap. De volgende ochtend werd ik met een droevig gevoel wakker, en ik wist dat ik een vreselijke fout had begaan: dat ik alles had verpest door de belangrijkste vrouw in mijn leven als een onenightstand te behandelen. Zij zal hetzelfde gevoeld hebben, want hoewel we nooit hebben gesproken over wat er die nacht is gebeurd, er nooit een woord aan vuil hebben gemaakt, hebben we nooit meer seks met elkaar gehad. Het zal een wederzijdse beslissing zijn geweest.

Het is een teken van duurzame, diepe liefde, vind je niet? Allebei dezelfde gedachte hebben en ernaar handelen, zonder een woord te wisselen? Dat kun je toch niet anders noemen dan liefde?

Maar natuurlijk moet je vraagtekens zetten bij het telefoontje.

Je hebt vier jaar lang niets van een vrouw gehoord, en ineens, op het moment waarop je een zwendel plant, belt ze je zomaar op. Hoe groot is die kans?

13

IK HEB DRIE KEER geprobeerd mijn leven radicaal te veranderen. Dat is drie keer mislukt, dus misschien moet ik het maar niet meer proberen.

Eerste poging: toen ik twintig was. Ik zei tegen mijn vader dat ik niet langer zijn voorbeeld wilde volgen; dat ik genoeg had van bedriegen en oplichten, van steeds achteromkijken, bang om gesnapt te worden. Dus schreef ik me in bij Queens College aan de City University of New York. Ik wilde advocaat worden, omdat mensen die anderen achternazaten mijns inziens een fijner leven hadden dan de persoon die achternagezeten werd.

Mijn vader reageerde met stilzwijgende woede, alsof ik alles wat hij ooit had bereikt, afkeurde, en in zekere zin had hij gelijk. Hij sprak niet meer met me, maar had nog steeds het laatste woord: hij begon te sterven, als om me te treiteren. Grauw en bedlegerig lag hij de laatste negen maanden van zijn leven in zijn appartement. Mijn moeder werd gedwongen om de schulden die hij had gemaakt af te lossen – de hopeloze rekeningen van gevaarlijke mannen. Ik stopte met studeren en ging weer de straat op: *pigeon drops*, wisseltrucs en *sweetheart*-zwendels – totdat ik uiteindelijk had terugbetaald wat mijn moeder en vader verschuldigd waren. Binnen zes maanden waren ze allebei dood, en toen was het te laat: ik heb mijn studie nooit meer opgepakt, heb het nooit meer geprobeerd. Mijn vader won glimlachend vanuit zijn graf.

Tweede poging: toen ik tweeënveertig was. Eindelijk had ik zelfvertrouwen – twintig jaar te laat. Ik keek naar de succesvolle mannen die ik kende – rechtschapen mannen die nooit de regels overtraden, die nooit bang hoefden te zijn voor de zwaailichten in hun achteruitkijkspiegel – en ik besefte dat zij slimmer waren dan iedereen bij elkaar. Ik vond dat ik kon hebben wat zij hadden: een gezapig leven in een buitenwijk ten westen van Los Angeles, een zwembad in de achtertuin en twee auto's in de garage. Als die mannen, ploeterend en weinig ambitieus, in zaken konden slagen – in legále zaken – kon ik dat ook.

Dus probeerde ik de perfecte business voor een eerlijke man te bedenken, iets waarbij ik kon profiteren van de tekortkomingen van anderen: hun luiheid, hun ijdelheid, hun gebrek aan zelfdiscipline.

Het Dieetspel was geboren.

Stel je eens voor dat je 49,95 dollar ontvangt voor een spel kaarten dat je voor 89 cent bij de Shunxin Trading Company in Taipei, Taiwan hebt gekocht. Stel je vervolgens voor dat je zo'n spel kunt verkopen aan iedere Amerikaan die te dik is, maar te lui of te dom om het voor de hand liggende te doen: minder eten, meer sporten.

Dat was het Dieetspel. In het eerste kwartaal verkocht ik twaalfduizend spellen, die een netto winst opleverden van bijna vierhonderdtachtigduizend dollar. Ik keek nooit achterom.

Al snel had ik mijn zwembad, het huis in de buitenwijk en twee auto's in de garage. Ik kon Toby naar een privéschool in Los Angeles sturen. Mijn huwelijk met Celia werd beter. Mijn leven was eindelijk goed.

Hoe ik het allemaal weer verpest heb? Dat is het moeilijkste om aan mensen uit te leggen. Het is namelijk nooit mijn bedoeling geweest om te bedriegen. Ik was vastbesloten om op legitieme wijze te slagen. Maar uiteindelijk werd ik verraden door een sterke, niet-aflatende kracht: mijn eigen aard.

Het begon heel simpel. Ik ontdekte dat ik Dieetspellen kon verkopen door middel van infomercials 's avonds laat op de televisie. Ik begon blokken van een halfuur op te kopen op tijdstippen waarop maar weinig mensen kijken: van 3.00 tot 3.30 uur in Muncie, Indiana; van 2.45 tot 3.15 uur in Scranton, Pennsylvania. Het leek wel toverspel. Ik had nog nooit zélf de wetmatige perfectie van het kapitalisme ervaren, waar elke dollar die ik aan adverteren op de televisie uitgaf precies vier dollar winst opleverde. De rekensom was onfeilbaar, de logica vlekkeloos: natuurlijk moest ik nog meer adverteren! En sneller! Elk blok zendtijd resulteerde in nóg een auto, of een nieuwe uitbouw aan mijn huis, of nog een jaar voor Toby op de privéschool.

Maar al snel ontdekte ik een foutje in mijn perfecte logica: ik moest namelijk geld neertellen voordat ik winst kon maken. Televisiestations wilden eerst geld zien, drie maanden voordat ze mijn spotjes uitzonden. Meneer Jun Lee van Shunxin Trading Company wilde dat ik, twee maanden voordat hij tienduizend pakken speelkaarten met afbeeldingen van biefstukken en wortels produceerde, met geld over de brug kwam.

Het was een dilemma: elk televisieblok dat ik kocht, betekende vijftienduizend dollar winst, maar ik moest wel eerst dertigduizend dollar neertellen – in elk geval tijdelijk – voordat ik de winst kon opstrijken. En zo ontstond het briljantste idee dat ik ooit heb bedacht: ik zou andere ondernemende zakenlieden de mogelijkheid bieden in mijn onderneming te investeren, samen met mij.

Dus begon ik investeringen binnen te halen van buren en vrienden. Ze mochten binnenkomen als 'partner', en twintigduizend dollar investeren om een blok zendtijd te kopen. In ruil ontvingen ze een percentage van elk Dieetspel dat tijdens hun reclameblok werd verkocht. Het was een goede deal voor iedereen. De kale accountant die naast me woonde bijvoorbeeld, verdiende zo in slechts drie maanden tijd zesduizend dollar dankzij een investering van twintigduizend dollar. Intussen kon ik, bevrijd van geldproblemen, honderden uren televisie in het hele land kopen en tienduizenden pakken kaarten laten drukken. Het geld bleef maar binnenstromen.

Eigenlijk kreeg de business van het kopen van reclameblokken via partnerships al snel voorrang boven de business van speelkaarten verkopen aan vetzakken. En het was een reusachtige business: de rentabiliteit was zo aanlokkelijk dat iedereen wel wilde investeren, en al snel ontving ik tien cheques per maand van enthousiaste partners; elke cheque met een waarde van twintigduizend dollar of zelfs meer.

En natuurlijk wilde ik de beloften die ik mijn partners had gedaan nakomen. Dat was wel zo fatsoenlijk. Dus met de cheques die in maart binnenkwamen, betaalde ik de partners die in februari hadden geïnvesteerd. En met de cheques die ik in februari ontving, betaalde ik de partners die in januari hadden geïnvesteerd.

Het betekende dat de problemen in juni begonnen. Het werd al snel moeilijk om genoeg nieuwe investeerders te vinden om de oude terug te betalen. En de business van speelkaarten verkopen aan dikkerdjes stagneerde. Om een of andere reden slaagden de dikkerds er nooit in om op gewicht te blijven, ook al trakteerden ze zichzelf op een fullhouse van drie wortels en twee broccoli's.

Je moet begrijpen dat ik nooit geprobeerd heb iemand af te zetten. Ik riskeerde alles om mijn beloften na te komen. Maar al snel begon ik het terugbetalen van mijn investeerders uit te stellen. Om geld te besparen stopte ik met de verscheping van Dieetspellen naar dikke klanten. Vanaf dat moment was het slechts een kwestie van tijd. Toen ik van Mercedes-dealer Marina Del Rey terugreed naar huis, werd ik gearresteerd. Ik was van plan geweest om een cadeau te kopen voor Toby's achttiende verjaardag, iets sportiefs, om hem te laten weten dat ik van hem hield. In plaats daarvan eindigde ik in de bak, en vierden Celia en hij zijn verjaardag alleen.

De derde keer dat ik probeerde mijn leven te veranderen was toen ik de baan aannam bij Economy Cleaners. Ik wilde weer op de legale toer, voor tien dollar per uur, plus fooi.

Tot dusver wil het nog niet zo lukken. Nóg niet.

14

OP DONDERDAG RIJ IK vijfenzestig kilometer in noordelijke richting naar Napa Valley. Het is hier drie graden warmer dan op het Schiereiland, dus draai ik op deze dag in juni mijn raampje naar beneden en maak ik de twee bovenste knoopjes van mijn poloshirt los. Route 21 eindigt in de stad Napa, een stad die ondanks haar romantische naam en haar associatie met het wijngebied een lelijke fabrieksstad is, met drie *trailerparks* die zijn volgepakt met glanzende aluminium caravans. De stad Napa ligt aan het begin van het dal dat haar naam draagt en is het vertrekpunt voor vele vrachtwagens. Het is een plaats waar truckers op weg naar het zuiden lunchen, hun opleggers volgeladen met levende kippen uit Petaluma.

Napa is de woonplaats van de mensen die in de wijnindustrie werken, zij die het echte werk doen: de landarbeiders, de wijnhandelaren, de zwembadschoonmakers, de obers. Een paar kilometer verderop, in het dal zelf, vind je de landgoederen en wijnkastelen, waar rijke cardiologen en computerexecutives zich terugtrekken wanneer ze genoeg hebben van het wrede stadsleven en hun geluk zoeken in het bottelen van wijn met hun pas ontworpen familiewapen erop.

Ik volg route 29 langs de stad en laat de *trailerparks* achter me. Ik rij met mijn Honda van de geasfalteerde weg af en draai een zandweggetje op, waar weinig cardiologen zich wagen. Ik rij de bergen in. Via een stoffige, kronkelige weg bestijg ik Mount Vedeer. Grote Californische cypressen houden de zon tegen, zodat het licht zich als vasthoudende gouden vingers door het gebladerte wringt.

Eenmaal boven aangekomen keert de zon weer terug. Het duurt even voordat ik doorheb dat ik langs de rand van een uitgedoofde vulkaan rijd. De krater is gevuld met aarde, waarop honderden hectaren druiven groeien aan keurige rijen witte lattenframes.

Ik rij naar een oude stenen boerderij. Een schurftige hond ligt op de zandweg en probeert zijn vette lendenen in een kring van schaduw onder een acaciaboom te drukken. Ik stap uit de auto en gooi de deur dicht. De hond kijkt naar me op. Als hij merkt dat ik zijn schaduwprobleem niet kan oplossen, laat hij zijn kop weer zakken en sluit zijn ogen.

'Elihu?' roep ik.

In de boerderij hoor ik voetstappen. 'Kom eraan!' Een oude man verschijnt in de deuropening. Hij is gekleed in een linnen overhemd dat tot aan zijn navel openhangt, een spijkerbroek en werkschoenen. Hij heeft aan weerszijden van zijn hoofd twee grijze plukken haar die losjes naar beneden hangen – ze zijn te lang – als de slappe punten van een narrenmuts.

'Kip?' Hij loopt met gespreide armen op me af. We omhelzen elkaar, en hij slaat op mijn rug. Ik ruik zweet, eikenhout en wijn.

Hij laat me los en kijkt me aan. 'Mijn god,' zegt hij. Het is onduidelijk of het een uitroep van dankbaarheid of droefheid is. 'Moet je jezelf eens zien.'

'Dank je,' zeg ik.

'Ik was net de vaten aan het controleren. Kom binnen.'

Hij gaat me voor de boerderij in. Het is er koel en donker. Langs de muren staan rekken met eikenhouten vaten. Er hangt een overduidelijke geur van gistend gif, zoet en rot.

'Even proeven?' vraagt hij. 'Op deze ben ik trots.' Hij pakt een wijndief – een lange, holle glazen buis – van het rek aan de muur en doopt die in een gat boven in een vat. Hij bedekt de bovenkant van de buis met zijn vinger en haalt hem eruit. Hij is gevuld met robijnrode vloeistof. Hij houdt de wijndief boven een kartonnen bekertje en trekt zijn duim weg. De wijn stroomt in het bekertje, dat hij aan mij geeft.

'Ad fundum!' zegt hij.

Ik drink. Het smaakt naar druivensap met een zure nasmaak.

'Hoe smaakt 'ie?'

'Niet slecht.'

'Net druivensap, hè?'

'Zoiets.'

'Ja,' zegt hij ineens lusteloos. 'Ik ben er nog niet zo goed in.'

'Het is niet slecht,' herhaal ik.

'Misschien over een paar jaar,' zegt hij. 'Ouderdom maakt alles beter.'

Ik geef hem mijn kartonnen bekertje. Hij gooit het in een afvalbak. Ik voel geen behoefte om hem tegen te spreken, hoewel er veel bewijs voor het tegendeel is.

We lunchen buiten, in de drukkende hitte, aan een picknicktafel naast de boerderij. De hond vindt zijn weg naar ons en gaat met een grom bij onze voeten liggen, onder de tafel. Elihu serveert knapperig stokbrood, zachte brie, olijven, prosciutto en een fles wijn. Hij schenkt voor me in en heft zijn glas. 'Proost,' zegt hij.

'*L'chaim*,' zeg ik.

Ik proef de wijn. 'Tjonge, deze is lekker,' zeg ik, in de hoop hem te complimenteren.

'Hij is van die rotzak aan de andere kant van de berg. Die computerfiguur.'

'Sorry.'

'Zijn wijn is goed,' zegt Elihu uiteindelijk. 'Misschien op een dag...'

'Iets om op te richten.'

Elihu vormt met zijn vingers een pistool. 'Inderdaad iets om op te richten.'

We eten in stilte. Uiteindelijk zegt Elihu: 'Dus je bent weer op vrije voeten.'

'Ja.'

'Ik had je graag opgezocht,' zegt Elihu. 'Maar wat een tocht.'

'Ik begrijp het.'

'Ik ben een oude man geworden.' Hij bedoelt het als verontschuldiging omdat hij me niet heeft opgezocht.

Ik kijk in zijn vochtige ogen. 'Dat besef ik.'

Elihu Katz was een vriend van mijn vader. Na zijn dood nam Elihu de vaderrol over. Hij hielp me bij het opzetten van zwendels, beschermde me en bracht me waardevolle lessen bij. Toen ik een keer, uiterst dom, de verkeerde man oplichtte (een politiek zwaargewicht, beschermheer van de officier van justitie in San Francisco) verzilverde Elihu een fiche dat hij voor zichzelf had opgespaard; een set foto's van de officier van justitie met een jongetje. Elihu redde me van de gevangenis, en ik ben hem alles verschuldigd wat ik heb. Op het moment is dat, toegegeven, niet veel.

Elihu ging vijftien jaar geleden met pensioen en trok zich terug boven op de Mount Vedeer om van zijn verdiensten te leven en om zijn droom te realiseren: wijn maken. Hij vertelde me indertijd dat de tijden aan het veranderen waren, dat de dagen van grote oplichterspraktijken voorbij waren, dat doelwitten te slim werden, de politie te agressief en andere criminelen te gevaarlijk. Hij wilde stoppen nu het nog zijn eigen keuze was.

Maar hij heeft nog wel behoorlijk wat vingers in de pap. Hij bleef contact houden met groeperingen in San José en San Francisco, deelde informatie en stelde zich op als een waardig, 'elder statesman' en als distributiecentrum voor de wereld van zwendelaars.

'En,' zegt Elihu. 'Wat kan ik voor je doen?'

'Toby zit in de problemen.'

'Wat voor problemen?'

'Hij heeft schulden. Bij de Russen. Ken je Sustevich? De Professor?'

'Een schurk,' antwoordt Elihu. Hij hapt in zijn brood en scheurt er een stuk af.

'Dus ga ik een klus doen.'

'Wie is het doelwit?'

'Edward Napier.'

'Uit Vegas?'

'Hij brengt zijn tijd nu hier door.'

'Voor hoeveel?'

'Vijfentwintig.'

'Is Sustevich erbij betrokken?' vraagt hij.

Ik knik. 'Zoiets.'

Elihu denkt na over wat ik hem zojuist heb verteld. Hij leunt naar voren, pakt een stuk prosciutto en legt het op een sneetje brood. Hij neemt een hap. 'Je weet dat je gepakt zult worden,' zegt hij uiteindelijk.

'Waarom zeg je dat?'

'Te veel woekeraars. Sustevich, Napier. Tussen hen bestaat te veel aantrekkingskracht. Waarom licht je de president van de Verenigde Staten niet op als je toch bezig bent?'

Ik reageer verbaasd, alsof ik niet begrijp dat ik er zelf niet opgekomen ben. 'Is hij toevallig in de buurt dan?'

'Zelfs als het je lukt het geld te roven, zullen ze je vinden.'

'Ik ga een *button* gebruiken, om ze af te schrikken.'
'Daar zijn ze te slim voor.'
'Toch kan het.'
'Alles kan,' geeft Elihu toe. 'De vraag is of jij degene wilt zijn die het gaat doen.'
'Ik heb geen keus.'
'Natuurlijk wel.'
'Toby heeft me nodig.'
'Toby is een volwassen man. Hij maakt zijn eigen keuzes.'
'Ik kan hem niet laten vermoorden.'
'Zet hem op de trein. Zorg ervoor dat hij een paar maanden verdwijnt.'
'Dan ken je Toby niet.'
Elihu haalt zijn schouders op, als om te zeggen dat hij hem ook niet wíl kennen. 'Wat wil je van mij?'
'Namen. Voor de bijrollen. Jongens voor de *button.* Het moeten overtuigende FBI-types zijn.'
'Ik kan natuurlijk helpen,' zegt Elihu. Hij spuugt een olijvenpit in zijn hand en gooit die onder de tafel. De hond opent hoopvol zijn ogen. Wanneer hij ziet dat het maar een pit is, sluit hij ze weer.
Alsof hij een rustige conversatie voortzet, gaat Elihu verder. 'Napier is de laatste tijd veel in het nieuws. Dat casino dat hij probeert aan te kopen.'
'De Tracadero.'
'De mensen hier praten nergens anders meer over. "Gaat Napier het kopen?" "Heeft hij er de financiële middelen voor?"' Hij imiteert de stemmen van meneer en mevrouw White Bread uit Lansing, Michigan. '"Nou, ik hoop dat hij de biedrondes wint." "Tjonge, die Europeanen bieden vijfentwintig procent meer dan hij!" Weet je wat ik daarvan vind? Wat maakt het uit of nu de ene rijke stinkerd een casino bezit of de andere? Je gaat naar binnen, verliest je geld, ongeacht wiens naam er op de deur staat."'
'Mensen zijn dol op zakenlieden,' zeg ik. 'Het zijn allemaal nieuwe beroemdheden.'
'Waar zijn de oude beroemdheden gebleven?'
'Die lopen nog steeds rond. Zij zijn de nieuwe zakenlieden.'
'Weet je wat ik denk? Dat Napier te grote financiële risico's neemt.

Hij zit midden in een biedoorlog, maar geld heeft hij niet. Hij zal snel aan kapitaal willen zien te komen.' Hij werpt me een zijdelingse blik toe. 'Maar dat had je zelf ook al bedacht, of niet?'

Ik haal mijn schouders op.

'Altijd iedereen een stap voor zijn.' Hij laat een stilte vallen. Opnieuw spuugt hij een olijvenpit in zijn hand en gooit hem weg. 'Het zij zo. Ik zal je een paar namen geven, voor je *button*.'

'Dank je, Elihu,' zeg ik. 'Nog één ding.'

Hij staart me aan.

'Als de tijd daar is, moet ik geld van je lenen.'

'Hoeveel?'

'Het is maar voor vijf dagen. Ik heb het geld dan al in handen, alleen nog niet liquide.'

'Hoeveel?'

'Vijftien miljoen aan diamanten.'

'Jezus, Kip. Je wordt nog eens mijn dood.'

'Je krijgt het gebruikelijke: vijf procent per dag.'

'Wat ga je in vredesnaam doen met vijftien miljoen aan diamanten?'

'Terugbetalen wat ik de man die ik ga bestelen verschuldigd ben.'

Hij schudt zijn hoofd en denkt na. 'Je weet dat je gepakt zult worden, hè?'

Ik geef geen antwoord. Maar dat verwacht hij ook niet.

15

EEN *BUTTON* IS in de wereld van de zwendelarij jargon voor: ervoor zorgen dat je doelwit eieren voor zijn geld kiest. Het woord komt van de term die gebruikt wordt voor de gouden politiepenning van de Amerikaanse politie en staat voor een gefingeerde politieactie. Daarbij komt een nepagent midden in je zwendel opdraven om vragen te stellen of een arrestatie te verrichten.

Buttons worden aan het einde van een oplichterszaak ingezet: om het doelwit af te schrikken en om te voorkomen dat hij naar de politie stapt.

Het is veel beter om een zwendel te eindigen met een arrestatie door een nepagent dan met een arrestatie door een echte agent. Geloof me. Ik heb beide meegemaakt. Nepagenten zijn altijd gemakkelijker in de omgang.

16

TERUG IN PALO ALTO stop ik bij de Bank of Northern California en open ik een rekening op naam van mijn pas opgerichte bedrijf in Delaware, Pythia Corporation. De rekening is leeg, op de honderd dollar na die ik van mijn eigen persoonlijke rekening heb overgeboekt.

Ik rij terug naar mijn appartement en draai het telefoonnummer dat de Professor me heeft gegeven vlak voordat ik bij hem wegging. Er komt een stem aan de lijn – Russisch, bekend.

'Ja, hallo?'

'Dmitri,' zeg ik. 'Met Kip Largo.'

'Ja.'

'Weet je nog wie ik ben?' vraag ik. 'Die van het gif?'

'Ja.'

'Ik ben er klaar voor. Je weet waar ik het over heb, hè?'

'Ja.'

'Heb je een pen bij de hand?'

'Ja.'

Ik dreun het nieuwe rekeningnummer op en geef hem instructies voor het overboeken van het geld. Als ik daarmee klaar ben, zegt Dmitri: 'De zes miljoen staat er morgen op. Je hebt twee maanden de tijd.'

'En dan krijg ik een chemische peeling?'

'Ja.'

'Pas goed op jezelf,' zeg ik tegen Dmitri.

'Ja,' zegt hij.

Ik hang op. De zwendel is eindelijk begonnen.

Drie minuten later rinkelt in de keuken de telefoon. Ik denk dat het Dmitri is die terugbelt om de overboekinstructies nog een keer te horen. Het verbaast me dan ook dat het de stem van Toby is die ik hoor.

‘Pa?’

‘Toby!’ Ik heb hem sinds die dag in het ziekenhuis niet meer gezien. ‘Hoe gaat het?’

‘Veel beter,’ antwoordt hij dromerig. ‘Ze hebben me een medicijn voorgeschreven. Machtig spul.’

Ik herinner me de beschuldiging van mijn zoon dat ik hem altijd aanval. ‘Fantastisch,’ zeg ik terwijl ik mijn best doe om positief en bemoedigend over te komen. Je bent verslaafd aan percodine? Dat is fantastisch, zoon!

‘Ma vertelde dat je wilt dat ik bij jou kom wonen.’

‘Dat zou ik heel leuk vinden.’

‘Kun je me bij ma oppikken?’

‘Natuurlijk.’ Ik denk even na. ‘Is alles in orde?’

‘Hoe bedoel je?’

‘Waarom bel je? Ik bedoel, ik vind het heel leuk en ik wil graag dat je komt, maar het is zo... niets voor jou. Gaat het niet goed tussen jou en je moeder?’

‘Klopt,’ antwoordt hij. Hij blijft even stil. In mijn verbeelding zie ik hem op zijn lip bijten, zoals hij altijd doet als hij met iets zit. Uiteindelijk zegt hij: ‘Ik denk dat ik me gewoon beter op mijn gemak voel bij jou.’

Deze woorden – niet die van Dmitri, de Rus, dat hij zes miljoen dollar naar mijn bankrekening gaat overboeken – zijn de beste die ik sinds ik vanochtend wakker werd, zo lang geleden, heb gehoord.

2

HET DOELWIT

17

OP EEN WOENSDAGAVOND in juli geeft Ed Napier een feestje.

Hij huurt het Hillsboro Aviation Museum af; het is een omgebouwde hangar op een piepklein vliegveld, waar oude Zero's en Spitfires aan stalen kabels aan het plafond hangen, en waar een eerdere technologische revolutie wordt gevierd met exposities in lichtbakken, windtunnels waar je doorheen kunt lopen en foto's van de gebroeders Wright.

Het feest is bedoeld om de lancering te vieren van Napiers nieuwe durfkapitaalbedrijf, Argyle Partners. Maar wat er werkelijk gevierd wordt, is hoe geweldig het leven is geworden, hier op het schiereiland waar zelfs secretaressen op een jaarsalaris van zeventigduizend dollar kunnen rekenen, waar studenten die hun studie afbreken een miljoen dollar met hun businessplan kunnen verdienen tijdens een lunch van vijf minuten, waar het enige wat je nodig hebt om rijk te worden een houding van aanpakken is en de overtuiging dat 'het internet alles verandert', een frase die zowel alles als helemaal niets betekent, maar de officiële mantra in de staat Californië schijnt te zijn geworden.

Het feest is ook bedoeld om te vieren dat Silicon Valley op het wereldpodium is verschenen, of in elk geval dat de rest van de wereld op óns podium is gearriveerd. Nu zijn zelfs mensen die nog nooit een computer hebben gebruikt, zoals Ed Napier trots verkondigde in *Forbes*, hier een zaak begonnen, en investeren ze in technologische bedrijven. Hoe kiest een man als Ed Napier waar hij zijn dollars in investeert, vraag je je misschien af, als hij geen enkele technische kennis bezit? Het antwoord is simpel (zoals Napier aan *Forbes* uitlegde): Weten de ondernemers in kwestie dat 'het internet alles verandert'? Zijn het jongens met een houding van aanpakken? Hebben ze visie?

Vanavond heb ik mijn eigen visie: een lijntje uitzetten, net lang genoeg om ons doelwit te vangen en binnen te halen. Ik ga naar het feest met Jess Smith en Peter Room. Zonder enige moeite zijn we erin geslaagd om uitnodigingen te ritselen bij Peters IT-vriendjes. Het was niet moeilijk; heel Silicon Valley is uitgenodigd: advocaten, ondernemers, ingenieurs, journalisten, pr-mensen, zelfs andere competitieve durfkapitalisten. En waarom ook niet? Rijkdom in overvloed. Concurrentie en jaloezie zijn zo ouderwets; restanten van de oude wereld, voordat 'het internet alles veranderde'.

Jess, Peter en ik gaan onze eigen weg. Peter en ik zijn gekleed in het Silicon Valley-tenue: een zwarte katoenen broek en een blauw overhemd van gingangweefsel. Ik heb Jess gevraagd om iets provocatievers te dragen. Ze heeft gekozen voor een strakke, zwarte jurk met split en een laaghangende kraag. Als ik haar zie – vooral de flits van haar blanke dijbeen als ze loopt – verdwijnen mijn eerdere twijfels of ze wel geschikt is voor deze zwendel als sneeuw voor de zon.

Het feest spreidt zich uit over twee verdiepingen, met een balkon dat uitkijkt over de vloer van de hangar. In een hoek speelt een swingband met een aantrekkelijke blonde zangeres en vier mannen met platte hoeden die eendrachtig met hun koperen instrumenten zwaaien. Langs de drie andere muren verzamelen zich groepjes rond de bars. Keuze in drank vanavond: cabernet voor de mannen, chardonnay voor de dames. In echte glazen, overigens – geen goedkope plastic bekers als Ed Napier een partijtje geeft.

Ik zie hem aan de overkant van de ruimte staan. Hij heeft de lengte van een filmster, donker haar en is knap om te zien. Vanwege zijn zongebruinde gezicht, verkregen tijdens een zeiltocht over de Stille Oceaan of een vakantie in St. Bart's, lijken zijn tanden opvallend wit en scherp, als chirurgische instrumenten. Hij heeft vaalblauwe ogen die zelfs als hij met een groepje slijmjurken praat, de ruimte achter hen in de gaten houden, als een roofdier, een leeuw die over de savanne tuurt.

'Volgens mij ken ik u,' zegt een vrouwenstem. Ik voel mijn ballen ineenkrimpen: is mijn zwendel nu al verpest, nog voordat hij zelfs maar begonnen is, omdat een of andere elegante *Wall Street Journal*-correspondente me herkent als zijnde de koning van het Dieetspel?

Ik draai me naar de stem om. Het is Lauren Napier. Ze draagt een marineblauwe jurk en ze heeft haar blonde haren opgestoken, bij elkaar gehouden met twee zwarte stokjes. Haar gezicht is helemaal geheeld; geen blauwe plekken meer, of ze heeft die vakkundig met foundation gecamoufleerd.

'Nee, u kent me niet,' antwoord ik adviserend.

'Wat is uw beroep precies? Journalist? Pr-functionaris?'

'Ondernemer,' antwoord ik trots. Ik wijs naar mijn zwarte broek en mijn overhemd van gingangweefsel. 'Kunt u dat niet zien?'

'Ik dacht dat ondernemers jong en briljant waren.'

'Vindt u mij niet jong, dan?'

Er komt een Chinese vrouw bij ons staan met een notitieblok en een cassetterecorder in de aanslag. 'Mevrouw Napier,' zegt ze terwijl ze mij volkomen negeert. 'Ik ben Jennifer H. Lee van Information 2.0.'

'Hoe maakt u het?' vraagt Lauren Napier.

'Wat vindt u van het feest van uw echtgenoot?'

'Ik vind het fantastisch,' antwoordt Lauren Napier in de recorder. 'We vinden het geweldig om hier in het centrum van de technologische revolutie te vertoeven.'

'Is u al enig verschil opgevallen tussen Silicon Valley en Las Vegas?'

'Ja,' antwoordt Lauren Napier. 'Ongeveer negen graden Celsius.'

Jennifer H. Lee lacht en schrijft het antwoord op haar notitieblok. Uiteindelijk wendt ze zich tot mij. 'En u bent?' Over haar schouder zie ik Jess langs Ed Napier lopen. Ze zwaait met haar kont als het lokaas van een vliegvisser, op weg naar de dichtstbijzijnde bar. Napier volgt haar met zijn blik.

'Franklin Edison,' antwoord ik. 'Van Pythia Corporation.'

'Heeft Ed Napier in uw bedrijf geïnvesteerd?' vraagt Jennifer H. Lee.

'Nog niet,' antwoord ik. 'Maar we hebben hoop.'

'En wat doet uw bedrijf?'

Ed Napier zegt iets tegen een groepje fans die aan zijn lippen lijken te hangen. Twee van de jongemannen – getint, sullig, waarschijnlijk Indiase ingenieurs – glimlachen en knikken enthousiast naar hem, alsof hij Ganesh is, de god met het olifantenhoofd, die het geheim van karma onthult. Ed Napier glimlacht, schudt een paar handen en loopt daarna richting bar, naar Jess.

'Wat we doen?' herhaal ik, alsof het gegeven dat een bedrijf iets hoort te doen hopeloos achterhaald is. Ik staar Jennifer H. Lee aan. 'Ik vrees dat ik u dat niet kan vertellen.'

'Het is dus nog geheim?' vraagt ze met een veelbetekenende blik.

'Ja,' zeg ik. 'Topgeheim. Maar ik weet zeker dat we de wereld gaan veranderen.'

'Mag ik u citeren?'

'Nee.'

'Echt niet?'

'Echt niet.'

Ze reageert verbijsterd. Blijkbaar heeft in de twintig maanden dat ze nu journalist is niemand dat ooit geweigerd. Ze weet niet wat ze ermee aan moet.

Hulpvaardig voeg ik eraan toe: 'Maar als u me uw visitekaartje geeft, bel ik u zodra ik mag praten.'

'Meent u dat?' zegt ze. Haar ogen lichten op. Misschien heeft de slappe, ouwe lul toch nog een goed verhaal. 'Dat zou ik zeer waarderen.'

'Ik doe het graag.' Ze geeft me een visitekaartje. Ik doe alsof ik het grondig bestudeer en steek het in mijn broekzak. Later zal het nog van pas komen om mijn uitgekauwde kauwgom in op te bergen.

'Ik moet gaan,' verklaar ik mysterieus. 'Leuk u ontmoet te hebben, mevrouw Lee.' Ik draai me naar Lauren Napier om. 'En ook leuk u te hebben ontmoet, eh...'

'Lauren,' zegt ze.

'Lauren.'

'Leuk ú ontmoet te hebben.' Ze schudt mijn hand. 'Veel succes met waar u ook mee bezig bent. Ik hoop dat het de wereld inderdaad zal veranderen.'

Ik glimlach en laat haar achter bij Jennifer H. Lee, die nog meer inzichtelijke vragen heeft over het verschil tussen feestjes in Las Vegas en Silicon Valley.

Ik loop naar de bar, waar Jess op een drankje wacht. Vóór mij baant Ed Napier zich een weg door de menigte. Hij negeert de gelukwensers en probeert dichter bij haar te komen. Hij is een jachthond met een fijne neus, en de geur van Jess is onweerstaanbaar voor hem. Uiteindelijk, wanneer hij nog geen halve meter achter haar staat, tikt hij haar op de schouder. Jess draait zich om. Haar reactie is perfect: een korte flits van geïrriteerdheid – dat een of andere lomperd haar wil versieren – gevolgd door een moment van herkenning, en een verheugde glimlach.

Ik ben zo dichtbij dat ik hun gesprek ondanks het lawaai van de swingmuziek kan volgen. 'Ik zag dat je naar de bar liep. Mag ik je een drankje aanbieden?' vraagt Ed Napier.

'Een wijntje graag,' zegt Jess.

'Sta mij toe.' Napier houdt subtiel twee vingers in de lucht om de aandacht van de barman te trekken. 'Twee chardonnay,' zegt hij.

'Komt eraan, meneer Napier,' zegt de barman.

Napier pakt de glazen chardonnay aan en maakt zich los uit de menigte. Met een hoofdknikje gebaart hij naar Jess om hem te volgen.

Nu staan ze twee meter bij mij vandaan.

'Volgens mij ken ik je ergens van,' zegt Napier. Hij heeft de luide, bulderende stem die alle rijke mensen hebben. Daarmee geven ze te kennen: ik ben aan het woord en jij hebt maar te luisteren.

'Dat durf ik te betwijfelen,' zegt Jess.

Napier steekt zijn hand uit. 'Ed Napier.' Ze schudden elkaar de hand.

'Jessica Smith.'

'Aangenaam kennis met je te maken, juffrouw Smith. Wat doe je in het dagelijkse leven?'

'Ik zit in de marketing.'

'Juist,' zegt hij, alsof dat alles verklaart: waarom ze zo aantrekkelijk is, en waarom ze hier is. 'Bij welk bedrijf?'

'Pythia.'

'Pythia? Dat ken ik niet. Wat is het voor bedrijf?'

'Dat zou ik je kunnen vertellen,' antwoordt Jess, 'maar dan moet ik je meteen vermoorden.'

'Aha. Zelfs geen tipje van de sluier?'

'Grootschalige parallelle computerverbindingen.'

'Klinkt goed,' zegt hij. 'Zijn jullie op zoek naar financiering?'

'Bied je het aan?'

Hij haalt zijn schouders op, alsof hij de mogelijkheid overweegt om een cheque uit te schrijven. 'Zeker. Waarom niet?'

Jess doet alsof ze me voor het eerst opmerkt. 'Als je het over de duivel hebt... Daar is hij. Franklin! Kom eens.' Ze gebaart me te komen. 'Ed, dit is mijn partner, Franklin Edison.'

Ik loop naar Ed toe en schud hem de hand. 'Hoe maakt u het?'

'Meneer Edison,' zegt Napier. 'Uw partner wil niet vertellen wat uw bedrijf doet, maar het klinkt boeiend.'

Ik kijk Jess kwaad aan. 'Mijn partner praat te veel,' zeg ik.

Jess kijkt naar de grond.

'Ze heeft niet echt iets gezegd,' verzekert Napier me.

Alsof ze zich verontschuldigt zegt Jess tegen mij: 'Meneer Napier zegt dat hij geïnteresseerd is in praten over financiering.' Het woord financiering druipt van de insinuatie.

'Is dat zo?' Ik wend me tot Jess. 'Kan ik je even spreken?' Voordat ze kan reageren, pak ik haar net iets te hard bij de arm vast en trek haar vijf meter bij Napier vandaan. Hij slaat ons kleine onderonsje gade. Ik fluister tegen haar: 'Wat hadden we nu afgesproken? Geen buitenstaanders.'

'Maar hij heeft geld.'

'Dat hebben we niet nodig,' antwoord ik. 'Nóg niet.'

Ze trekt een gezicht: dat ik het bij het verkeerde eind heb, maar dat het geen zin heeft om te proberen me te overtuigen. Niet hier, niet nu. Ik leid haar terug naar Napier. 'Sorry,' zeg ik. 'Ik vrees dat er sprake is van een misverstand. Op het moment zijn we niet op zoek naar financiering van buitenaf.'

Napier haalt zijn schouders op. 'Prima. Mocht u zich bedenken...' Hij pakt een visitekaartje uit zijn jaszak en geeft het aan Jess. 'Je mag me altijd bellen. Zeg tegen mijn assistente wie je bent, dan verbindt ze je meteen door.'

'Dank je,' zegt Jess.

'Willen jullie me nu excuseren? Volgens mij hebben ze me nodig.'

Hij blikt naar de musici. Ze zijn gestopt met spelen, en de blonde zangeres houdt de microfoon naar Napier uit.

Stemmen in de menigte roepen: 'Kom op, Ed. Speech! Speech!'

Napier verlaat ons en loopt naar de andere kant van de ruimte. Hij beklimt het podium en neemt de microfoon van de zangeres over. Hij tikt er tweemaal op. De speakers ploffen.

'Hallo?' zegt hij vragend in de microfoon. Zijn stem weergalmt uit de versterker, een warme, honingzoete bariton.

Hij glimlacht en straalt. De menigte juicht.

'Leuk dat jullie vanavond allemaal zijn gekomen. Ik heb begrepen dat een mysterieuze Europese concurrent meteen toen ik de uitnodigingen voor dit feest had verzonden, uitnodigingen voor zijn éígen feest heeft verstuurd, dat ook vanavond plaatsvindt – en hij schenkt vijfentwintig procent meer alcohol dan ik!'

Het publiek lacht.

Napier laat een stilte vallen en kijkt naar de gezichten in de menigte. Hij gaat verder: 'Nou, volgens mij heb ik in elk geval één biedoorlog gewonnen!' Nog meer gejuich. De drummer met de platte hoed geeft een roffel. De menigte lacht.

'Ik had mijn vrouw beloofd dat ik vandaag geen speech zou houden,' zegt Napier. 'Ik wil alleen nog even zeggen dat ik hoop dat iedereen zich vermaakt. Jullie zullen in de toekomst nog veel van mijn firma, Argyle Partners, horen. Nu we Las Vegas hebben veroverd, willen we in Silicon Valley zegevieren... pardon, investeren. We richten ons met name op grote bedrijven, bedrijven die de wereld zullen veranderen!'

Nog meer gejuich. Napier houdt een vuist op in een kleine, quasi-afwerende saluut. Hij geeft de microfoon terug aan de blonde zangeres. De band speelt 'When the Saints Come Marching In'. Ik weet niet zeker of de ironie van de associatie van Napier met heiligen – een gokmagnaat uit Las Vegas met connecties in de onderwereld – de bandleden of wie dan ook in de menigte duidelijk is. Misschien wel, en helpt de bar iedereen om het weer te vergeten. Napier springt met een vrolijk gezicht van het podium en wordt meteen belaagd door gelukswensers. Dat is de macht van het hebben van een paar miljard dollar: het verandert je in een filmster.

'Hoe heb ik het gedaan?' vraagt Jess aan mij.

'Volgens mij heb je hem helemaal ingepakt. We hoeven hem alleen nog binnen te halen.'

Ze kijkt me aan, en ik weet precies wat ze denkt: niets is zo gemakkelijk. Als dingen te gemakkelijk gaan, is dat altijd een waarschuwing: maak dat je wegkomt.

18

WE HEBBEN ONS KANTOOR opgezet in een industriegebied vlak bij de zoutmeren, aan de voet van de Dumbarton Bridge. Je zou denken dat 2500 vierkante meter te groot is voor een bedrijf met drie medewerkers. Maar als je zo denkt, mijn beste, heb je niet de juiste houding van aanpakken die vereist is om 'de wereld te veranderen'.

Het heeft ons zeven dagen gekost om een volledig functionerend kantoor op te zetten. Dit is een van de mirakels van de Valley: er zijn honderden bedrijven die als enige doelstelling het opzetten van andere bedrijven hebben. Het enige wat je nodig hebt, is een bankrekening. Daarna pleeg je een telefoontje en zegt: 'Creëer mijn bedrijf alstublieft.' Binnen enkele dagen is je bedrijf tot leven gekomen als een reusachtige zwam die op een regenachtige avond uit een onzichtbare spore ontkiemt.

Dus: de makelaar heeft kantoorruimte voor ons gevonden vlak bij de Dumbarton Bridge. Het kantoor werd voorheen gebruikt door een biotech-bedrijf dat naar een groter kantoor is verhuisd, dat eerder gebruikt werd door een internet-schoenenhandelaar. 'Waar is de internet-schoenenhandelaar naartoe gegaan?' vraag ik aan de makelaar terwijl we langs de Bayfront Express rijden om ons kantoor voor de eerste keer te bewonderen.

'Waar het naartoe is gegaan?' herhaalt de makelaar, alsof ik hem vraag een ondoorgrondelijk raadsel op te lossen. 'Hoe bedoelt u?'

Dit is het verschil tussen de Nieuwe Economie en de Oude Economie in een notendop: in de Oude Economie, waarvan ik trots lid ben, creëert elke winnaar een verliezer. Elke nieuwe kantoorbewoner vereist het vertrek, de verdwijning of de dood van een oude huurder. In de Nieuwe Economie zijn er geen verliezers. Niets is eindig. Je kunt niet alleen een gratis lunch krijgen, maar ook een gratis ontbijt en diner. En dan ook nog een cappuccino erbij.

De dag nadat we het huurcontract hebben getekend en drie maanden borg hebben betaald, arriveert het meubilair. Het bestaat uit tien bureaus met tussenwanden, tien Aeron-stoelen (1400 dollar per stuk), vijf metalen dossierkasten, een nieuw tafelvoetbalspel (800 dollar) en een oud Ms. Pac-Man spel van Arcade (495 dollar, exclusief bezorgkosten). Peter Room heeft me verteld dat de laatste twee items een must zijn als je competente computerprogrammeurs binnen wilt halen.

Nadat het meubilair is gearriveerd, brengen we de computers naar binnen. Omdat het een race tegen de klok is, hebben we weinig tijd om echte sollicitatiegesprekken te voeren. Maakt niet uit: één telefoontje is voldoende. Peter Room en ik zetten de speaker van de telefoon aan en voeren een gesprek met een uitzendorganisatie in Silicon Valley waarvan de directeur, Bo Ringwald, beweert dat hij talentspotter is van de slimste mensen ter wereld. Ik zeg tegen Bo Ringwald: 'Ik heb vijf IT'ers nodig om me te helpen een computernetwerk op te zetten voor een gloednieuw bedrijf.'

'Vijf IT'ers?' zegt Bo Ringwald. 'Komt voor de bakker.'

'Wat gaat het kosten?' vraag ik.

Bo Ringwald lacht, alsof het een belachelijke vraag is. 'Is dat belangrijk?' Hij is gewend zaken te doen met ondernemers die bulken in het geld van hun eerste financieringsronde door durfkapitalisten. Hoe kunnen kosten in een wereld waarin rentabiliteit niet verwacht of gezocht wordt, nu een zorg zijn?

'Niet echt,' antwoord ik. Ik begin aan het wereldje te wennen.

De vijf computerexperts druppelen de volgende ochtend op willekeurige tijdstippen het kantoor binnen. Ingenieurs beschouwen werktijden 'van negen tot vijf' als een handige leidraad. Zolang je voor de middag aan komt zetten, ben je ambitieus.

Als er genoeg van hun soort gearriveerd zijn om van een kritieke massa te kunnen spreken, gaan Peter en ik hen voor door de hal en tonen hun de lege, raamloze ruimte met eigen airconditioning.

'Ik wil een serverruimte die er indrukwekkend uitziet,' zeg ik.

De leider, een slungel met een *soul patch*, een minuscuul plukje haar direct onder zijn onderlip, vraagt: 'Wat moeten de computers doen?'

Ik haal mijn schouders op. 'Lichtjes mooi laten flikkeren,' antwoord ik.

Zijn ogen lichten op als die van een kind in een snoepwinkel.

Terwijl de computerjongens opgewonden hun komende tripje naar Frye's Electronics bespreken – het detailhandelparadijs voor slome sukkels – en ruziën over wat ze gaan aanschaffen, troon ik Peter mee naar een van onze drie vergaderzalen.

Ik leg hem de algemene lijnen van de zwendel uit. Ik vertrouw Peter, en hij is een beste kerel, maar details zijn gevaarlijk. Dus hou ik me op de vlakte. Ik beschrijf de software die ik graag wil dat hij bouwt en die we vervolgens zullen gebruiken om Ed Napier in de val te lokken.

'Kun je dat?' vraag ik.

'Ja, hoor.'

'Binnen drie dagen?'

Peter glimlacht en wijst naar me, alsof hij wil zeggen: altijd als ik met je praat, zit er een addertje onder het gras.

'Drie dagen,' zegt hij. Hij haalt dromerig zijn vingers door zijn lange rode haar, als een dame in een shampoospotje. Hij denkt even na. 'Ja,' zegt hij uiteindelijk. 'Ik denk het wel.'

'Aan het werk, dan.'

Ik loop door het reusachtige kantoorpand. Het is als lopen door de Astrodome nadat iedereen naar huis is gegaan en het licht is gedimd: griezelig en leeg.

Achter in de ruimte staan de computerfreaks nog steeds bij de deur van de serverruimte te praten. Ze voeren een discussie over de voordelen van Linux ten opzichte van Windows. Aangezien de computers die ze gaan installeren eigenlijk niets hoeven te kunnen, is de discussie nauwelijks academisch te noemen. Dit is wat computergekken graag doen: discussiëren over systemen. Hun vragen ermee te kappen zou alleen maar de verdenking oproepen dat er iets niet pluis is bij Pythia Corporation.

In een andere donkere hoek tref ik Jess aan. Ze speelt Ms. Pac-Man. Een blikje cola staat op de speeltafel, die is uitgerust met een cupholder. Zonder op te kijken zegt ze: 'Wist jij dat een kers honderd punten waard is?'

'Wiens kers?' vraag ik.

Ze glimlacht.

'Volgens mij loop je donderdag Ed Napier tegen het lijf.'

'Prima.'

'Zie je het wel zitten ermee door te gaan?'

Ze kijkt nog steeds niet op. 'Waarmee door te gaan?' Ze richt de joystick naar links en daarna naar boven. De tafel schudt; het colablikje slingert in de cupholder.

'Met wat er ook maar voor nodig is.'

'Met wat er ook maar voor nodig is,' herhaalt ze. 'Klinkt erg Silicon Valley-achtig.'

'Ik bedoel, je hóéft het niet te doen.'

Voor het eerst kijkt ze me aan. 'Als ik niet beter wist, zou ik denken dat je jaloers was.'

'Ik ben niet jaloers. Alleen bezorgd.'

'Niet nodig.'

'Prima.' Ik draai me om en loop weg.

'Maar ik vind het wel schattig, hoor,' roept ze me na. 'Dat je jaloers bent.'

Ik wil protesteren dat ik niet jaloers ben, maar besef dat het lege woorden zijn, die bovendien niet waar zijn. Dus zeg ik: 'Donderdag,' waarna ik wegloop om me in de discussie over Linux versus Windows te mengen, die ineens erg boeiend lijkt.

Als ik 's avonds thuiskom, ligt Toby op de bank naar een professionele worstelwedstrijd op de televisie te kijken. Twee nagenoeg naakte mannen slaan en graaien naar elkaar onder het uitzinnige geschreeuw van de commentatoren.

Ik sluit de deur achter me en zeg: 'Hoi, Toby.'

Hij kijkt niet op of om. Een week woont hij nu bij me in. Wat aanvankelijk een leuk idee leek – een kans voor vader en zoon om een band te smeden – heeft veel van zijn glans verloren. Toby wordt belemmerd door een gipsbeen en krukken, laat zich behandelen met percodine en bier en kan zich nauwelijks voortbewegen. Dus slijt hij zijn tijd op de bank terwijl ik op kantoor zit. Worstelen is zijn nieuwe hobby.

Worstelen kíjken, wel te verstaan.

Ter begroeting zegt hij: 'Wist je dat je het volume van de televisie niet lager kunt zetten?'

'Dat weet ik.'

'Irritant.'

‘Heb je zin om er even uit te gaan?’ vraag ik. ‘Ergens een biertje drinken?’ Alcohol zou weleens de enige manier kunnen zijn om Toby uit het appartement te lokken.

‘Tjonge, pa. Ik zou het geweldig vinden om met jou de stad in te gaan,’ antwoordt hij met een uitgestreken gezicht. ‘Maar ja, ik kan me eigenlijk niet, je weet wel, voortbewegen.’

Ik haal mijn schouders op en gooi mijn sleutels op de tafel bij de voordeur. Ik loop naar de badkamer.

‘Die Mexicaan is nog langs geweest,’ zegt Toby.

Ik blijf stokstijf staan. ‘Mexicaan?’

‘Je huurbaas.’

‘Die jonge?’

‘Ja.’

‘Dat is een Arabier,’ leg ik uit. ‘Een Egyptenaar of zo.’

‘Interessant,’ merkt Toby weinig geïnteresseerd op. Op de beeldbuis klimt een van de worstelaars onder luid gejuich van de menigte boven op de touwen van de ring en bereidt zich voor om zich op de strot van zijn behepte tegenstander te storten. ‘Afijn, hij was heel nieuwsgierig, stelde allemaal vragen.’

‘Wat voor vragen?’

‘Wie ik ben. Wat jij voor werk doet.’

Ik wacht tot Toby verder vertelt. Dat doet hij niet. Op de televisie springt de worstelaar van de touwen en landt met een klap op het canvas, waarbij hij de strot van zijn tegenstander op een haar na mist.

‘Wat heb je hem verteld?’ vraag ik.

‘Verteld? Dat je een oplichter bent en dat je mensen hun zuurverdiende geld afhandig maakt.’

‘Niet waar,’ zeg ik. Ineens kan ik zijn droge gevoel voor humor wel waarderen. Maar dan besef ik dat ik niet helemaal zeker weet of hij dat wel heeft. Dus vraag ik: ‘Echt?’

‘Nee, druiloor. Ik heb gezegd dat je ondernemer bent.’

‘Veel beter,’ zeg ik.

‘En dat je op die manier mensen hun geld afhandig maakt.’

Ik laat Toby met al zijn ironie achter en loop naar de badkamer, waar ik mijn blaas leeg en mijn handen en gezicht was. Ik staar naar mezelf in de spiegel. Ik zie er afgemat uit. De dagen van voorbereiding voor een zwendel, waarin je je tijd verdoet met wachten en plannen, zijn het vermoeiendst. Als je eenmaal van start bent gegaan, treedt de adrenaline in werking en is het een en al spanning. Tot dat moment vecht je tegen verveling en apathie. Ik plens water op mijn gezicht.

Terug in de woonkamer pers ik me naast Toby op de bank.

'Afijn, ik zat te denken,' zegt Toby.

'O?'

'Misschien kan ik je helpen.'

'Waarmee?'

'Met waar je mee bezig bent. Je, je weet wel... je klus.'

'Mijn klus?' herhaal ik dommig. Ik ben zo verbaasd dat hij het voorstelt, dat ik niet weet wat ik anders moet zeggen.

Hij denkt dat ik niet begrijp waar hij het over heeft. Dat hij specifieker moet zijn. 'Die zwendel waar je mee bezig bent. Ik kan je helpen.'

Ik schud mijn hoofd. 'Maar jij bent...' Ik wuif naar zijn gipsbeen. 'Gehandicapt.'

'Ik heb krukken. Ik kan me bewegen. Ik zal zeggen dat ik een skiongeluk heb gehad. Er zijn wel meer mensen met een gipsbeen.'

Weer schud ik mijn hoofd. 'Maar het is juist allemaal bedoeld,' leg ik uit, 'om je te beschermen. Om je úít de problemen te helpen.'

'O, ja?'

'Dus wil ik niet dat je betrokken raakt bij iets wat... fout kan aflopen.'

'Je hebt die vrouw wel gevraagd je te helpen. Die knappe.'

Hij bedoelt Jess. 'Maar zij is een vriendin.'

'Wat ben ik?'

'Jij bent mijn zoon.'

Voor het eerst kijkt hij me aan. 'Pa, je riskeert je hele leven voor mij. Ik heb nog niet gezegd hoezeer ik dat waardeer.'

'Je bent mijn zoon.'

'Laat me dan helpen. Je doet iets voor mij; laat me een bijdrage leveren. Ik ben een volwassen man, ook al wil je dat niet geloven. Ik kan volwassen beslissingen nemen.'

'Toby, als er iets misgaat...'

'Dan hangen we. Dat weet ik. Maar in elk geval hangen we dan sámen. Vader en zoon. Zo hoort het toch?'

Nee, wil ik zeggen. Hoe het hoort is dat de vader de zoon beschermt. Dat de zoon op zijn vaders schouders klimt, zodat de zoon hoger kan reiken. Dat de zoon de vader overtreft.

Maar ik word bevangen door egoïsme. Ik schep genoegen in de kans om Toby mijn wereld te tonen, die ik zo lang voor hem verborgen heb gehouden. Zonder dat ik het echt besef, zet zijn verzoek de sluizen van mijn verlangen open, en ineens wil ik Toby alles leren: de weken van voorbereiding, de zorg, de planning, de vaardigheid. Toby heeft me zo lang alleen maar gekend als de mislukkeling in de bak, de witteboordencrimineel die vetkleppen uit het Midden-Westen hun geld aftroggelde. Nu kan ik hem laten zien wie ik werkelijk ben: een professional, iemand die jaren – zijn hele leven – heeft gewijd aan het perfectioneren van een kunstvorm.

Halfhartig zeg ik: 'Toby, dat is geen goed idee.'

Maar hij en ik weten allebei dat deze discussie voor ons is als de worstelwedstrijd op de televisie: allesbehalve een eerlijke strijd, en net zoals de blonde krachtpatser met de glanzende, geoliede spierballen, heeft Toby de strijd gewonnen nog voordat hij de ring in is gestapt.

19

HET IS DONDERDAGOCHTEND en ik volg Ed Napier op twintig meter afstand in mijn Honda. Ik schaduw hem al een hele week, zodat we intussen oude bekenden zijn. Als een geliefde ben ik op de hoogte van zijn dagelijkse bezigheden, zijn zonden. Elke ochtend staat hij om zes uur op, verlaat zijn Woodside-landgoed via de uitgang aan de noordzijde en kletst een minuutje met de bewaker, die eruitziet als een voormalige doelverdediger. Daarna jogt hij in een grijs trainingspak vijf kilometer over de Skyline Boulevard. Om halfzeven is hij weer thuis en verdwijnt hij uit zicht, waarschijnlijk om te douchen. Om acht uur rijdt hij over de oprijlaan in een kersenrode Mercedes SL cabriolet, met het dak naar beneden, naar Buck's voor ontbijt. Drie van de vier keren dat ik hem ben gevolgd, heeft hij een bespreking terwijl hij eet.

Wat ik zie door de grote ramen van het restaurant is het volgende: twee jongemannen zitten tegenover hem, te nerveus om hun pannenkoeken aan te raken, en al pratend loodsen ze Napier door een Powerpoint-presentatie op hun laptop. Napier zit tevreden te kauwen terwijl zij op de spatiebalk van hun toetsenbord tikken om de presentatie naar de volgende dia te leiden. Telkens kijken ze aandachtig naar Napier om zijn reactie te peilen: moeten ze verder naar de volgende dia? Langer stilstaan bij de huidige? De volgende sectie starten? Versnellen? Vertragen?

Voor het geval je ooit de kans krijgt om iets aan Ed Napier te presenteren, een tip: versnel!

Als een ongemanierde tiener kan Napier zijn emoties niet in bedwang houden. Die emotie is verveling. Dus terwijl de jongemannen over hun bedrijf praten en ongetwijfeld vertellen dat ze de nieuwe Microsoft zullen worden, zakken Napiers oogleden. Het kauwen wordt langzamer. Zijn lichaam zakt in.

Druk als ze zijn hebben de ondernemers het niet in de gaten. Dus praten ze door, over internet zus, en IP zo, over geld in omloop brengen, over poorten en ingangen, totdat – godzijdank – de rekening gebracht wordt en Napier afscheid neemt.

Van Buck's rijdt Napier naar zijn kantoor, een laag gebouw vlak bij de Redwood City-haven. Hij parkeert zijn auto in de ondergrondse garage en verdwijnt de komende drie uur uit zicht. Waarschijnlijk brengt hij zijn tijd door met telefoneren. Zijn stem die door het kantoor buldert moet zijn receptioniste en assistente mateloos irriteren.

Om twaalf uur, je kunt er de klok op gelijk zetten, verschijnt hij weer. Hij rijdt de garage uit om te lunchen. Gewoonlijke bestemming: Zibbibo's in Palo Alto. Gemiddelde duur: twee uur. Vaste drankje: een fles Sancerre.

Meer besprekingen tijdens de lunch; meestal met zo te zien kruiperige journalisten, aangezien ze overvloedig aantekeningen maken tijdens de gesprekken en sommigen een camera bij zich hebben. Maar ik ben ook getuige van een afspraakje met een aantrekkelijke roodharige die, zo vermoed ik, de School voor de Journalistiek nooit vanbinnen heeft gezien. Ik betwijfel of mevrouw Lauren Napier ooit van dit lunchafspraakje zal weten.

Na de lunch houdt Napier het steevast voor gezien. Hij rijdt terug naar zijn Woodside-huis, of hij rijdt naar de Menlo Club voor een rondje golf en een drankje op de veranda.

Niet bepaald een zwaar leven. Ook geen workaholic. Maar als ik een paar miljard dollar op mijn bankrekening had staan, weet ik ook niet of ik harder zou werken – of, nu ik er over nadenk, of daar überhaupt sprake van zou zijn.

Het is nu acht uur in de ochtend en ik volg Napier, die met zijn rode Mercedes zijn landgoed af rijdt. Zodra hij op Woodside links afslaat en ik zeker weet dat hij naar Buck's rijdt om te ontbijten, pak ik mijn mobiele telefoon en toets het nummer van Jess in. Ze zit al in het restaurant op Napiers entree te wachten. Na een keer overgaan, neemt ze op. 'Ja?'

'Hij komt eraan. Over vijf minuten is hij er.'

'Ik ben er helemaal klaar voor.'

'Veel succes.'

'Tot over een uurtje,' zegt ze, waarna ze ophangt.

Ik rij vier auto's achter Napier tot aan het parkeerterrein van Buck's. Wanneer ik hem uit de Mercedes zie stappen en naar het restaurant zie lopen, rij ik snel door naar het kantoor van Pythia. Ik weet precies wat er verder met Ed Napier gaat gebeuren. Het is van een script voorzien en gepland. Dit is het strikmoment. Dit is het moment waarop Ed Napier denkt dat hij de touwtjes in handen heeft, dat hij alle beslissingen neemt, dat hij zijn leven in eigen handen heeft. Maar een oplichter weet iets anders: dat je keuzes nooit van jezelf zijn, dat wanneer je je eigen weg kiest, je eigenlijk in een val loopt die door een ander is gezet. Je loopt opgewekt. En hebt grote haast.

Luister wat er gebeurt.

Napier wandelt het restaurant in, misschien met het doel jonge ondernemers met slimme verkooppraatjes te spreken, of misschien om gewoon te eten. Het maakt niet uit: wanneer hij Jess alleen aan een tafeltje bij de ingang ziet zitten en geërgerd op haar horloge ziet kijken, gooit hij de plannen die hij had meteen overboord.

Hij loopt naar haar tafeltje. 'Hoi,' zegt hij tegen haar. 'Jessica Smith, toch?'

Ze kijkt op. 'Ja.' Even blijft haar gezicht uitdrukkingsloos. Ze kent hem ergens van, maar waarván? Dan een flits van herkenning en een heldere glimlach, breed en wit, genoeg om het hart van elke man te doen smelten. 'Já,' zegt ze weer. 'Meneer Napier.'

'Alsjeblieft,' zegt hij. 'Meneer Napier was mijn vader. Noem me gewoon Ed.'

'Ed.'

'Kom je of ga je?' vraagt hij.

'Ik was hier voor een bespreking,' zegt ze. Ze kijkt weer op haar horloge. 'Maar hij heeft me laten zitten. Jullie durfkapitalisten kunnen soms zo egoïstisch zijn.'

'Vertel me zijn naam en ik laat hem vermoorden.'

'Maar dan ben ik toch medeplichtig?'

'Het is geen misdrijf zolang je niet wordt gepakt,' antwoordt hij. Hij trekt een stoel bij, gaat zitten en vraagt: 'Mag ik erbij komen zitten?'

'Natuurlijk.'

'Heb je al besteld?'

'Nee.'

'Ik trakteer.' Hij wuift met zijn hand naar de serveerster. Die komt en neemt hun bestelling op. Napier vraagt zoals altijd om een Lumberjack: twee eieren op pannenkoeken met bacon. Jess bestelt hetzelfde.

Zodra de serveerster is vertrokken, leunt Napier over de tafel alsof hij Jess in vertrouwen neemt. 'Ik heb Pythia opgezocht in de encyclopedie.'

'Pardon?'

'Pythia. Zo heet jullie bedrijf toch? Ik heb de naam opgezocht. Pythia was het orakel van Delphi. In het oude Griekenland.'

'Heel goed.'

'Maar ik snap het nog steeds niet,' zegt hij.

'Wat niet?'

'Wat de naam betekent.'

'De Grieken geloofden dat ze de toekomst kon voorspellen,' zegt Jess. 'Mensen legden honderden kilometers af om haar te horen spreken.'

'Nu snap ik het,' zegt Napier, hoewel duidelijk is dat het tegendeel het geval is. Hij denkt even na en vraagt dan: 'Wat doet jullie bedrijf eigenlijk? De toekomst voorspellen?'

Jess glimlacht. 'Wat we doen is...' Ze maakt haar zin niet af en schudt haar hoofd. 'Franklin zou me vermoorden als hij wist dat ik met je praat.'

'Franklin?'

'Mijn partner.'

Het duurt even voordat Napier zich me herinnert. 'O, die oudere man.'

'Hij vindt dat we niemand mogen vertellen wat we doen.'

Napier knikt. 'Veel mensen denken zo. Veel te gereserveerd. Alsof ik meteen naar mijn geheime laboratorium ren om te reproduceren waar zij jaren aan hebben gewerkt. Alsof ik dat zou kúnnen.'

'Franklin is een zeer argwanend type.'

Op dit punt vermoed ik dat Napier vraagt: 'Jij en Franklin... Zijn jullie...' Hij gebaart vaag met zijn handen.

'Geliefden? Nee, hoor. We zijn gewoon vrienden.'

Napiers gezicht toont opluchting. Misschien buigt hij zich met wolfachtige gratie naar voren. 'Ik kan niet zeggen dat het me spijt dat te horen.'

'Wat doe je na het ontbijt?' vraagt Jess.

Napier haalt zijn schouders op. Is het mogelijk? Is ze hem aan het versieren?

Ze gaat verder. 'Kom mee naar mijn kantoor. Ik zal je laten zien wat we doen.'

Napier stemt snel in, hoewel het natuurlijk nooit zíjn beslissing is geweest.

Dus volgt hij haar in zijn kersenrode Mercedes naar Menlo Park. Ze rijden over Willow en volgen de ronding van de baai naar de Dumbarton Bridge. Ze parkeren op de parkeerplaats van Pythia en stappen uit. Ik kijk naar hen van achter de latten van de zonwering in mijn kantoor. Het is nog maar tien uur in de ochtend, maar buiten is het al zevenentwintig graden, en het asfalt begint te smelten. Napier knijpt zijn ogen samen tegen het zonlicht.

Jess wijst naar de ingang.

Ik hoor hen in de hal vlak bij mijn kantoor. Jess rommelt met haar sleutelbos, op zoek naar de juiste sleutel. Uiteindelijk gaat de deur open, en ik hoor Jess haar zin afmaken: '...net betrokken. Ongeveer een week geleden.'

'Waar zaten jullie eerst?' vraagt Napier.

'O, heel riant. We werkten vanuit huis.'

'Ondernemers; ik heb echt bewondering voor jullie.'

'Eens kijken wie er zoal zijn,' zegt Jess. 'Franklin? Peter?' roept ze.

Dat is mijn teken. Ik loop naar de receptieruimte. Als ik de hoek om loop, blijf ik stokstijf staan en doe alsof ik verbaasd ben om Napier te zien.

'Jess,' zeg ik. 'Wat is...'

'Rustig maar, Franklin. Ik kwam de heer Napier toevallig tegen in Buck's.'

Veel te luid en overdreven vriendelijk roept Napier: 'Hallo, Franklin. Leuk je weer te zien!'

'Insgelijks,' zeg ik, hoewel mijn toon anders suggereert. 'Jess, ik dacht dat we hadden afgesproken...'

'Dat we niet over Pythia zouden praten. Dat klopt. Maar Ed is te vertrouwen. Hij wil ons graag helpen.'

'O, zeg dat dan meteen.'

Napiers stem is zo zoet als honing. 'Ik heb veel businessplannen gezien, Franklin. Ik weet precies wat werkt en wat niet. Zelfs als je mijn geld niet wilt, kan ik wellicht helpen.' Hij haalt zijn schouders op. 'En wie weet? Misschien raak ik wel geïnteresseerd. Zou een miljoentje of twee jullie niet verder helpen? Jullie een niveau hoger tillen?'

Ik doe alsof ik erover nadenk. Uiteindelijk zeg ik: 'Geef me je woord.'

'Waarvoor?'

'Dat wat je hier ziet, onder ons blijft. Je vertelt het aan niemand. Niet aan je partners, niet aan de pers, zelfs niet aan je vrouw.'

'Franklin, doe niet zo onbeleefd,' zegt Jess.

Napier wuift haar opmerking weg. 'Nee, nee, laat maar. Hij is gewoon voorzichtig. Daar heb ik bewondering voor. Oké, Franklin. Ik geef je mijn woord. Wat je me vandaag laat zien, blijft ons geheim.'

'Vooruit dan maar.' Ik draai me om en loop weg.

Achter me hoor ik Jess zeggen: 'Volgens mij betekent dit dat we hem moeten volgen.'

De rondleiding begint in de serverruimte. Ik duw de deur wijd open zodat Ed Napier ruim zicht heeft.

Peter Room zit op de grond op een toetsenbord te tikken. Er staat een blikje Dr. Pepper bij zijn voeten. Mijn zoon Toby staat naast hem te kletsen en leunt op zijn krukken. Ik hou Toby kort. Hij mag hier zijn, heb ik gezegd, om te observeren en te luisteren, als onderdeel van zijn oplichtersopleiding. Maar zijn toebedeelde rol is die van computerfreak. Rústige computerfreak. Ik heb hem opgedragen om zijn gevatte repliek en innemende persoonlijkheid voor zich te houden. Tot dusver gehoorzaamt hij braaf.

Ik doe een stap achteruit zodat Napier onbelemmerd zicht op de ruimte heeft. De ruimte, die leeg was toen we hierin trokken, is volledig getransformeerd. Metalen stellages volgestapeld met computers vullen elke centimeter langs de muren. Honderden oranje verbindingskabels hangen in een hopeloze wirwar als bionische haren naar beneden. Talloze schakelaars vertonen rijen knipperende groene en gele lichtjes. Het effect van de knipperende lampjes – duizenden – in kaarsrechte lijnen, is psychedelisch, als bij een trip. En er klinkt verrassend luid gezoem van honderd computerventilatoren, als kolkend water.

Over het lawaai heen zeg ik: 'Dit is het brein van Pythia. Alle software draait hier in deze kleine kamer.' Ik kijk naar Peter. 'Ed Napier, dit is Peter Room. Hij is onze hoofdprogrammeur.'

Peter krabbelt overeind. Hij stapt over zijn blikje frisdrank en schudt Napier de hand. 'Hoe maakt u het?'

'Peter,' zeg ik. 'Kun jij de heer Napier een korte beschrijving geven van wat hier allemaal gebeurt?'

'Zeker.' Hij gebaart naar de muur met computers en verheft zijn stem over het gezoem van de ventilatoren. 'U ziet hier honderd Xenon-pentiummachines die draaien onder Linux. Alle machines hebben een snelheid van één gigahertz. Dat lijkt niet veel, maar de computers zijn via een netwerk met elkaar verbonden. U kunt het geheel beschouwen als één grote netwerkcomputer. De effectieve processnelheid voor software dat eigenlijk ontworpen is om parallel te draaien, haalt wel een teraflop.'

Napier knikt ernstig.

Ik zeg tegen Peter: 'Kun je dat vertalen in termen die normale mensen zoals wij kunnen begrijpen, Peter?'

'Natuurlijk,' zegt Peter. 'Oké. Laat ik het zo zeggen: de computers in deze ruimte zijn in staat een biljoen variabele waarden per seconde uit te voeren. Om u een idee te geven van wat dat betekent: het nationale weerstation heeft kortgeleden een Cray-supercomputer gekocht om de route van orkanen te kunnen voorspellen. Die ene Cray-computer kost vijfentwintig miljoen dollar. De machines in deze ruimte kosten bij elkaar tweehonderdvijftigduizend dollar. Maar deze ruimte bevat vier keer de computerkracht van de Cray.'

'Fascinerend,' zegt Napier.

'Eigenlijk is dit de krachtigste patroonherkennende software ter wereld. We gebruiken genetische algoritmes en zenuwnetwerken om gigantische hoeveelheden data te analyseren.'

'Dank je, Peter,' zeg ik. 'Zet jij in de vergaderzaal even een demo voor de heer Napier klaar?'

Peter knikt en beent voor ons uit door de gang naar de grote vergaderzaal. Napier, Jess en ik verlaten de serverruimte en lopen langzaam achter hem aan.

'De enige reden dat we het bij honderd computers hebben gelaten, is ruimtegebrek. Als we nog eens honderd computers toevoegden, zou de processnelheid met een factor tien toenemen.'

'En wat dóén de computers precies?' vraagt Napier.

'Kom,' zeg ik. 'Dat zal ik je laten zien.'

We lopen de vergaderzaal in. Jess zet de videoprojector aan en drukt op een knopje aan de muur. Een gemotoriseerd wit scherm ontvouwt zich. Peter zit over een toetsenbord gebogen aan de vergadertafel. Terwijl hij tikt, zegt hij: 'Ik ben zo klaar.'

Ik bied Napier een stoel aan recht tegenover het scherm. Ik gebaar naar het lichtknopje. 'Jess, druk jij even?'

Jess doet het licht uit. Het enige wat op het scherm te zien is, is een knipperende cursor.

Ik loop naar het hoofd van de tafel en ga voor het scherm staan. De cursor knippert op mijn wang. 'Het heeft ons twaalf maanden gekost om de software te ontwikkelen die Pythia gebruikt. Het idee achter Pythia is honderden losse computercomponenten verzamelen en vervolgens software schrijven dat speciaal ontworpen is om er optimaal gebruik van te maken. De software modelleert de chaos in de echte wereld door de complexiteit in kleine, simpele porties op te delen. Alles wat gecompliceerd oogt, wat op het eerste gezicht niet lineair kan worden weergegeven, kan Pythia nauwkeurig modelleren. Van simpliciteit naar complexiteit.'

'Juist,' zegt Napier. Hij blikt op zijn horloge. We zijn hem kwijt. Hij vond het spannend om hier in de zomerhitte naartoe te rijden zolang er een kans bestond om in Jess' bed te belanden, maar al dit gezwam over modelleren en software en chaostheorie is niet wat hij in gedachten had. 'Tot mijn spijt moet ik jullie meedelen dat ik om elf uur een afspraak heb op kantoor.'

'Franklin, volgens mij verveel je meneer Napier,' zegt Jess tegen mij. 'Excuses – Ed.' Ze werpt hem een triomfantelijke glimlach toe. Hij glimlacht terug. Ze vervolgt. 'Waarom gieten we dit niet even in alledaagse termen? Laten we het hebben over hoe de software kan worden gebruikt.'

Napier knikt. 'Godzijdank bestaan er marketingmensen.'

Ze lacht. 'Er zijn honderden mogelijke toepassingen voor Pythia,' zegt ze. 'Het weer voorspellen, bijvoorbeeld. Accurater tornadozones bepalen. Zelfs aardbevingen voorspellen.'

'Juist,' zegt Napier. Ik zie hem denken: Er valt geen winst te behalen in het voorspellen van aardbevingen.

Ze zegt: 'Natuurlijk levert het voorspellen van aardbevingen geen boeiende productdemonstraties op. Dus heeft Peter ons geholpen met het volgende.' Ze knikt naar Peter.

Peter drukt op een toets. Het projectiescherm toont een grafiek met golvende groene lijnen: een dagelijks aandelenprijzenoverzicht.

'Welke aandeel is dit, Peter?' vraag ik.

'Afkorting HSV,' antwoordt Peter. 'Eens kijken, dat staat voor: *Home Service of America*.'

'Wat doet *Home Service of America* precies, Peter?' vraag ik.

'Geen flauw idee,' zegt Peter.

'Oké, laten we dit stapje voor stapje doen.'

Peter drukt weer op een toets. De grafiek verandert in een echt prijsoverzicht. De laatste groene stip vertegenwoordigt de laatste prijs en beweegt voortdurend op en neer. De beweging lijkt willekeurig.

'Oké, Peter,' zeg ik. 'Zet Pythia aan.'

Hij drukt weer op een toets. 'Klaar.'

Even gebeurt er niets. Maar dan verschijnt er een rode cirkel rechts op het scherm. De cirkel is voorzien van de tekst: 90% ZEKER.

'Dit is Pythia's projectie van de aandelenprijs in de komende vijftien seconden,' leg ik uit.

De actuele prijs van het aandeel gaat naar beneden, verder weg van de cirkel die net is getekend. 'Nog even geduld,' zeg ik.

De rode cirkel wordt donkerder. Hij verandert van 93% ZEKER in 95% ZEKER.

Ik zeg: 'Pythia vertelt ons nu dat ze 95 procent zeker is dat aandeel HSV een prijs van 22 dollar en 5 cent zal bereiken in de komende tien seconden.'

Als bij toverslag stopt het aandeel met dalen en stijgt weer.

Pythia zegt: 98% ZEKER.

Het aandeel stijgt verder, in de richting van de rode cirkel die Pythia aanvankelijk tekende. Uiteindelijk stijgt de aandelenprijs nog verder, en de groene stip bereikt het midden van de Pythia doelschijf.

De rode cirkel licht op. Er verschijnt een tekst: DOEL BEREIKT.

'Kijk,' zeg ik. 'Pythia heeft de prijs van HSV nauwkeurig voorspeld.'

Napier is sprakeloos. Hij staart met open mond naar het scherm.

'Natuurlijk is Pythia niet ontworpen om financiële diensten te verlenen,' zeg ik. 'Het is eigenlijk gemaakt om complexe computerberekeningen te maken, zoals ik al eerder zei: het weer, vulkanen, breuklijnen. Je kunt zien dat het zelfs nuttig zou kunnen zijn in de biotechindustrie, om drugmoleculen te analyseren.'

'Wacht even,' zegt Napier. Hij staart naar het scherm. 'Heeft het programma zojuist werkelijk voorspeld hoe dat aandeel zich zou ontwikkelen?'

'Ja,' antwoord ik. 'Nou ja, over vijftien seconden. Bij meer dan twee minuten verliest het aan nauwkeurigheid.'

'Kun je het nog een keer doen?'

'Natuurlijk,' zeg ik, maar ik klink onzeker. 'Maar dat is niet echt waar de software voor is...'

'Met álle mogelijke aandelen?' vraagt Napier.

'Ja, zeker. Noem maar een aandeel.'

'GM.'

'Prima.' Ik wend me tot Peter. 'Weet je hoe je General Motors spelt?'

Hij werpt me een kwade blik toe. 'Natuurlijk,' zegt hij. Hij typt iets in, en daarna wordt de eerste aandelengrafiek vervangen door een grafiek van GM. 'Dit is de daggrafiek,' zegt Peter. Hij drukt op een toets. 'En hier zie je hem stap voor stap...'

Weer verandert het scherm in een vergrote stap-voor-stap grafiek van de prijs van GM. De beweging van GM is grilliger dan die van het vorige aandeel. De prijs fluctueert: eerst naar boven, dan weer naar beneden.

'Oké,' zeg ik. 'Laten we Pythia aanzetten.'

'Een moment,' zegt Peter. Nog een paar drukken op de toetsen, en daarna verschijnt een rode cirkel op de rechterkant van het scherm, vlak bij het prijsniveau van 70,25 dollar. Hij is gelabeld: 92% ZEKER.

We kijken toe terwijl de prijs van General Motors hevig fluctueert: terug naar 69,50 dollar en daarna weer omhoog. Het zekerheidsniveau neemt toe met elke seconde die voorbij tikt: 93% ZEKER... 94% ZEKER...

Napier zegt, voornamelijk tegen zichzelf: 'Verdomd.'

Als om hem te straffen, verandert de groene stip van richting en begint weer omhoog te schieten. Hij schiet via 69,90 dollar naar 70 dollar.

Pythia's zekerheid is nu 97 procent... 98 procent...

De prijs van GM blijft stijgen. Hij belandt in de rode doelcirkel op 70,25 dollar. Op het beeld staat: DOEL BEREIKT.

'Jullie nemen me in de maling,' zegt Napier.

Ik knik naar Jess. Ze doet het licht weer aan. We kijken naar Napier. Hij staart nog steeds naar het scherm.

'En dat zijn echte bedragen?'

'Ja,' antwoord ik. 'Je kunt ze nakijken als je terug bent op kantoor. Hoe laat is het nu?' We kijken allemaal op ons horloge. 'Oké, het is twintig over tien. Als je terug op kantoor bent, kijk dan op welke prijs GM stond op dit moment. Hij zal 70,25 dollar aangeven.'

'Mijn god,' zegt Napier kalm.

'Bevalt het je?' vraagt Jess.

'Of het me bevalt?' Napier gaat staan. 'Het is ongelooflijk.' Hij wendt zich tot mij. 'Hoeveel mensen weten hiervan, behalve ik?'

Ik doe alsof ik in gedachten aan het tellen ben. 'Eens kijken. Ik, Peter en Jess. En Toby. Een paar computerjongens.'

'Heb je er met andere durfkapitalisten over gesproken?'

'Nee,' antwoord ik.

'Goed. Houden zo.'

Dommig zeg ik: 'Ik begrijp je niet.'

'Ik ben bereid in je bedrijf te investeren. Verdorie, ik zou het zo van je willen overnemen.'

'Zie je wel, Franklin?' merkt Jess zachtjes op.

Ik negeer haar. 'Maar waarom dan?' vraag ik.

'Zie je dat dan niet?' zegt Napier. Hij draait in zijn stoel om me te kunnen aankijken. 'Je kunt er rijk mee worden.'

'Maar,' zeg ik, 'we hebben het hier over kleine prijsbewegingen. Tien cent hier, vijf cent daar.'

'Maar vermenigvuldig die met tienduizenden aandelen! Met honderdduizend aandelen. En als je dat honderd keer per dag doet...'

'Is dat legaal, dan?' vraag ik.

'Natuurlijk,' zegt Napier. 'Waarom niet?'

'Het is toch een soort van vals spelen.'

'Het is als kaarten tellen in Vegas. Als je het in mijn casino probeert, zetten we je eruit. Maar het is niet illegaal om het te probéren.'

'Aha,' zeg ik. Ik doe alsof het de eerste keer is dat ik overweeg om Pythia te gebruiken om geld te verdienen. 'Maar daar is het niet voor ontworpen,' zeg ik.

Napier wendt zich tot Peter Room. 'Heb jij de software geschreven?'

'De meeste wel. Ik, en een paar jongens.'

'Kun je nog iets toevoegen? Kun je het programma automatisch handel laten plaatsen bij een *broker*?'

Peter haalt zijn schouders. 'Ja, hoor. Met de juiste *broker*...'

'Kun je die van mij gebruiken?' vraagt Napier. 'Schwab?'

Peter schudt zijn hoofd. 'Nee we moeten er een gebruiken met FIX-protocol.'

'Ik heb een rekening bij Datek,' zeg ik.

'Die is bruikbaar,' zegt Peter.

Napier richt zich tot Jess. Zijn vriendelijke, flirtende houding is verdwenen. Hij is nu gefocust – hard, puur zakelijk – op jacht naar geld. Geef mannen de keuze tussen seks en geld, en ze zullen altijd voor het laatste kiezen. 'Jessica,' zegt hij. 'Je moet dit geheimhouden. Je kunt hier niet met anderen over praten.'

'Oké.'

Napier staat op uit zijn stoel. 'Heren.' Hij wendt zich tot Jess. 'Jessica.' Hij wijst naar het scherm. 'Ik ben bereid jullie te financieren. We gaan er als gelijke partners in. Het risico draag ik. Jullie gebruiken mijn geld en mogen de helft houden van alles wat we winnen.'

'Alles wat we winnen?' vraag ik dommig. 'Maar daar is de software niet voor ontworpen...'

Napier negeert me. Hij pakt een chequeboekje uit zijn colbertjasje. Hij buigt zich over de tafel en schrijft met een gouden pen een cheque uit. Vervolgens scheurt hij die uit het boekje en geeft hem aan mij.

Het is een cheque voor vijftigduizend dollar.

'Deponeer die bij je *broker*,' zegt hij tegen mij. Nu richt hij zich tot Peter. 'Woensdag gaan we een experimentje uitvoeren. De software testen met écht geld.'

Peter kijkt alsof hij wil tegensputteren, maar bedenkt zich. Napier heeft nu de leiding, en dat is precies wat we willen dat hij denkt.

20

IN DE JAREN NEGENTIG van de negentiende eeuw reisden ondernemende telegrafisten door het land met de bedoeling mensen op te lichten. Een zwendelaar zocht een doelwit, een rijke zakenman, en vertelde hem dat hij als telegrafist bij de *Western Union* de resultaten van alle paardenraces ontving die op een willekeurige middag werden gehouden, en dat het zijn taak was om die resultaten direct door te sturen naar gokhallen, zodat weddenschappen konden worden uitbetaald.

De telegrafist deed de zakenman dan een voorstel. De telegrafist zou het doorzenden van de raceresultaten naar een bepaalde gokhal onder groot persoonlijk risico een paar minuten vertragen; net lang genoeg om de zakenman in de gelegenheid te stellen een weddenschap te plaatsen met voorkennis van de winnaar van de race. Daarna zouden de twee partners de verdiensten delen.

De zwendel verspreidde zich snel en werd steeds complexer. In het begin waren er misschien nog telegrafisten die hun belofte nakwamen. Maar al snel werd de zwendel overwoekerd door ordinaire criminelen, mannen zonder enige kennis van telegrafie. Ze hielden een verhaal op dat het met de juiste apparatuur mogelijk was om telegraafberichten te 'ondervangen' en dat binnen een paar minuten met voorkennis van raceresultaten fortuinen konden worden gemaakt. Het enige wat ervoor nodig was, was een bescheiden bedrag aan geld, genoeg om de benodigde apparatuur aan te schaffen die bij het onderscheppen van de telegraafberichten werd gebruikt. Als het doelwit de onderneming zou financieren, schafte de oplichter de apparatuur aan, en zo zouden ze allebei rijk worden...

Natuurlijk werd er nooit apparatuur gekocht en werden er geen raceresultaten 'ondervangen'. Niettemin leverde de oplichter zogenaamd 'inside information' per telefoon aan zijn doelwit, die al bij een gokhal paraat stond. Het opgewonden doelwit plaatste vervolgens een weddenschap. Als de 'inside information' correct bleek te zijn (een kans van een op zeven), haalde de oplichter zijn deel van het geld op, zijn deel van de gewonnen weddenschap. Bleek de informatie vals te zijn, dan verdween de oplichter van het toneel met het geld dat bedoeld was om de apparatuur aan te schaffen.

Deze oorspronkelijke zogenoemde *wire*-zwendel ontwikkelde zich tot iets verfijnders, waarin ingewikkelde maar volledig fictieve gokhallen werden gebouwd, van lokvogelpersoneel voorzien, waarin volledig denkbeeldige races werden gehouden, allemaal voor een enkel doelwit.

Zo werd door oplichters een fictieve wereld gecreëerd; een toneelstuk waarin het doelwit de enige speler was die zich niet bewust was van het feit dat hij zich midden in een theatervoorstelling bevond. De show was zo overtuigend dat de slachtoffers geloofden dat ze een onfeilbare manier hadden ontdekt om rijk te worden. De oplichters lieten het doelwit in hun nepgokhallen met 'inside information' een paar races winnen, om hem te prikkelen. Daarna, als de hebzucht van het doelwit enorme proporties had aangenomen, stuurden de oplichters het doelwit weg; dat wil zeggen, ze lieten hem naar huis gaan om al het geld bijeen te schrapen dat hij kon ophoesten, misschien zelfs door een lening af te sluiten op zijn huis of geld op te nemen van zijn bank. Het doelwit zou dan bulkend van het geld naar zijn nieuwbakken zakenpartners terugkeren, helemaal klaar om de weddenschap te plaatsen die hem schatrijk zou gaan maken. Natuurlijk waren de enige mensen die rijk werden de oplichters zelf.

Het mechanisme om het geld op te strijken varieerde. Soms leverden de oplichters hun 'inside information' op een manier die verkeerd geïnterpreteerd kon worden – en dat natuurlijk ook werd. Vlak voor de cruciale race ontving het doelwit bijvoorbeeld een telefoontje van zijn tipgever. 'Shadow Dancer plaatst zich', zou de beller fluisteren. Het doelwit hing op, rende naar het bookmakersloket en zette honderdduizend dollar in op Shadow Dancer. De weddenschap geplaatst, het geld ingelegd, zou de oplichter die met het doelwit samenwerkte, het ticket controleren en vol ontzetting uitroepen: 'Nee! Hij zei dat Shadow Dancer zich zou plaatsen, niet dat hij zou winnen! Weet je het verschil tussen winnen en zich plaatsen niet?' Op dat punt zou de neprace, ondanks de smeekbeden van het doelwit aan de 'manager' van de gokhal, beginnen en het loket voor het plaatsen van weddenschappen sluiten. Shadow Dancer zou als tweede eindigen, en het ticket van het doelwit zou waardeloos blijken.

Een andere manier waarop oplichters het geld van hun doelwit opstreken, was door de gokhal op het kritieke moment, vlak voordat het doelwit zijn winnende lot incasseert, te laten bestormen door een zwerm politieagenten. Neppolitiebusjes stopten dan voor de ingang, klaar om mensen naar de gevangenis af te voeren. Het doelwit zou op het nippertje aan de greep van de neppolitie ontsnappen, en zijn weddenschap van honderdduizend dollar zou verloren zijn. In elk geval zou hij opgelucht naar huis gaan, in de veronderstelling dat hij zojuist de schande van een gevangenisstraf had weten te ontlopen.

In de jaren twintig van de twintigste eeuw verdween de *wire*-zwendel uit het land. De telegraaf werd vervangen door geavanceerdere communicatietechnologie, en mensen ontwikkelden zich steeds verder.

Vandaag de dag is iedereen het er wel over eens dat de *wire* dood is, dat moderne technologie hem tot een curieuze relikwie uit een interessant tijdperk heeft veranderd, en dat mensen veel te slim zijn om er nog in te trappen.

21

DE VOLGENDE OCHTEND spelen Jess, Peter, Toby en ik op kantoor tafelvoetbal en wachten tot Napier de volgende stap zet. Het is niet duidelijk wat de volgende stap is, of wanneer die gezet zal worden, maar terwijl we ons spelletje spelen, krijgen we de antwoorden op die vragen: om tien uur wordt er op de glazen buitendeur van ons kantoor geklopt.

Ik loop naar de deur om open te doen. Toby hinkt op zijn krukken achter me aan. In de hal staat een grote, gespierde man in een pak, met kort stekeltjeshaar en een duistere blik. Ik duw de deur open. 'Ja?' vraag ik.

'De heer Napier heeft mij gestuurd. Hij wil dat ik u naar het vliegveld breng.'

Achter hem, op het parkeerterrein, zie ik een zwarte limousine met draaiende motor staan. 'Ik ben er niet op gekleed,' zeg ik.

De man met de borstelkop staart me uitdrukkingsloos aan.

'Hebben we een keuze?' vraag ik.

'Niet echt.'

Ik heb waardering voor zijn eerlijkheid. Ik vraag hem buiten te wachten, en ik loop met Toby terug naar het tafelvoetbalspel.

'Ed Napier flirt met ons. Hij probeert ons helemaal voor zich te winnen, met hart en ziel.'

'Hebben we een hart, dan?' vraagt Jess terwijl ze tegen de voetbal schopt.

De limousine brengt ons naar de luchthaven van Palo Alto, een vliegveld van postzegelformaat met een gecombineerde start- en landingsbaan. We rijden over het asfalt en stoppen naast een Citation X-privéjet, die met draaiende motor voor een hangar staat te wachten.

De chauffeur zet de limousine in de parkeerstand, stapt uit en opent onze deur. We stappen uit. De vliegtuigdeur is open en er staat een trap tegenaan. Een man in een pilotenuniform steekt zijn hoofd om de deur. Hij glimlacht. Schreeuwend over het geronk van de motoren roept hij: 'Welkom aan boord.'

Aan boord is ruimte voor acht personen. Omdat we maar met z'n vieren zijn, de sexy blonde stewardess niet meegerekend, is er ruimte om je uit te strekken. Napier heeft het vliegtuig bevoorraad met champagne, Ridge Zinfandel en Marlborough Sauvignon Blanc. Verder zijn er kaviaar en garnalen. De stewardess drentelt op en neer door het gangpad en serveert drankjes en hors-d'oeuvres met het enthousiasme van een straatverkoper in Pac Bell Park.

Als ze bij mij aankomt, bestel ik een glas witte wijn. Terwijl ze vooroverbuigt, vraag ik aan haar decolleté: 'Hebt u toestemming om te zeggen waar we naartoe gaan?'

'Toestemming?' Ze kijkt verward. 'Natuurlijk. We gaan naar Las Vegas.'

'Maar natuurlijk,' zeg ik.

Na het opstijgen maken Toby en Peter hun veiligheidsgordel los en lopen naar achteren. Ik zie dat Peters gezicht bleek en vertrokken is, met zorgelijke rimpeltjes rond zijn mond. Ik vraag me af: Vormt het onderdeel van de zwendel? Is het een superbe act? Of maakt hij zich daadwerkelijk grote zorgen – berouwvol over zijn betrokkenheid, ineens bang voor de consequenties? Somber staart hij uit zijn raampje en afwezig strijkt hij over zijn lange, rode paardenstaart.

Toby daarentegen straalt. Hij heeft een glas champagne in zijn hand. Óf hij speelt zijn rol briljant, geeft een overtuigende impressie van een onverantwoordelijk kind dat overdonderd is door het leven in de hoogste kringen, óf hij is echt een onhandig kind overdonderd door het leven in de beau monde.

Jess en ik zitten naast elkaar voor in het vliegtuig. Er kunnen camera's en microfoons aan boord zijn, en Napier zou de platinablonde stewardess kunnen ondervragen als we zijn geland, dus blijven we stil en kijken ieder een andere kant uit. Mijn troost bestaat uit haar warme arm tegen de mijne. Het is nauwelijks zichtbaar voor de stewardess – niet de moeite waard om Napier te vertellen, mocht hij ernaar vragen

– maar stiekem hoop ik dat haar arm er de rest van de vlucht blijft liggen. Urenlang beweegt ze niet, dus misschien denkt zij hetzelfde.

Negentig minuten later landen we in Las Vegas. Opnieuw staat er een limousine, een witte dit keer, klaar op de landingsbaan. We stappen in en worden opnieuw begroet door een spierbundel in kostuum.

'De heer Napier doet u de hartelijke groeten,' zegt de chauffeur over zijn schouder. 'Hij verontschuldigt zich dat hij u niet persoonlijk kan afhalen, maar u ziet hem zo in The Clouds.'

The Clouds is het hotel van Napier. Het is een van de nieuwste op de *Strip*, gebouwd voor een bedrag van twee miljard dollar, een kolossale investering, die genoeg voer voor Napiers critici opleverde. Je kunt je de koppen in de zakelijke pers wel voorstellen: 'Napier leeft op een wolk' of 'Napiers bewolkte visie'. Maar zoals altijd bewees Napier zijn critici dat ze het bij het verkeerde eind hadden. Het hotel is af en is vrijwel dagelijks volgeboekt.

Ik vermoed dat de mensen niet genoeg kunnen krijgen van piccolo's verkleed als engeltjes – met kleine, rudimentaire vleugels op de achterkant van hun jasjes genaaid – en van de harpmuziek in de lobby.

De chauffeur parkeert de limousine voor de receptie. The Clouds is een groot wit gebouw opgetrokken uit zandsteen in flamboyante Italiaanse renaissancestijl. Als Michelangelo een giftige paddenstoel zou hebben gegeten, zou dit het onderwerp van zijn hallucinatie zijn geweest: vijfendertig verdiepingen metselwerk in rococostijl en barokke deklijsten, groteske waterspuwers hurkend op richels, beeldhouwwerken van cherubijnen met uitgestrekte handen, ter verwelkoming of ter waarschuwing.

De chauffeur stapt uit en opent het portier voor ons. We stappen uit de wagen. Toby strekt zijn nek naar boven en trekt zijn zonnebril naar beneden. 'Vet,' zegt hij.

De chauffeur gaat ons voor naar de receptieruimte. Bij het binnengaan doet de sterke koude luchtstroom van de airconditioning mijn ballen tot kersenpitten ineenkrimpen. Achter in de hal speelt een jonge vrouw op een grote harp een verbasterde versie van 'Memories'. Of misschien 'Take me out to the Ballgame'. Of anders 'The Star-Spangled Banner'. Een harp is nu eenmaal een moeilijk instrument.

Achter in de hal zie ik ook een reusachtige vlag aan het plafond hangen. Erop afgebeeld staat een kunstenaarsimpressie van een nieuw hotel op de *Strip*. De tekst luidt: DE NIEUWE TRACADERO, VAN NAPIER CASINO S. OPENING MEI 2003!

De chauffeur escorteert ons door de lobby naar een discrete alkoof met een bureau met de tekst: VIP CHECK-IN. 'Alstublieft,' zegt hij.

Toby, die op zijn krukken over de vloer hobbelt, fluistert tegen me: 'Vip... Vet.'

Achter het vip-bureau zit een mooie brunette met grote blauwe ogen. Ze draagt een witte jurk met twee grote vleugels op het achterpand. Haar glimlach moet wel nep zijn: de hele dag voorovergebogen op een stoel zitten, vanwege de vleugels, kan niet anders dan pijnlijk zijn.

De chauffeur zegt tegen haar: 'Clarissa, dit is het gezelschap van de heer Napier.'

'Dank je, Charlie,' zegt ze tegen de chauffeur. Hij knikt en vertrekt. De blauwogige engel richt zich tot ons. Haar glimlach wordt nog breder: 'Welkom in The Clouds! De heer Napier heeft me gevraagd ervoor te zorgen dat uw verblijf bij ons fantastisch wordt!' Ze trekt een bureaula open en haalt er vier keycards uit. 'Ieder van u krijgt een suite op de bovenste verdieping van de toren, de vijfendertigste etage.' Ze geeft ons alle vier een sleutel. 'De sleutel hebt u nodig voor de toegang tot de lift. De hele verdieping staat tot uw beschikking.'

'Eh, luister. Hoeveel kost het precies?' vraagt Peter.

De glimlach blijft stevig op het gezicht van de blauwogige engel gepleisterd. 'Het is een geste van de heer Napier. Alles is dit weekend voor onze rekening. Hij heeft me gevraagd ervoor zorg te dragen dat u zichzelf uitstekend vermaakt.'

'Vet,' zegt Toby.

De engel vertelt verder. 'U kunt uw keycards gebruiken voor de sportzaal, de sauna of de zes restaurants hier in The Clouds. Ik heb begrepen dat u zonder bagage bent gekomen. U kunt uw kaart gebruiken in alle kledingzaken in het atrium om uzelf te kleden voor uw verblijf hier. Wees vooral niet bescheiden. Het schenkt de heer Napier veel voldoening u als gast te mogen ontvangen.'

'Dat is heel aardig,' zeg ik.

'De heer Napier verzoekt u nu naar uw kamers te gaan om u op te frissen,' zegt de engel. 'Daarna zou hij u graag, als het u belieft, om één uur op de vierendertigste verdieping ontmoeten om onder het genot van kaviaar en champagne uw nieuwe zakenpartnerschap te vieren.'

We moeten door het casino om bij de lift te komen. Alle hotels in Las Vegas zijn zo ontworpen. Je moet door het casino, waar je ook naartoe wilt. Op zoek naar een restaurant? Dat is achterin, voorbij het casino. De conciërge? Door het casino en daarna links. Het is slechts een kwestie van tijd, denk ik, voordat ontwerpers in Las Vegas de volgende logische stap zetten: een casino midden in je hotelkamer, tussen je bed en de plee. Ja, ik stink een uur in de wind na de sushi van gisteravond, maar laat ik eerst kijken of ik een potje blackjack kan winnen voordat ik me ontlast.

Terwijl we door het casino lopen, fluistert Jess: 'Als ik niet beter wist, zou ik denken dat Ed ons probeert te lijmen.'

Het geluid van de fruitmachines is harmonisch, hypnotiserend. De verlichting is hier in het casino zacht, uitnodigend. Ik wil best een poosje blijven.

'Denk je dat?' zeg ik. Maar ik concentreer me op Peter Room, die meters voor ons loopt, alsof hij wil weergeven hoe hij zich voelt – afzijdig. Op gedempte toon zeg ik tegen Jess: 'Peter gedraagt zich vreemd, vind je niet?'

Jess haalt haar schouders op. 'Computerjongens,' zegt ze bij wijze van verklaring.

We bereiken de liften en drukken op de knop ALLEEN PENTHOUSE. Er klinkt een gonggeluid, en de deuren schuiven open. Uit de lift stapt Lauren Napier. Ze ziet er betoverend uit in een getailleerd wit, driedelig kostuum met een zwart-wit geblokte damestas. Ze heeft haar haren fris opgestoken en ze glimlacht naar me.

'Hallo,' groet ze.

Ik knik naar haar.

Ze wil nog iets zeggen, maar dan ziet ze Toby, Jess en Peter. Ze bedenkt zich en drukt haar lippen op elkaar. Dan draait ze zich om en loopt weg. Ik kijk haar na terwijl ze in het casino verdwijnt.

'Wie was dat?' vraagt Toby.

'De vrouw van Napier,' leg ik uit.

'Is hij getrouwd dan?'

'Als het hem uitkomt,' antwoord ik. En om een of andere reden denk ik aan Jess terwijl ik dat zeg.

We ontmoeten elkaar om één uur op de vierendertigste verdieping. Het is een grote suite die de hele verdieping beslaat – allemaal ramen met uitzicht op de flikkerende lichtjes van de *Strip* eronder, en de woestijn in het zuidwesten. Er zijn tafels met witte linnen lakens neergezet, overladen met ijsgruis, waarop oesters in halve schelpen, kleine kommetjes kaviaar en garnalen liggen. Op een tafel ernaast staan flutes met champagne.

Als we arriveren, is Edward Napier nergens te bekennen. Wel zijn er twee potige veiligheidsagenten, met oortjes in en draadjes die in hun colbert verdwijnen. Stoïcijns staan ze aan weerszijden van de kamer.

Peter, Jess, Toby en ik verzamelen ons rond de tafel met oesters, onzeker of we al mogen eten. Natuurlijk heeft Toby geen last van geremdheid. Hij balanceert op zijn krukken en vult een bord met blini, zure room en kaviaar. Hij legt een hele blini op zijn tong en slikt die als ware het een hostie door. 'Fantastisch...' zegt hij. 'Fránklin,' zegt hij, terwijl hij mijn alias benadrukt zodat het nog belachelijker klinkt dan het is, 'je moet dit ook eens proberen.'

Voordat ik de kans krijg om hem een boze blik toe te werpen, is er beweging bij de ingang van de suite. Napier loopt naar binnen, vergezeld door de donkerharige engel die ons in het hotel heeft ingecheckt. Napier ziet ons staan en glimlacht breed. Door de zongebruinde kleur op zijn gezicht glanzen zijn tanden als porselein. Hij draagt een chique Armani-pak, een gele stropdas en een wit overhemd. Zijn hele persoon schittert, als een deel van de *Strip*, duizenden opgewonden watts die zich aan ons presenteren. Hij loopt naar voren en spreekt ons vervolgens aan alsof we een hele menigte zijn.

'Vrienden,' zegt hij. Hij houdt zijn hand uit, vaag in de richting van een van zijn potige bodyguards, en wrijft vervolgens zijn vingers tegen elkaar. Een bodyguard ziet het signaal en loopt naar de tafel met de champagneglazen. Hij pakt er een en duwt het in de hand van zijn baas.

Zonder verder acht te slaan op de man, heft Napier zijn glas. 'Ik heet jullie hartelijk welkom. Fijn dat jullie op zo'n korte termijn gekomen zijn. Ik hoop dat jullie reis aangenaam is verlopen.'

Er volgt een pauze. Ik weet niet zeker of hij een speech houdt, of dat hij een soort respons verwacht. Uiteindelijk besluit ik iets te zeggen. 'Uiterst aangenaam,' zeg ik.

'Goed zo.' Hij knikt naar me, als om aan te geven dat ik er goed aan heb gedaan om te spreken. 'Franklin, ik kan bijna niet wachten om met ons partnership te beginnen. Ik wil graag dat jullie morgen ook nog in dit hotel verblijven. Beschouw het als een geste van dankbaarheid. Het verheugt mij zeer om zaken met jullie te doen.'

Hij heft zijn glas. Weer volgt er een stilte. Ik besef dat hij wacht totdat we met hem proosten. Ik pak een glas champagne van tafel en geef het aan Jess. Daarna pak ik er nog een en geef het aan Peter. Net als ik een glas voor Toby wil pakken, zie ik dat hij er natuurlijk al een heeft. Halfleeg.

Ik pak een glas voor mezelf en hou het omhoog. 'Bravo,' zeg ik.

'Bravo,' zegt Jess.

'Laten we samen veel geld verdienen,' zegt Napier.

We drinken van de champagne. Ik moet toegeven dat het de meest exquise champagne is die ik ooit heb gedronken. Ik ben gewend aan het spul dat je bij de supermarkt koopt op oudejaarsdag, dat je zonder schuldgevoelens over iemands hoofd giet aan het einde van een belangrijke softbalwedstrijd. Het spul in mijn mond is echter als prikkelende nectar, heerlijk.

'Woensdag gaan we Pythia testen met echt geld,' zegt Napier. 'Franklin, heb je mijn cheque naar jullie makelaarsrekening overgemaakt?'

'Ja,' zeg ik. 'Het geld staat er woensdag op.'

Napier wendt zich tot Peter. 'En Peter, is de software er klaar voor om echte handel te plaatsen?'

'Volgens mij wel,' antwoordt Peter langzaam. Hij klinkt als een kind dat wordt gevraagd of hij eindelijk zijn kamer heeft opgeruimd.

Als Peter antwoordt, flitst er een kortstondige blik van ongerustheid over Napiers gezicht. Daarna verdwijnt die, en hij glimlacht weer. 'Voortreffelijk. Goed...' Hij gebaart naar de donkerharige engel die bij de deur van de suite staat. Tegen ons zegt Napier: 'Willen jullie allemaal fiches?'

Even denk ik dat hij ons tortilla's met guacamole aanbiedt, wat een beetje misplaatst lijkt na Cristal en Beluga. Maar dan zie ik dat de brunette vier doosjes vasthoudt, elk ter grootte van een tennisbal, bedekt met zwart fluweel. De brunette geeft ons er allemaal een.

Toby opent als eerste dat van hem. Het bevat een stapel zwarte casinofiches met het logo van The Clouds erop gedrukt. Zwarte fiches zijn honderd dollar waard. Ik schat dat er zo'n vijfentwintig in zitten.

Dat is vijfentwintighonderd dollar aan feestartikelen. Ik open mijn eigen doosje. Ik heb dezelfde hoeveelheid gekregen.

'Ze zijn gratis,' zegt Napier. 'Gebruik ze gerust in het casino en geniet ervan. Jullie zijn nu allemaal partners van me, en ik wil alles met jullie delen.' Het onuitgesproken deel van de vergelijking, begrijp ik, is dat hij wil dat wij alles met hém delen.

Als om mijn achterdocht te bevestigen loopt Napier naar Jess. Hij glimlacht warm. 'Jess, loop jij even met mij mee? Als marketingvrouw zul je vast geïnteresseerd zijn in een aantal zakelijke aspecten van The Clouds. Sta me toe je een privétour te geven.'

Jess glimlacht ingetogen. Hij pakt haar hand vast en leidt haar de kamer uit. Over zijn schouder roept hij: 'Veel plezier!'

Terwijl hij met Jess wegloopt, staar ik hen na. Door de open deur kan ik hen aan het einde van de korte hal zien staan, wachtend op de lift. Uiteindelijk arriveert die, en ik zie Jess en Napier naar binnen stappen en afdalen naar zijn onderkomen, waar hij haar vast veel interessante 'zakelijke aspecten' van The Clouds zal laten zien waarvan ze aanvankelijk geen weet had.

Vier uur later zit ik beneden in het casino aan de blackjacktafel. Ik heb de fiches van Napier al verspeeld en tweehonderd dollar aan eigen geld aan het casino geschonken.

Voor een man die zijn geld verdient met het afzetten van andere mensen, ben ik een verrassend gemakkelijk slachtoffer. Helaas heb ik het bloed van een gokker; ik zet altijd dubbel in als het lot me slecht gezind is, en ik ben nooit tevreden met passen. Te laat besef ik dat ik te veel geniet van de opwinding die ik voel als ik naar een nieuwe kaart kijk. Elk succesje is verleidelijk, vol heerlijke verwachting.

Nu staar ik naar een negen en een vijf in mijn eigen hand. De dealer laat een zes zien. Ik zou moeten passen, maar ik kan het niet laten. Ik tik op het groene vilt en vraag om een volgende kaart. De croupier, een Maleisische vrouw van middelbare leeftijd, geeft me een negen. Au. Drieëntwintig. Ik ben bankroet.

De croupier pakt mijn fiches. Ik kijk naar mijn resterende stapel, een treurige veertig dollar. Er zit een oude man met een cowboyhoed naast me. Hij rookt een grote sigaar. Met een zwaar Texaans accent zegt hij: 'Je had bij veertien moeten passen.'

Ik zet twee rode fiches in en speel nog een ronde. Nu heb ik een vijf en een zeven in mijn hand. De croupier toont een rode boer. Ik herinner me vaag dat ik een kaart zou moeten geven wanneer ik twaalf heb, onafhankelijk van wat de croupier toont. Of is dat een valse herinnering? Ben ik gewoon verslaafd aan de opwinding die ik voel als ik een nieuwe kaart omdraai? Ik voel me verloren, onzeker over alles.

Ik gebaar dat ik pas.

De croupier pakt een nieuwe kaart en deelt de oude cowboy naast me een acht. Hij heeft twintig. Ze deelt zichzelf een negen. Cowboy wint; ik verlies.

De cowboy zegt: 'Je moet geven als je twaalf hebt.'

'O ja?' vraag ik. 'Misschien wil ik Ed Napier wel zoveel mogelijk spekken.'

De cowboy legt zijn sigaar op de rand van een asbak. Het mondstuk is zo nat als een vaatdoekje. 'Hij kan het in elk geval goed gebruiken.'

'Is dat zo?' Ik zet nog twee rode fiches in. De croupier deelt me een heer en een zeven. Met zeventien heb ik vrij goede kaarten, toch? Vooral als de croupier zelf een waardeloze vijf toont? Maar nu weet ik het niet meer. Alles is wazig. Sinds ik Jess met Napier de lift in zag stappen voor een privérondleiding, kan ik me niet concentreren op de kaarten voor mijn gezicht.

'Van wat ik ervan gehoord heb,' zegt de cowboy. 'Het gerucht gaat dat het bouwen van dit casino hem bijna de das om heeft gedaan. Twee miljard dollar aan schulden. Een vriend van mij die in de kansspelcommissie zit, zegt dat hij niet eens geld heeft voor de Tracadero.'

Ik kijk om me heen naar de duizenden mensen achter de fruitmachines en naar de menigte rond de blackjacktafels, twee rijen dik. 'Hij lijkt er anders niet onder te lijden,' zeg ik.

'Dit hier is een illusie,' antwoordt de cowboy eenvoudig.

Terug naar mijn kaarten. Ik staar naar zeventien. De croupier toont een verliezende vijf. Ik zou moeten passen, maar ik tik met mijn vinger. De croupier geeft een kaart.

'Jongen,' zegt de cowboy. 'Jij bent de slechtste gokker die ik ooit heb meegemaakt.'

De croupier deelt me een vier. Ze deelt zichzelf een tien en daarna nog een vijf. Dus mijn eenentwintig is hoger dan haar twintig.

De cowboy schudt zijn hoofd. 'Zelfs gekken hebben soms geluk,' legt hij uit.

Mijn succes aan de blackjacktafel duurt precies één ronde. Is dat nog een succes te noemen? Wanneer mijn fiches op zijn, verlaat ik de tafel en wandel door het casino. Ik blik op mijn horloge. Het verbaast me dat het al zes uur 's avonds is. Heb ik vier uur lang gespeeld? Het lijkt onmogelijk.

Aan de andere kant van de ruimte zie ik een bar op een platform dat boven de casinovloer uitsteekt. Ik besluit dronken te worden. Ik loop naar de bar totdat ik op twintig meter afstand stokstijf blijf staan. Ik verstar door wat ik zie: het is Toby die met zijn krukken aan de bar zit. Hij leunt voorover en praat ontspannen, misschien wel intiem, met Lauren Napier.

Mijn eerste gedachte is dat mijn zoon doelbewust probeert de zwendel te torpederen, misschien uit kinderlijke rebellie. Zal hij echt zo egoïstisch, zo dom zijn om alles in gevaar te brengen wat ik doe... voor hém?

Ik sprint naar de bar en beklim de trap. Ik loop rechtstreeks op Toby en Lauren Napier af. Pas als ik vlak bij hem sta, kijken ze naar me op. Ik negeer haar en staar Toby aan.

'Waar ben jij mee bezig?'

Hij glimlacht. 'Nergens mee. Ik zit gewoon te praten.' Hij zegt het dromerig, alsof hij zijn pa vertelt dat die zich niet zo moet opwinden; hij voert gewoon een onschuldig gesprek.

Ik blik naar het plafond, naar de talloze zwarte glazen halve globes – ogen in de lucht – die op ons neerkijken. 'Je wordt in de gaten gehouden,' zeg ik tegen mijn dwaze zoon.

Lauren glimlacht. Zacht zegt ze: 'Rustig maar. Geen scène maken.'

'Begrijp je het dan niet? Als je echtgenoot ons ziet praten...'

'Hij heeft me ópgedragen met jullie te praten.'

'O ja?'

'Hij zei dat ik tijd met jullie beiden moest doorbrengen. Om zo veel mogelijk te weten te komen.'

'Waarover?' vraag ik. 'Is hij argwanend?'

'Voorzíchtig,' antwoordt ze. Even klinkt het alsof ze trots op hem is. 'Afijn, ik zat gewoon even met Toby te kletsen, die trouwens een heerlijke jongeman is. Meteen toen ik hem zag, wist ik dat hij je zoon was. Hij is een knappe vent.'

Toby bloost. Het is onduidelijk of het compliment voor hem of voor mij bedoeld is. Misschien is dat nu juist wel de bedoeling.

'Ga zitten en ontspan je,' zegt Lauren tegen mij. 'Ik zal een drankje voor je bestellen, net zoals vroeger.'

Ik grom en trek een kruk bij. Ik probeer me tussen Toby en Lauren te wringen, maar hun barkrukken staan te dicht bij elkaar, dus duw ik de mijne een beetje naar achteren. Lauren trekt de aandacht van de barman en bestelt een biertje. Ze draait zich naar me om. 'Dat drink je toch? Bier?'

'Prima.'

Terwijl zij de betaling met de barman regelt, staar ik naar haar. Ze is nog steeds gekleed in het witte driedelige pak van eerder die ochtend. Ze ziet er netjes en fris uit, als een stapel elegante linnen lakens. Met haar haren opgestoken zie ik haar nek, de ondiepe zachte glooiing, de losse plukjes haar. Ik was alweer vergeten hoe aantrekkelijk ze is. Nu herinner ik me weer die middag in de kerk, toen ik haar voor het eerst sprak; dat ik haar de daarop volgende uren niet uit mijn hoofd had kunnen zetten. Ik herinner me dat strakke gele T-shirt dat ze in de kerk droeg, die perfecte borsten, die witte tanden en haar boosaardige glimlach. Nu stel ik me haar naakt voor, en om een of andere reden denk ik aan haar teennagels, rood gelakt, en stel ik me voor hoe die eruitzien als ze haar benen om mijn middel slaat.

Ik verander van plan. In plaats van dronken worden, wil ik háár.

Mijn biertje komt. Ze zegt: 'Ik vertelde al aan Toby dat Ed maar niet over jullie uitgesproken raakt. Hij zegt dat jullie bedrijf het geweldigste is wat hij ooit heeft gezien.'

'O ja?' zeg ik.

'Vertel me het plan eens.'

'Beter van niet.'

'Dat zei je zoon ook al.'

Ik ervaar een gevoel van wroeging over het feit dat ik aan Toby twijfelde. Misschien is hij toch betrouwbaarder dan ik dacht.

Lauren trekt haar schouders op. 'Vertel het me dan niet. Zolang je je maar aan onze afspraak houdt...'

'Natuurlijk.'

'Doe dan maar wat je wilt doen.'

Vanuit mijn ooghoek zie ik dat Toby naar haar staart. De intensiteit van zijn blik is verontrustend.

Ze kijkt op haar horloge. 'Ik vraag me af of mijn echtgenoot al klaar is boven.'

'Klaar is?'

'Met je partner neuken, Jessica.'

Ik moet verrast hebben gekeken, want ze zegt: 'Natuurlijk weet ik ervan. Hij heeft me per slot van rekening gevraagd de kamer te verlaten.' Ze laat een stilte vallen. Peinzend wrijft ze over haar kin. 'Hoe kan ik hem toch terugpakken?'

Ze laat de vraag hangen.

Ik voel de beroering van een erectie. Maar Toby ook, zo lijkt het. Hij staart naar Lauren Napier als een hond naar een stuk schapenvlees.

'Toby,' zeg ik rustig. 'Ik heb een ideetje.' Ik pak mijn portefeuille en geef hem twee briefjes van honderd. 'Hier heb je geld. Ga maar even achter de fruitautomaat zitten.'

Hij kijkt naar de biljetten, maar neemt ze niet aan. 'Ik wil eigenlijk liever hier blijven zitten,' zegt hij.

Interessant gevoel, het verlangen om je zoon een schop onder zijn kont te geven. Dit is een draad in het tapijt van mijn leven die ik nog nooit ben tegengekomen.

Vriendelijk zeg ik: 'Toby, zoon van me. Waar hebben we het over gehad?'

Hij kijkt me vragend aan.

Op rustige toon vervolg ik: 'Dat je mee mocht doen, maar dat je wel mijn aanwijzingen moest volgen. Dat ik de leiding heb, omdat jij alles nog moet leren. Toch?'

Toby staart naar me. Ik kan zijn gezicht niet lezen. Zijn lippen zijn tot een vage glimlach op elkaar geperst, maar hij oogt niet vrolijk.

Hij blikt naar Lauren Napier. Haar gezicht is emotieloos, onbewogen. Dit overkomt haar natuurlijk voortdurend: vaders en zoons die om haar vechten.

'Toby,' herhaal ik.

Uiteindelijk knikt hij. Hij pakt de tweehonderd dollar uit mijn hand, hupt op zijn goede voet en pakt zijn krukken. 'Ik ga even in het casino rondkijken,' zegt hij.

Ik wil 'dank je' zeggen en hem troostend, als mannen onder elkaar, op de schouder slaan, maar hij hinkt zo snel op zijn krukken weg dat ik geen tijd heb voor mijn goedbedoelde actie.

Ik loop achter Lauren Napier aan door het casino naar de lift. Ze drukt op het knopje en zwijgend wachten we tot de lift komt. Als hij er is, laten we eerst zes Japanse zakenlieden uitstappen. Ze lonken naar Lauren tijdens het passeren – ze is dertig centimeter langer dan zij, een Noord-Europese *gaijin*. Ik stel me zo voor dat ze in hun eigen land stil en beleefd zijn, ingenieurs of topfunctionarissen, en dat ze nooit zo duidelijk naar een mooie vrouw zouden staren. Maar Las Vegas smeert ons door, neemt onze remmingen weg, zodat we dingen doen die we niet zouden moeten doen.

Zoals dit, bijvoorbeeld: ik stap in de lift met Lauren Napier en weet dat ik seks met haar ga hebben. Ze drukt op de knop van de drieëndertigste verdieping. 'Mijn man en ik hebben ieder een eigen etage,' legt ze uit.

'Handig.'

'Voor ons allebei.'

Op de drieëndertigste verdieping lopen we door een korte gang. Ze steekt haar keycard in de deur. Het elektronische slot klikt, en ze drukt de deur met één vinger open.

We gaan een bescheiden suite binnen, gedecoreerd in Aziatische stijl. Het bed bestaat uit een verhoogde futon op een Japanse stromat. Vlak bij het bed staat een gelakte Chinese kast, zwart met een rode rand. Verder staat er een zwart bureau met een orchidee in een pot: de bloem heeft witte blaadjes met rode spikkeltjes, net bloedspetters. Aan de muur hangt een plasmatelevisie.

Ze sluit de deur, en zonder een woord te zeggen kust ze me. Ik heb al zes jaar geen vrouw meer gezoend – niet sinds het jaar voordat ik de bak in draaide. Het is een vreemd gevoel, haar tong in mijn mond, en ik ben verbaasd over haar agressie, de manier waarop ze mijn mond onderzoekt en de kracht waarmee ze mijn nek vastpakt.

Ze knoopt mijn overhemd open en krast met haar nagels over mijn borst. Ze leidt me naar het bed. We kleden elkaar uit. We vrijen.

Ik had gelijk wat haar teennagels betreft. Die zijn inderdaad rood gelakt.

Een uur later, als we met elkaar klaar zijn en onze nieuwsgierigheid en verveling zijn bevredigd, verlaat ik de drieëndertigste verdieping en loop in mijn eentje terug naar mijn eigen suite.

In de lift naar boven denk ik aan Jess en Napier, en ik vraag me af hoeveel keer ze de liefde hebben bedreven; zou Jess er echt van hebben genoten, of speelde ze gewoon haar rol in de zwendel om mij een dienst te bewijzen?

In mijn hotelkamer staar ik naar mezelf in de spiegel, en ik denk aan Jess. Ik word getroost door de gedachte dat het soms in een zwendel noodzakelijk is om het doelwit een mooie vrouw aan te bieden, om zijn hoofd op hol te doen slaan en zijn aandacht te laten verslappen.

De volgende ochtend worden we door een van Napiers gorilla's in een limousine teruggereden naar het vliegveld. We gaan aan boord van Napiers Citation en stijgen op, terug naar Palo Alto.

Dezelfde platinablonde stewardess die ons hier gebracht heeft, bedient ons en biedt ons weer champagne en wijn aan. Niemand van ons – zelfs Toby niet, wat me verbaast – accepteert haar aanbod.

Het is een rustige vlucht. Toby praat niet met me. Ik praat niet met Jess. Peter praat met niemand. Elk van ons zit in zijn eigen rij en staart uit het raam. Als we landen, is het een opluchting om mijn team te verlaten, al is het maar voor een uur, want de stilte was pijnlijk.

Dit is het probleem met een Grote Zwendel: het vereist maanden van voorbereiding. Een Grote Zwendel kun je niet alleen opzetten, en dus is het samenstellen van een team van bekwame mensen een must. Het vereist dat je samenwerkt, elk lid van je team goed kent, dat je ieders beweging kunt voorspellen. Kortom, het vereist dat je elkaar vertrouwt.

Maar wat voor soort mensen kun je vragen samen met jou een zwendel op te zetten? Oneerlijke mensen. En dat is het probleem. Hoe kun je iemand vragen je rug te dekken wanneer je stiekem bang bent voor wat ze achter je rug doen?

22

IK BEN TERUG in mijn appartement. Er staan twee boodschappen van Celia op mijn antwoordapparaat. De eerste heeft ze gistermiddag om drie uur achtergelaten. 'Bel me,' is haar boodschap. De tweede boodschap is van een uur geleden – elf uur 's ochtends. Dit keer klinkt ze bezorgder. 'Kip, waar zit je? Met Celia. Bel me, alsjeblieft.'

Ik pak de telefoon en toets haar nummer in. Ze neemt meteen op.

'Met mij,' zeg ik. 'Kip.'

'Waar zat je?' Het klinkt als een beschuldiging.

'We zijn gescheiden, Celia,' antwoord ik. 'Weet je dat niet meer?'

'Ik was ongerust. Waar is Toby?'

Toen de limousine ons bij het appartement afzette, besloot Toby niet samen met mij uit te stappen. Hij wilde tijd alleen doorbrengen in Palo Alto. Hij vroeg de chauffeur hem naar het centrum te brengen. Wanneer en óf hij terug zou komen, zei hij niet.

Ik besluit niet in details te treden. 'Die hangt ergens in de stad rond.'

'Is alles goed?'

'Prima,' zeg ik. 'Hoezo?'

'Ik moet met je praten. Er kwamen gisteren een paar mannen langs.'

'Mannen?'

'Twee. Ze zeiden dat ze van de politie waren en zwaaiden met een penning, maar nu ben ik er niet meer zo zeker van.'

'Hoe heetten ze?'

Celia aarzelt. Dan geeft ze toe: 'Dat kan ik me niet meer herinneren.' Ze valt even stil. 'Sorry, Kip.'

'Het geeft niet. Wat wilden ze?'

'Het was vreemd. Ze vroegen naar jou. Allemaal vragen.'

Ik voel een rilling over mijn lijf trekken, maar probeer mijn stem neutraal te houden. 'Wat voor vragen?'

'Wie je bent, waar je woont, wat je voor werk doet. Heel vaag allemaal. Toen begon ik argwaan te krijgen.'

'En wat heb je hun verteld?'

'Niets. Ik zweer het. Dat we gescheiden zijn. Dat ik je al jaren niet meer heb gesproken. Volgens mij geloofden ze me niet.'

'Geeft niet,' zeg ik. 'Je hebt het goed gedaan. Dank je, Celia.'

'Kip, wat is er aan de hand? Is alles goed?'

'Alles is prima.'

'Ben je bezig met...' Ze maakt haar zin niet af, houdt zich in. 'Werk je nog in de stomerij?'

'Nee,' antwoord ik.

'O.' Ze klinkt teleurgesteld. 'Ik dacht dat je het er naar je zin had.'

'Klopt,' zeg ik. 'Maar ik wilde weer eens iets anders. Voor een tijdje.'

'Is Toby erbij betrokken?'

'Nee, natuurlijk niet,' lieg ik.

'Kip, wees alsjeblieft voorzichtig. Toby is zo blij om je terug te hebben. Hij vindt het fijn dat je nu weer een gewoon iemand bent. Ga dus niet... terug.'

Ze bedoelt: Laat je niet in de kraag vatten en weer in de bak gooien, sufferd. 'Dat beloof ik,' zeg ik. 'Alles komt goed.'

'Als hij terug is, laat hem me dan bellen.'

'Ik zal het doorgeven.'

We hangen op.

Ik struin door mijn appartement, op zoek naar aanwijzingen dat iemand heeft ingebroken en iets heeft gezocht. Alles lijkt in orde, er is niets opvallends te zien. Ik loop naar de slaapkamer en trek de bureaulade open. Mijn ondergoed ligt onaangeroerd op keurige stapeltjes.

Het appartement ziet er net zo uit als ik het heb achtergelaten. Maar een appartement doorzoeken zonder sporen achter te laten is niet moeilijk: politieagenten – of criminelen – weten hoe dat moet.

Ik vraag me af wie bij Celia langs is geweest. Het ligt voor de hand dat het handlangers van Napier zijn geweest. Maar het kan ook Sustevich geweest zijn die me natrekt. Ik heb per slot van rekening zes miljoen dollar van hem geleend. Misschien zag hij me op het vliegveld van Palo Alto aan boord van een mysterieuze vlucht stappen en werd hij nerveus. Misschien hebben zijn mannen me de hele tijd gevolgd, om hun investering in de gaten te houden, als durfkapitalisten met haviksogen. Misschien kijken ze op dit moment ook toe.

In de woonkamer trek ik het gordijn open. Ik kijk naar buiten, langs de rozenstruiken, en probeer over het hek bij de straat te turen. Ik zie geen auto's met draaiende motor, geen surveillanten gebogen over hun stuur, geen glinstering van verrekijkers op nabijgelegen daken.

Misschien waren de mensen die Celia ondervroegen wel echt van de politie. Misschien trokken ze me na omdat een kaboutertje hen had ingefluisterd dat ik niets goeds in de zin heb.

Wat me natuurlijk doet afvragen: Wie is dat kaboutertje? En wat zegt het?

Het is woensdag en tijd om Ed Napier de aandelenmarkt op te sturen.

Toby is gisteravond teruggekomen na twee dagen spoorloos te zijn geweest. Hij hinkte om negen uur naar binnen, toen ik mezelf net in slaap probeerde te drinken aan de keukentafel. Hij deed alsof er tussen ons niets was voorgevallen. 'Hé, pa,' zei hij. 'In je eentje drinken is geen goed teken.' Hij leunt op zijn krukken tegen de muur en ploft tegenover me neer. 'Dus laat me je helpen.' En dat deed hij, en we dronken een fles Jack Daniels weg, weer een kenschetsend geval van vader en zoon die een band smeden. Wie zei dat ik geen goede vader was?

Toen ik Toby vroeg waar hij de afgelopen twee dagen was geweest, antwoordde hij vaag: 'In een hotel in het centrum. Ik moest gewoon even weg.' Ik had natuurlijk verder kunnen vragen, naar de naam van het hotel bijvoorbeeld, zodat ik zijn verhaal kon verifiëren, maar wat had het voor zin? Wat hoopte ik daarmee te bereiken? Het belangrijkste is dat hij terug is en dat hij goedgehumeurd is. Wat er ook in Las Vegas is voorgevallen, is verleden tijd, vergeten.

Dus is hij vanochtend ook op kantoor als Napier langskomt. Napier arriveert in zijn kersenrode Mercedes na een ontbijtje in Buck's of misschien is hij net uit zijn bed met ganzendonzen dekbed gerold. Hij klopt ongebruikelijk krachtig op de glazen deur.

Als ik opendoe, zegt hij: 'Goedemorgen, Franklin. Ben je er klaar voor om een beetje geld te verdienen?'

Hij verkeert in een goed humeur, zoals de meeste mensen die denken dat ze iets voor niets gaan krijgen.

Ik ga hem voor naar de vergaderzaal. Jess heeft alles al klaargezet: het scherm is uitgerold, de lichten zijn gedimd, de projector staat aan. Het enige wat Jess nog niet heeft gedaan, is mij begroeten. We hebben sinds Vegas niet meer met elkaar gesproken.

Peter heeft de afgelopen achtenveertig uur aan de software gewerkt. Ed Napier staat een indrukwekkende show te wachten.

Ik trek een stoel naar achteren voor Napier, en hij gaat tegenover het scherm zitten. 'Je cheque voor vijftigduizend dollar is op mijn rekening bij Datek bijgeschreven. Zoals je voorstelde, gebruiken we het geld om aandelen te kopen op basis van de voorspellingen van Pythia. Peter, leg jij even uit wat er op het scherm te zien is?'

Peter loopt naar voren. Hij wijst naar het projectiescherm. 'Goed. Het is eigenlijk heel simpel: We gaan de aandelenmarkt scannen op vijf aandelen die Pythia met een grote mate van zekerheid kan voorspellen. Ik heb geen idee welke aandelen ze kiest; het is afhankelijk van de markt op het moment dat we van start gaan. We gaan alleen voor langlopend om beperkingen op verkopen met een korte looptijd te vermijden. We hebben marge, dus kopen we effectief twintigduizend dollar aan aandelen. Vragen?'

Napier schudt zijn hoofd. 'Beginnen maar,' zegt hij.

'Oké.' Peter loopt terug naar het toetsenbord en typt iets in. Op het projectiescherm verschijnen vijf aandelengrafieken. De grafieken zijn opgemaakt uit dunne groene lijnen – de willekeurige fluctuatie van elke aandelenprijs met een interval van een minuut. Rechts van de grafiek staat een rode cirkel – Pythia's voorspelling waar het aandeel naartoe gaat.

'Het tijdsbestek van de projectie is ongeveer dertig seconden. Pythia plaatst nu handel.'

Precies op dat moment verschijnt er een bedrag in dollars naast elke aandelengrafiek. '$10.000/1101 aandelen lang' en '$10.000/784 aandelen lang'...

'Je ziet dat Pythia net elfhonderd aandelen Apple Computer en ruim zevenhonderd aandelen U.S. Steel heeft gekocht.'

We kijken toe terwijl Pythia nog drie aandelenemissies plaatst. 'Oké,' zegt Peter. 'We zijn nu volledig geïnvesteerd in de markt en gebruiken vijftigduizend dollar om mee te spelen. Vijftigduizend dollar van de heer Napier. Laten we kijken of Pythia's voorspellingen uitkomen.'

'Wee je gebeente als het niet zo is,' zegt Napier, maar uit zijn vriendelijke toon is op te maken dat hij er niet aan twijfelt.

Zekerheidsniveaus verschijnen naast alle rode doelcirkels. 92 procent zeker... 95 procent zeker... 93 procent zeker...

De seconden tikken weg, en de zekerheidsniveaus stijgen. Nu zijn ze 95... 96... 98 procent zeker...

De vijf aandelen stijgen naar de rode doelcirkels.

Er verstrijken nog tien seconden.

In elk van de vijf grafieken fluctueren de aandelenprijzen, maar ze stijgen onverbiddelijk. Ze naderen hun rode doelcirkel.

'Daar gaan we dan,' zegt Peter. In een snelle opeenvolging, als dominostenen die vallen, belandt de aandelenprijs binnen elke doelcirkel, en een voor een lichten de rode cirkels op en zeggen: 'Doel bereikt'.

'Laten we eens kijken hoe we het hebben gedaan,' zegt Peter. Hij typt iets in op het toetsenbord. De aandelengrafieken verdwijnen van het scherm en worden vervangen door vijf rijen getallen:

	Aanvangsprijs	# aandelen	$ winst	P/L	Netto P/L
CELG	$28,34	706	$ 0,22	$ 152,86	$ 151,81
X	$25,50	784	$ 1,60	$1254,90	$1253,73
ATML	$ 3,36	5952	$ 0,09	$ 535,68	$ 526,75
RFMD	$ 5,73	3490	$ 0,05	$ 189,51	$ 184,27
AAPL	$18,16	1101	$ 0,80	$ 881,06	$ 879,41
				$3014,01	$2995,96

Peter zegt: 'Zo te zien hebben we ongeveer drieduizend dollar verdiend. Ietsje minder, na aftrek van commissies.'

Toby zegt: 'Is dat alles? Slechts drieduizend?'

'Niet slecht voor dertig seconden werk. Dat is een winst van... hoeveel?' vraag ik.

'Bijna zes procent,' antwoordt Jess.

'Precies. Zes procent in dertig seconden. Stel je eens voor dat we dat steeds maar herhalen. Het is mogelijk om onze winst om de halve minuut opnieuw te investeren. We kunnen de computer zo programmeren dat hij dat automatisch doet. Als we ermee door blijven gaan, steeds maar weer, zou onze winst...' Ik laat mijn stem wegsterven. 'Behoorlijk groot zijn,' zeg ik uiteindelijk.

'Astronomisch,' zegt Napier. Hij staart nog steeds naar het scherm. Hij kan zijn ogen er niet vanaf houden.

Het is stil in de kamer. We staren naar Napier, die op zijn beurt naar het scherm staart. Uiteindelijk richt hij zich tot Peter.

'Kun je dat doen? Vandaag? Nu meteen?'

'Wat?' zegt Peter.

'Het zichzelf laten herhalen. Steeds opnieuw aandelen kiezen.'

'Nee,' zegt Peter. 'Vandaag niet meer. Het kost wat tijd. Niet veel...'

'Morgen?'

'Waarschijnlijk wel.'

Hij richt zich tot mij: 'Wat vind jij ervan, Franklin?'

Ik haal mijn schouders op.

'Stel dat ik tweehonderdduizend naar je overmaak. Nu meteen. Vanochtend. Dan staat het geld morgen op je rekening. Kunnen we het dan nog een keer proberen?'

'Ja,' antwoord ik.

Hij richt zich tot Peter. 'Morgen, oké? We doen het net zolang totdat we ons geld hebben verdubbeld. Als experiment. Oké?'

Peter aarzelt. Hij kijkt naar mij. Ik knik. Uiteindelijk zegt Peter: 'Ja, oké.'

Napier gaat staan. Hij trekt zijn stropdas recht. Hij knikt naar de anderen. 'Heel goed.' Hij gebaart met zijn vinger naar mij. 'Franklin, kom even mee.'

Ik volg hem de vergaderzaal uit en sluit de deur achter me. 'Wat is er met hem aan de hand?' vraagt hij.

'Met wie?'

'Met Peter.'

Ik haal mijn schouders op. 'Hij denkt dat we iets illegaals doen.'

Napier kijkt me recht aan. 'En is dat zo?'

'Nee.'

'Dan heeft hij ook geen reden voor ongerustheid.'

Ik knik.

'Geef me je bankgegevens nog even. Ik stort tweehonderdduizend dollar op je rekening. Morgen zullen we zien of Pythia het kan verdubbelen.'

Nadat Napier is vertrokken, loop ik de vergaderzaal weer in. In plaats van met glimlachjes en gejuich, word ik begroet met stilte. Gevieren kijken we door het raam naar Napier, die in zijn Mercedes het parkeerterrein af rijdt.

Als hij uiteindelijk is vertrokken, zegt Jess: 'Nou, dat ging gemakkelijk.'

'Ja,' beaam ik.

Maar ik voel weinig triomf. Ik weet dat we nu niet meer terug kunnen. Edward Napier zal ons nog een keer testen door bijna een kwart miljoen dollar op onze bankrekening te storten.

De meeste kruimeldieven zouden hier stoppen, de tweehonderdduizend dollar eerlijk verdelen en de stad ontvluchten.

Maar voor ons is dit nog maar het begin. Spoedig sturen we Napier op pad, en een kwart miljoen dollar zal klein en onbetekenend lijken in plaats van groot, niet meer dan een afrondingsfoutje.

Het is het verschil tussen kruimeldieven en mensen zoals ik: ambitie. Een houding van eruit halen wat erin zit. Het verlangen om de wereld te veranderen. Mijn gevoel is: als je gokt, doe het dan goed. Als je een gevangenisstraf, je leven of een marteling riskeert, scoor dan zo hoog als je kunt. Misschien krijg je de kans nooit weer.

Maar ik krijg een vreemd gevoel terwijl ik aan de vergadertafel ga zitten en uit het raam staar naar de auto's die over de Bayfront rijden. Ik herinner me de middag die ik recentelijk aan de blackjacktafel heb doorgebracht, toen ik per se een kaart wilde geven terwijl ik eigenlijk had moeten passen. Dat had onvermijdelijk, voorspelbaar geleid tot bankroet gaan en uiteindelijk het verlies van alles wat ik had.

Ja, ik weet wat je denkt.

Maar niet alles gaat zoals je denkt. Soms blijkt een voorgevoel in het ware leven een nietszeggende, irrelevante onvolkomenheid te zijn.

23

IK RIJ NAAR HUIS met Toby op de achterbank van mijn Honda. Hij heeft zijn gipsbeen over de versnellingsbak gelegd.

'Zeg pa,' zegt hij. 'Vertel eens over je plan.'

Ik kijk naar hem in de achteruitkijkspiegel. 'Je kent het plan, toch?'

'Alleen de grote lijnen. Zeg eens of ik gelijk heb. Morgen geeft Napier ons geld, en dan laten we hem winnen. Daarna sturen we hem weer op pad, voor nog een laatste grote inzet. Heb ik gelijk?'

Ik rij langs de baai en langs de zoutmeren. Cargill bezit vijfentwintigduizend hectare riviermond langs de kust. Sinds de *Gold Rush* meer dan een eeuw geleden, winnen ze hier zout door het water uit de baai door dijken en oeverwallen te pompen en te laten uitdampen in de zon. In de herfst oogsten ze de witte koek die is achtergebleven. Het is een walgelijk proces waardoor de kustlijn – die nu vol zit met stalagmieten – armer wordt, maar de Amerikaanse industrie oneindig rijker.

'Zoiets,' antwoord ik.

'Hoe loopt het af?'

'Hoe dénk je dat het afloopt?'

'Ik weet het niet. Je jaagt hem op de vlucht, toch? Je laat hem geloven dat we allemáál verloren hebben, dat we geruïneerd zijn, zodat hij niet achter ons aan komt.'

Ik ben verbaasd over Toby's plotselinge interesse in mijn werk. 'Vanwaar die nieuwsgierigheid?' vraag ik.

'Omdat ik wil leren.'

'Wil je soms in mijn voetsporen treden?'

'Nee,' antwoordt hij. Hij staart naar mijn gezicht in de rechthoek van de achteruitkijkspiegel. Hij tast mijn ogen af, probeert te bepalen of ik het grappig bedoel. 'Gewoon nieuwsgierigheid,' zegt hij, maar hij kijkt weg en vermijdt het onderwerp verder.

Ik wil me verontschuldigen, maar ik krijg de kans niet. Ik zie iets vreemds in mijn spiegel. Een zwarte Lincoln. Het glas van de voorruit is getint zodat ik ternauwernood de contouren van twee mannen kan ontwaren. De auto volgt ons.

'Niet achteromkijken,' zeg ik tegen Toby. 'We worden gevolgd.'

Toby draait zich meteen om in zijn stoel en strekt zijn nek. Sinds zijn vijfde jaar is hij al een slechte luisteraar.

'Wie zijn het?' vraagt hij.

'Dat weet ik niet. Heb je de auto ooit eerder gezien?'

'Nee.'

Ik druk het gaspedaal diep in, en de meter loopt op naar 110 kilometer per uur. Ik ruk het stuur naar links en flits langs een trage Volvo, die door een non in habijt wordt bestuurd. Terwijl ik passeer, schudt ze met haar hoofd en werpt me een boze blik toe. Beschaamd kijk ik weg.

'Hé, pa,' zegt Toby. 'Volgens mij geeft die non je de vinger.'

Ik haal achtereenvolgens nog twee auto's in en zie inderdaad in mijn achteruitkijkspiegel dat de non haar vinger opsteekt.

'Dat zie je niet vaak,' merkt Toby op.

Dat is waar. Ik blik naar achteren en zie dat de Lincoln me nog steeds volgt, zo'n vier auto's achter me. Ik lees het nummerbord: C5K-885.

'Schrijf even op,' zeg ik tegen Toby. 'C5K-885.'

'Oké.' Er volgt een stilte. 'Eh... heb je een pen?'

Ik schud mijn hoofd. Het joch heeft me altijd teleurgesteld. Ik leun over het dashboard en sla met mijn elleboog tegen zijn gipsbeen.

'Au,' zegt hij.

'Misschien moet je je been ergens anders leggen.'

'Au, dat kan niet.'

Ik trek het dashboardkastje open. Ik vind een pen en gooi hem over mijn schouder naar hem toe.

'C5K-885,' zeg ik.

'Oké, wacht even, wacht even...'

'C5K-885,' herhaal ik.

'Wat is het nummer?'

'C5K-885.'

'Langzamer.'

'C... 5... K...'

'Pa, kijk uit!'

Ik trap op de rem. Voor me: een ongelukkig geplaatst verkeerslicht dat nu de verrassende kleur rood toont. Tussen mij en het verkeerslicht: vier gezinsauto's die allemaal gehoorzaam voor het licht zijn gestopt.

Mijn Honda schudt en giert en raakt in een slip. We beginnen te slingeren, en ik verlies de controle. Ik probeer het stuur naar links te trekken in de slip, zoals me geleerd is.

Wie heeft ooit bedacht dat je in de slip moest sturen? Ik moet die persoon vinden om deze kwestie nader te bespreken. De plotselinge ruk aan het stuur zendt de voorkant van de auto in de richting van de betonnen scheidingswand tussen de oostelijke en de westelijke rijstrook van de snelweg. We slaan tegen de muur, en ik voel dat mijn veiligheidsgordel straktrekt terwijl mijn borst ertegenaan slaat.

Zelfs terwijl dit allemaal gebeurt, denk ik aan Toby. Ik hoor het mezelf zeggen, wat onmogelijk is, want het hele ongeluk duurt minder dan een minuut. Ik zeg: O, alstublieft God, laat hem zijn veiligheidsgordel dragen. Alsjeblieft, Toby, draag voor één keer je gordel.

Er klinkt een geluid als een geweerschot wanneer mijn airbag zich ontvouwt. Het canvas slaat tegen mijn gezicht als de hand van een vrouw. Daarna loopt het leeg en ligt het gedrapeerd over het stuur als een gênante herinnering aan gedeelde passie.

We zijn midden op de snelweg tot stilstand gekomen, met de neus in de verkeerde richting. Ik zie dat de Lincoln zijn knipperlicht aanzet, de rechter rijbaan op rijdt en langs me raast.

Vervolgens zie ik de Volvo recht op ons af komen. De non remt uit alle macht. Haar banden roken en gieren. Haar armen grijpen het stuur vast, en haar tanden zijn op elkaar geklemd in een rigor mortis.

Haar Volvo mindert genoeg vaart, zodat de aanraking met mijn Honda een zachte plof is. Mijn hoofd slaat een centimeter naar achteren. Ik hoor dat haar koplampen breken. Door de voorruit zie ik dat ze ongedeerd is, en ze vloekt, hoewel haar woorden gedempt worden door twee lagen glas.

Ik draai me langzaam om in mijn stoel om te controleren hoe Toby eraan toe is. Ik vrees wat ik ga zien: dat hij dood is, zijn nek gebroken, bloed dat uit zijn mondhoek druppelt. Of dat hij er helemaal niet meer zit – zo snel uit de auto geslingerd dat ik hem heb gemist – een paar meter verderop neergekomen op het asfalt.

Maar als ik me omdraai, zie ik hem met een glimlach naar me kijken. Hij houdt de pen bij zijn oor, alsof hij, zodra alles weer rustig is, verder gaat met het opschrijven van het nummerbord dat ik al drie keer heb opgedreund.

'Jezus, pa,' zegt hij. 'Wil je me soms dood hebben?'

Ik lach. 'Ik probeer je juist van de dood te redden,' zeg ik, hoewel ik moet toegeven dat alles op het tegendeel wijst.

Een agent uit Menlo Park neemt onze verklaringen op. Hij maakt zo veel foto's van het ongeluk dat hij er een plakboek mee kan vullen.

Ik vertel niet dat de Lincoln ons achtervolgde, en ik draag geen excuses aan. Ik vertel de agent de waarheid: dat ik in mijn dashboardkastje keek in plaats van op de weg. Dat het eigenlijk allemaal de schuld van mijn zoon was, laat ik achterwege, hoewel ik er stiekem wel van overtuigd ben.

De agent laat me een blaastest doen en ik slaag. Nog geen halfuur later zijn we weer onderweg, in een taxi. Terwijl we wegrijden, kijk ik naar mijn Honda. De motorkap is als een accordeon in elkaar gevouwen. Hij vertrekt op een sleepwagen in de andere richting, naar Hank's Service Station aan Willow. Tot ziens, Honda.

De taxi brengt ons naar Palo Alto en zet mij en Toby af voor mijn appartement. Mijn hoogbejaarde huurbaas, meneer Grillo, staat ons op de oprit op te wachten. Hij draagt een onderhemd waar plukjes wit borsthaar onder uit steken en een blauwe badstoffen badjas. Ik vraag me af: Hoe weet hij wanneer ik thuiskom? Staat hij uren op de oprit te wachten totdat ik verschijn? Is dat wat mij straks ook te wachten staat? Eenzame dagen, uren van op de oprit staan wachten tot iemand terugkomt? Zal er nog wel iemand in mijn leven zijn die naar me terugkeert?

'Kip,' zegt hij. 'Ik heb je hulp nodig.'

'Goed, meneer Grillo.' Ik gebaar naar Toby. 'Kent u mijn zoon al, Toby?'

'Mijn kleinzoon is er niet,' zegt hij. Hij beantwoordt een totaal andere vraag.

'Oké, meneer Grillo.' Tegen Toby zeg ik: 'Ik kom er zo aan.' Ik gooi de sleutels naar hem toe. Ze rammelen. Hij plukt ze uit de lucht en loopt naar mijn appartement.

Ik volg meneer Grillo naar boven, naar de eerste verdieping. Bij de deur van zijn appartement blijven we even staan terwijl hij naar de juiste sleutel zoekt. Uiteindelijk vindt hij die.

Zijn appartement is net een museum. Het decor ademt de sfeer uit van de jaren vijftig, met een olijfkleurige gekeperde bank en bruin tapijt in de kleur van oude schoenen.

Meneer Grillo wuift naar de bank. 'Ga zitten. Zin in een *highball*?'

Ik ben precies vijf keer eerder in het appartement van meneer Grillo geweest, en elke keer biedt hij me een *highball* aan. Ik blik door de kamer. Op de boekenplanken, op de televisie en op het aanrecht van de keuken – op elk plekje waar genoeg ruimte is – zie ik oude foto's van zijn vrouw die lang geleden overleden is, en van meneer Grillo als jongeman – kapitaalkrachtig, gelukkig, in de kracht van zijn leven, zwemmend in geld en succes – klaar om de wereld tegemoet te treden. Ik zie hem en zijn vrouw voor me in dit appartement, veertig jaar geleden, met vrienden die op bezoek zijn. Ze delen *highballs* uit in met kralen versierde glazen aan gasten die in de woonkamer en op het balkon rondhangen. Ik stel me luidruchtig geschater voor, schunnige moppen, kakelende vrouwen. Er waren waarschijnlijk ook kinderen bij, die door het appartement renden, tegen de knieën van de volwassenen knalden en vastgegrepen werden voor foto's en knuffels.

Nu kijk ik naar meneer Grillo. Hij is gekrompen, in meerdere opzichten. Zijn lichaam is ingezakt tot een belvormige bult, zijn haar is wit, zijn tanden bestaan uit gele en zwarte stompjes. Zijn vrouw is twintig jaar geleden gestorven, zijn dochter kortgeleden. Hij is alleen. Zijn wereld is geslonken tot de ruimte van zijn appartement en de vijf meter beton die naar het trottoir buiten leidt.

Op welke leeftijd gebeurt het? Op welke leeftijd slinkt de wereld, die je zo gewend bent te regeren, tot een sleutelgat? Gebeurt het plotseling? Word je op een dag wakker in het besef dat het eigenlijk over is, dat je connecties met de levenden zijn verdwenen? Of gaat het geleidelijk, een langzame afdaling in de duisternis? Tot dit moment heb ik medelijden met meneer Grillo gehad, bedroefd over zijn aanzwellende dementie. Nu vraag ik me af: is het in feite een zegen?

En hoe anders ben ik? Ik ben een negenenveertigjarige ex-gedetineerde. Mijn vrouw heeft me verlaten. Tot drie weken terug sprak ik mijn zoon nauwelijks. Ik heb niets: geen gezin, geen baan, geen vriendin. Ik word alleen wakker. Ik slaap alleen. Ik zal, dat weet ik zeker, alleen sterven. Dus misschien gaat het als volgt: terwijl je al je fouten probeert te herstellen, terwijl je wacht tot je leven beter wordt, is het ineens afgelopen.

'Ja,' zeg ik tegen meneer Grillo. 'Een *highball* sla ik niet af.'

Een *highball* is een cocktail van whisky, ijs en gemberbier, geserveerd in een hoog glas. Hoewel ik mezelf als een geoefende drinker beschouw, een die vaardig is in alle aspecten van de hobby, moet ik tot mijn schaamte bekennen dat ik geen idee had wat een *highball* was. Ook niet dat het drankje zo heerlijk was. Maar ja, hoe had ik het kúnnen weten? Ik drink de eerste *highball* die sinds 1962 in Noord-Amerika wordt geserveerd.

Meneer Grillo gaat naast me op de bank zitten en laat de fles whisky en het blikje gemberbier op de bar staan, als een verlokkelijke belofte.

'Kip,' zegt hij. 'Ik heb je hulp nodig.'

Ik neem een slokje van de *highball*. 'Wat kan ik voor u doen, meneer Grillo?'

'Mijn rekeningen,' zegt hij. Hij wijst naar de buffetkast. Er ligt een stapel papieren op, twee vingers dik, en een chequeboekje. 'Jij betaalt ze even voor mij, oké?'

'Weet u het zeker? Vertrouwt u mij?'

Hij gniffelt. Misschien betekent dat ja, of misschien heeft hij mijn vraag niet gehoord.

Ik sta op van de bank, drink mijn glas leeg en schud het ijs. Ik loop naar de kast en blader door de rekeningen. Drie maanden aan financiën: kabeltelevisie, elektriciteit, telefoon, water. De recentste rekeningen zijn voorzien van een stempel met de onheilspellende tekst: LAATSTE AANMANING.

Meneer Grillo zegt: 'Ik kan ze niet lezen. De letters zijn te klein!'

'Waar is uw kleinzoon?' vraag ik. Wat ik bedoel is: Waarom vraagt u het hem niet?

Meneer Grillo knikt. 'Mijn kleinzoon is Arabier,' zegt hij.

'Ja,' zeg ik. 'Dat weet ik.'

Ik denk dat meneer Grillo's onlogische gevolgtrekking het einde van ons gesprek betekent, en dat ik me nu met zijn stapel papieren in mijn appartement zal terugtrekken, waar ik een uur kwijt zal zijn aan sorteren en betalen van rekeningen. 'Oké, meneer Grillo,' zeg ik. 'Ik regel dit voor u. Geen probleem. En bedankt voor die *highball.*'

Meneer Grillo knikt en zegt: 'Hij wil dat ik mijn testament verander.'

'Wat zegt u?'

'Mijn kleinzoon. Maar ik heb gezegd dat ik weet waar hij op uit is.' Hij zwaait met zijn wijsvinger naar me. 'Ik weet het.'

'O ja?'

'Ik weet waar hij op uit is,' zegt hij weer.

Ik zet mijn lege glas voorzichtig op de buffetkast en pak de rekeningen bij elkaar. Ik neem ook zijn chequeboekje. 'Ik zorg voor de betaling en ik doe ze op de bus voor u.'

'Bedankt, Kip.'

Ik knik. Op weg naar mijn appartement zegt meneer Grillo: 'Mijn kleinzoon is Arabier.'

'Ja,' zeg ik, waarna ik de deur zachtjes achter me dichttrek.

Dus daar komt het uiteindelijk op neer.

Iedereen bedriegt. Sommige mensen zijn zo walgelijk dat ze hun eigen familie proberen te bestelen. Sommige mensen zijn zo laaghartig dat ze zwakken en ouderen oplichten.

Dus hoe slecht ben ik, alles in overweging nemende? Iedereen bedriegt iedereen. Ik ben de enige die nauwgezet genoeg is om er een eerlijke boterham mee te verdienen.

24

DIE OCHTEND WORD IK al vroeg wakker. Ik strompel van de bank. Toby ligt nog te slapen in de slaapkamer. Ik pak de telefoon uit de keuken en bel Jess. 'Goedemorgen,' zeg ik. 'Sliep je nog?'

'Hmm,' zegt ze. Ik stel me haar voor in bed, haar rug gebogen, gekleed in een strak T-shirt waarin haar tepels door het golvende katoen heen zichtbaar zijn als roze vingers. 'Wat is er?'

'Niets.' Ik probeer mijn stem rustig te houden. 'Ik heb je sinds Vegas niet meer gesproken. Ben je alleen?'

'Natuurlijk.'

'Alles goed? Met Napier?'

'Hmm.' Ze is nog steeds versuft. Misschien wrijft ze in haar ogen en kijkt ze naar de wekker. Ze haalt diep adem en geeuwt. Uiteindelijk zegt ze: 'Hij wil me vanavond zien. Zijn vrouw weet niet beter dan dat hij een zakendiner heeft.'

'Juist.' Ik probeer mijn stem neutraal te houden.

'Dit wilde je toch?'

'Ja.'

'Ik doe het voor jou. Je wilt dat ik dicht bij hem in de buurt blijf. Dat had je gezegd.'

'Ja, prima. Dat heb ik inderdaad gezegd.' Maar nu ik het hardop herhaal, weet ik het niet meer zo zeker.

'Weet je wat grappig is?'

Ik grom.

'Hij heeft me nog niet geslagen.'

'Wie?'

'Ed,' zegt ze.

Het feit dat ze ons doelwit bij de voornaam noemt, verontrust me even. 'Wat wil je daarmee zeggen?'

'In het begin zei je dat hij zijn vrouw slaat. Die wetenschap maakte het gemakkelijker voor me, je weet wel, om van hem te stelen. Ik verwachtte dus eigenlijk... iets. Als het dan geen klap was, dan misschien een dreigement. Maar tot dusver is er niets gebeurd. Hij gedraagt zich als een echte heer.'

'Misschien ken je hem nog niet goed genoeg.'

'Hmm...' Ze denkt even na. 'Ik ken hem behoorlijk goed,' zegt ze uiteindelijk.

Vanbinnen sterf ik een beetje. 'Aha.'

'En er is nog iets.'

'Nog iets?'

'Het is alsof er iets mis met hem is. Iets waar ik niet de vinger op kan leggen. Er klopt gewoon iets niet.'

'Denk je dat hij ons doorheeft?' vraag ik.

'Ed?' Weer die voornaam. Ja, Ed, wil ik zeggen. Die klojo.

'Ik denk...' Ze laat een stilte vallen en overweegt haar woorden. 'Ik denk dat hij... achterdochtig is.'

'En dat willen we ook.'

'Dat willen we ook,' herhaalt ze. Ik hoor het geluid van ritselende lakens. Ik verbeeld me dat ze nu rechtop tegen het hoofdeind zit. 'Het punt is dat hij niet voor niets miljardair is geworden. Hij is niet met geld geboren. Hij heeft het zelf verdiend.'

'Het lijkt wel alsof je verliefd op hem bent.'

Voor het eerst raakt ze geïrriteerd. 'Ik ben niet verliefd op hem. Ik wijs je alleen maar op iets. Dat er iets vreemds aan hem is. En dat je voorzichtig moet zijn.'

'Jíj moet voorzichtig zijn,' zeg ik.

Nadat we hebben opgehangen, vraag ik me af: Zal Jess me ooit kunnen vergeven voor wat ik van plan ben te doen?

Mijn Honda staat nog steeds bij de garage, dus nemen Toby en ik een taxi naar het werk. Om 10.02 uur arriveert Napier. Dit keer brengt hij iemand mee: een gespierde bullebak in een pak, die ik nog niet eerder heb gezien. De kleerkast loopt een pas achter Napier door de gang naar de vergaderzaal. Ik meen een bult onder het colbertjasje van de spierbundel te zien: hij is gewapend.

Napier stelt hem niet aan me voor. Zijn boodschap is duidelijk: hij heeft nu de leiding over het bedrijf, en dit is mijn nieuwe personeelsmanager. Meneer Spierbal en zijn assistent, meneer Pistool, zullen hem ervan verzekeren dat mijn werk bij Pythia productief is.

De vergaderzaal is ingericht zoals gisteren: het scherm is naar beneden, de lichten zijn gedimd, de computer zoemt.

'Staat het geld intussen op je rekening?' vraagt Napier me.

'Tweehonderdduizend dollar,' antwoord ik.

'Laten we het verdubbelen,' zegt Napier alsof hij een pompbediende opdraagt zijn tank vol te tanken. Natuurlijk, denk ik, laten we die tweehonderdduizend verdubbelen. Zal ik ondertussen uw oliepeil even controleren?

'Ik heb de hele avond aan de software gewerkt,' merkt Peter op.

Hij wacht op een prijzende opmerking. Wanneer die niet komt, zegt hij: 'Afijn, het werkt als volgt: om de dertig seconden zoekt Pythia de hele markt af naar aandelenfluctuaties met een hoge zekerheidsfactor. Ze kiest elke keer de tien met de hoogste waarschijnlijkheid om te winnen en investeert tien procent van het saldo van de rekening in elk aandeel. Aan het einde van elke cyclus probeert ze het opnieuw en gebruikt daarbij tevens het geld dat ze eventueel heeft gewonnen. Uitgaande van een voorzichtige winstkans van vier procent per dertig seconden, verdubbelen we ons geld dus in...'

'...tien minuten,' vult Napier hem aan.

'Precies,' zegt Peter.

Ik blik naar Jess. Ze kijkt naar me alsof ze wil zeggen: Zie je wel dat hij slim is?

'Ik ben er klaar voor,' zegt Napier.

Peter kijkt naar me. Het wordt steeds absurder om te doen alsof ik de leiding heb. Maar ik knik en gebaar met mijn hand dat hij verder mag gaan.

Peter loopt naar het toetsenbord en typt een code in. Het scherm is gevuld met tien kleine aandelengrafieken. Pythia trekt tien rode doelcirkels. In dertig seconden zijn negen van de tien doelen behaald.

Onmiddellijk verschijnen er tien nieuwe aandelengrafieken. Weer tien rode doelcirkels. Dertig seconden gaan voorbij. Tien winnaars.

De cyclus herhaalt zich nog negen keer. Tien winnaars... negen winnaars... tien winnaars... acht winnaars...

We staren naar het scherm zonder iets te zeggen. Het is hypnotiserend. We voelen kleine speldenprikjes endorfine elke keer dat een grafiek verschijnt. We verdienen hier drieduizend en daar vierduizend dollar. Al snel kan ik het geld dat we binnenhalen niet meer bijhouden, maar ik weet dat het veel is.

'Jezus,' hoor ik Toby zeggen.

Tien minuten later zitten we als junkies loom en uitgeput in onze stoel naar het scherm te turen, hoewel de handel is gedaan.

Uiteindelijk zegt Peter: 'Dat was het.'

Hij typt iets in op het toetsenbord. Er verschijnt een overzicht dat onze winst voor de dag specificeert. Onderaan staat: saldo rekening = $ 485.163, 30. In tien minuten hebben we Ed Napiers geld verdubbeld.

Ik loop naar voren en trek de speakertelefoon naar me toe. Ik toets een telefoonnummer in. Een vriendelijke vrouwenstem komt aan de lijn. 'Bedankt voor het bellen met Datek Online,' zegt ze. 'U spreekt met Bonnie. Mag ik uw rekeningnummer alstublieft?'

Ik zeg het rekeningnummer op.

'Hallo, meneer,' zegt Bonnie. 'Waarmee kan ik u van dienst zijn?'

'Bonnie, wil je zo vriendelijk zijn me te vertellen wat het exacte saldo van mijn rekening op dit moment is?'

'Een ogenblikje, meneer,' zegt ze. We horen het gedempte geluid van een toetsenbord dat ergens in het Amerikaanse Midden-Westen wordt beroerd. 'Hier komt het,' zegt Bonnie. 'Het saldo van uw rekening bedraagt 485.163 dollar en 30 cent.'

'Dank je,' zeg ik. Ik hang op.

Ik knik naar Toby, die achterin staat en op zijn krukken leunt. Hij doet het licht aan.

Alle zes knipperen we naar elkaar in het plotselinge licht.

'Ik wil dat het geld meteen naar mijn rekening wordt overgeboekt,' zegt Napier.

Ik knik. 'Ik regel het direct.'

Napier voegt eraan toe: 'Niet dat ik je niet vertrouw, partner. Ik wil alleen maar zeker weten dat alles in kannen en kruiken is.' Hij wendt zich tot zijn nieuwe, gewapende personeelsmanager en zegt: 'Je kunt niet voorzichtig genoeg zijn, nu we het over écht geld hebben.'

25

HET ETEN VAN VANAVOND bestaat uit biefstuk. Ik heb een roestige oude verrijdbare barbecue in de achtertuin van meneer Grillo weggestopt onder de stoelen. Toby en ik rijden hem eronder vandaan. We nemen plaats op goedkope plastic tuinstoelen, drinken bier uit een blikje en turen naar de gloeiende kooltjes.

Het is een warme avond in augustus, en ik draag een T-shirt en een spijkerbroek. Mijn zoon zit naast me, en ik voel precies het tegenovergestelde van een déjà vu. Dat wil zeggen, ik heb dit perfecte moment nog nooit eerder beleefd, tot mijn eeuwige schaamte en verdriet.

De kolen, de geur van aanstekervloeistof en de vuurvliegjes die rond de rozemarijnstruiken van meneer Grillo oplichten, hebben iets hypnotiserends. We hoeven niet te praten. Hier samen zitten is voldoende – perfect.

Over een paar weken is de zwendel achter de rug, en zal ik voor een aantal maanden, misschien jaren, verdwijnen. Ik huur ergens een huis, misschien een huis op palen met een strodak, vlak bij zee. Ik neem mijn zoon mee. Of misschien neem ik Jessica Smith mee.

Kan ik hen allebei meenemen? Dat is een vraag waaraan ik niet probeer te denken. Want ik weet het antwoord.

Het antwoord is: nee.

Nadat ik de biefstukjes op het hete rooster heb gelegd, zegt Toby: 'Ik wil het even over de zwendel hebben.'

'Ga je gang.'

'Ik raad wat er gaat gebeuren; jij zegt of ik gelijk heb.'

Ik draai de biefstukken met een vork om, tuit mijn lippen, maar zeg niet dat ik met zijn voorstel instem.

'Ed Napier denkt dus dat hij een feilloze manier heeft gevonden om op de aandelenmarkt geld te verdienen. Hij heeft het geld nodig voor dat hotel dat hij wil kopen.'

Ik voel dat Toby me ter aanmoediging aankijkt. Ik doe alsof ik het niet doorheb, en ik prik met de vork in de biefstuk.

'Afijn,' gaat hij verder, 'we laten Napier met steeds grotere bedragen speculeren en betalen hem met het geld van de Professor om alles echt te laten lijken. Vervolgens laten we Napier nog een laatste grote handel plaatsen. Maar er gaat iets mis; hij verliest, en wij houden het geld.'

'Hoe wil je je biefstuk?' vraag ik.

'Rauw.'

'Dan had ik het je vijf minuten geleden moeten vragen. Wat dacht je van goed doorbakken?'

'Ook goed.'

Ik leg de biefstukken op een bord en dek de barbecue af. Weer voel ik dat Toby naar me kijkt.

'Nou?' zegt hij.

'Nou wat?'

'Is dat hoe de zwendel afloopt?'

'Ja,' antwoord ik. 'Dat is hoe de zwendel afloopt. Ongeveer.'

'Ongeveer?'

'Laten we gaan eten,' zeg ik. Einde discussie.

26

DE VOLGENDE OCHTEND word ik gewekt door de telefoon die in de keuken rinkelt. 'Hallo?' zeg ik. Ik denk dat het Jess is, die belt om te vertellen hoe haar afspraak met Napier is verlopen, gisteravond.

Maar het is Ed Napier zelf. Ik ben nog suf, maar ergens in mijn achterhoofd vraag ik me af hoe hij aan mijn huistelefoonnummer is gekomen. Ik heb hem alleen mijn mobiele telefoonnummer gegeven.

'Franklin? Met Ed Napier.' Zijn stem is aan de telefoon net zo luid als in persoon – bulderend, overheersend, klaar om de wereld te veroveren.

'Hallo,' zeg ik.

'Ik heb mijn bank gebeld. Het geld dat je had overgemaakt, staat op mijn rekening. Alle vierhonderdduizend dollar. Het lijkt erop dat je betrouwbaar bent.'

'Heb je daar ooit aan getwijfeld, dan?' vraag ik.

'Ik wil dat jij en Toby bij me komen ontbijten. Kom naar mijn huis in Woodside. We moeten praten.'

'Ja, oké.'

Hij geeft me zijn adres. Ik hang op.

Ik loop naar de slaapkamer, waar Toby zoals gewoonlijk nog ligt te slapen. Ik maak hem wakker, want ik wil dat hij met me meegaat.

De taxi zet mij en Toby voor het hek van Napiers landgoed af. We worden verwelkomd door een beveiligingsmedewerker van middelbare leeftijd, die nieuwsgierig naar onze wegrijdende taxi kijkt. Ik betwijfel of veel van Napiers zakenpartners in een gele taxi arriveren.

Ik zeg tegen de bewaker dat ik Franklin Edison ben en dat ik voor de heer Napier kom.

'Ja,' zegt hij. Hij kijkt op zijn klapbord. 'De heer Napier had al doorgegeven dat u zou komen. Deze kant op.'

Hij sluit het hek achter ons en gaat ons voor over een tegelpad. We komen bij het huis, dat boven ons op een heuvel staat. Het is een huis in Spaans-Moorse stijl, opgetrokken uit wit kalksteen met rode dakpannen.

'Wauw,' zegt Toby. 'Vet huis.'

Het pad loopt naar een overwelfde loggia. We lopen over de loggia, die is ingericht met rotanmeubels en rode bougainvilles in potten. Het huis heeft wel iets van een showroom van Ralph Lauren. Ik verwacht half te worden begroet door een opgewekte blonde verkoopster in een bloemetjesjurk. Ik ben dan ook teleurgesteld als we worden begroet door twee gangsters in kostuum.

De oudere beveiligingsman zegt: 'Deze heren begeleiden u verder.' Hij knikt naar de krachtpatsers.

'Komt u mee?' vraagt de ene krachtpatser aan mij, terwijl hij me bij de elleboog pakt.

De andere pakt Toby bij de arm. 'Hé,' zegt Toby. Hij probeert zich los te wurmen, maar de mannetjesputter houdt hem stevig en meedogenloos vast. Toby verwachtte een heerlijk ontbijt op de veranda, misschien met gepocheerde eieren en pasteitjes, maar het ziet ernaar uit dat Napier andere plannen heeft.

De krachtpatsers leiden ons het huis in. We lopen door een zitkamer die prachtig gedecoreerd is in de Hacienda-stijl uit de jaren dertig, met een bruine leren bank en een biljarttafel. Even hoop ik dat de rouwdouwers ons in deze prachtige kamer achterlaten, waar ik me even kan opfrissen terwijl ik op Ed Napier wacht. Helaas, deze mogelijkheid wordt steeds onwaarschijnlijker. De bullebakken leiden ons via de zitkamer een lange gang in. In tegenstelling tot de loggia en de zitkamer is er weinig moeite gedaan om deze gang te decoreren. De lambrisering bestaat uit ordinaire bruine planken. Ik begin een onaangenaam gevoel te krijgen.

Aan het einde van de gang komen we bij een stalen deur. Een van de krachtpatsers laat mijn elleboog los en reikt in zijn jaszak. Hij haalt er een sleutelbos uit. Hij draait de deur van het slot en zwaait hem open.

Alle pretentie van beleefdheid is verdwenen. Toby en ik worden door de stalen deur de koude, betonnen ruimte in geduwd, die verlicht wordt door tl-buizen. Er staat een tafel tegen de achterwand met twee metalen klapstoeltjes. Peter en Jess staan naast de tafel. Ze zien bleek. Peters handen trillen.

'Hoi, jongens,' zeg ik. Tegen Jess: 'Hoe was je afspraakje gisteren?'

Een van de bullebakken sluit de deur achter ons en gebruikt de sleutel om ons zessen in te sluiten. De andere spierbundel reikt in zijn jaszak en tovert een pistool tevoorschijn.

Ik vraag: 'Komt de heer Napier ons niet vergezellen voor het ontbijt?'

'Nog niet helemaal,' antwoordt de man met het pistool.

'Is er eerst iets anders wat we moeten doen?' vraag ik.

De andere krachtpatser glimlacht. Hij loopt naar me toe. 'Ja,' zegt hij. 'Iets wat ík moet doen.' Zonder waarschuwing vooraf stompt hij me in mijn onderbuik.

'Au,' roep ik terwijl ik me op mijn knieën laat vallen. De andere man – die met het pistool – staat bij de deur op wacht en kijkt me uitdrukkingsloos aan.

'Hé...' zegt Toby. Hij zet een stap in mijn richting.

De man met het pistool draait zich om en richt op Toby's hoofd. Mijn zoon bedenkt zich nu. Hij blijft stokstijf staan en houdt zijn handpalmen ter overgave op. 'Geen probleem,' zegt Toby. 'Geen probleem.'

De spierbundel met de goede rechtse hoek trekt zijn voet naar achteren, alsof hij een schop tegen een voetbal gaat geven. Helaas ben ik in dit geval de bal. Zijn Cole Haan-schoen raakt me tegen de borst en doet mijn adem stokken. Met zwaaiende armen val ik achterover. Ik hoor Jess schreeuwen. Ik val op het beton en trek mijn kin in, om niet met mijn schedel tegen de vloer te slaan. Ik ben totaal overdonderd. Zwak hou ik mijn arm over mijn hoofd om mezelf te beschermen.

De spierbundel heeft klaarblijkelijk de houding van aanpakken die Ed Napier zo bewondert. Ik concludeer dit omdat hij niet tevreden lijkt met het gebruik van alleen zijn vuist en schoen om me te raken. Hij loopt door de kamer en pakt de metalen stoel. Hij klapt hem als een sierlijke paraplu in en loopt terug naar de plek waar ik opgekruld op de grond lig. Hij houdt de stoel hoog boven zijn hoofd en laat hem op mijn rug neerkomen.

'Alstublieft, hou op!' gilt Jess.

Ik probeer 'wacht' te zeggen, maar ik weet niet zeker of er woorden uit mijn mond komen. Mijn hoofd bonkt. Ik hoest en voel vloeistof in mijn keel. Of het speeksel of bloed is, weet ik niet.

In foetushouding lig ik zielig op het beton te kronkelen. Ik hou mijn handen over mijn hoofd en gezicht om me tegen een volgende klap te beschermen, waarvan ik zeker weet dat die gaat komen. Maar hij komt niet. Ik hoor dat een van de krachtpatsers zijn keel schraapt en vervolgens een ander geluid: een deur wordt van het slot gedraaid en gaat krakend open.

Ik kijk op en zie dat Ed Napier zich bij ons in de ruimte heeft gevoegd. Hij sluit de deur.

'Hallo, Franklin Edison,' zegt hij. Hij glimlacht en herhaalt de naam. 'Franklin Edison, toch? Of zal ik je gewoon Kip Largo noemen?'

Ik klauter op de grond op mijn knieën. 'Ja, mij best,' zeg ik vriendelijk.

'Ik weet wie je bent, meneer Largo,' zegt Ed Napier. 'Je bent een oplichter. Net uit de gevangenis ontslagen. Je hebt vijf jaar in een federale penitentiaire inrichting gezeten voor het afzetten van te dikke mensen.'

'Dat is niet waar,' zeg ik. Ik doel op het afzetten van te dikke mensen. Aangezien Toby en Jess hier zijn, wil ik uitleggen dat het Dieetspel een echt product was, en dat ik er zelfs misschien een paar vetzakken mee heb geholpen, maar dat het aandelenfraude was dat me de das om heeft gedaan. Maar ik proef bloed in mijn mond en heb moeite met ademhalen. Ik sla de details maar over.

'Dacht je echt dat je míj kon bedriegen?' zegt Napier. 'Weet je wel wie ik bén?'

Ik knik.

Napier richt zich tot een van de spierbundels. 'Vertel het hem.'

De krachtpatser loopt naar me toe en schopt me tegen mijn borst, waardoor ik achterwaarts over de vloer schuif. 'Hij is Ed Napier,' zegt de bullebak luid.

Ik probeer over de betonnen vloer weg te rollen van mijn kwelgeesten. Ik zie dat ik een spoor bloed achterlaat. 'Oké,' zeg ik. 'Nu weet ik het.'

'Hoe zit het nu eigenlijk, Kip?' vraagt Napier. 'Er bestaat helemaal geen Pythia, hè?'

'Niet meer schoppen,' zeg ik.

Napier zegt tegen de rouwdouwer: 'Volgens mij heeft hij me niet gehoord.'

De krachtpatser loopt weer naar me toe, brengt zijn voet naar achteren en schopt me in het gezicht. Mijn nek knapt. Ik kijk onder me en zie twee van mijn tanden op de betonnen vloer liggen. 'De heer Napier vroeg iets,' zegt de spierbundel.

'Alstublieft,' zegt Jess weer. 'Je schopt hem dood.'

'Interessante voorspelling,' zegt Napier. 'Ik ben er voor negentig procent zeker van dat je gelijk hebt.'

'Stop. Alsjeblieft,' zeg ik. Ik breng mijn vinger naar mijn mond en kijk ernaar. Hij is rood van het bloed. 'Oké,' zeg ik. 'Je hebt gelijk; Pythia bestaat niet.'

'Waar ben je mee bezig?' vraagt Napier. 'Probeer je me te bedriegen? Wat denk je verdomme wel niet? Weet je niet wie mijn vrienden zijn? Weet je niet wie mijn zakenpartners zijn?'

Ik kuch en vrees dat ik ga flauwvallen. Buiten bewustzijn raken is geen onderdeel van het plan. De schop in mijn gezicht ook niet. Napiers mannen zijn een beetje te enthousiast. Ik zeg: 'Het is niet wat je denkt.'

'Vertel me dan wat ik moet denken,' zegt Napier.

Ik kuch nog een keer en kreun.

Napier zegt tegen de spierbundel: 'Volgens mij heeft hij me niet gehoord.'

De krachtpatser loopt naar me toe en brengt zijn voet naar achteren voor een volgende schop.

'Wacht,' zeg ik. 'Ik zal het vertellen.'

Napier houdt twee vingers op. De krachtpatser blijft met zijn schoen omhoog stokstijf staan, alsof hij een danser in een jongensbandje is die op het punt staat een verkeerde beweging te maken.

'Het is inderdaad een zwendel,' zeg ik. 'Dat klopt, maar het geld is echt. De winst is echt.'

De krachtpatser kijkt naar Napier op, alsof hij wil vragen: mag ik hem nu schoppen?

'Ik geef je dertig seconden om alles te vertellen,' zegt Napier tegen mij.

Het gezicht van de krachtpatser verraadt bezorgdheid. Dertig seconden? Ik kan onmogelijk een halve minuut lang mijn voet omhoog houden. Hij zet zijn voet weer op de grond.

'We hebben jouw geld nodig om het te laten slagen. We proberen helemaal niets van je te stelen. We betalen je terug. Het geld dat we vanochtend hebben verdiend – dat was echt.'

'Onzin.'

'De software – die voorspelt helemaal niets. Er zijn geen genetische algoritmen. Geen neurale netwerken. Niets ingewikkelds. We onderscheppen gewoon orders van *brokers.* We veranderen de IP-routing van alle online *brokers* – Datek, Ameritrade, E-trade. We onderscheppen al hun orders. Die komen eerst bij ons. We houden ze twintig, maximaal dertig seconden vast. Onze software analyseert ze. We plaatsen onze order eerst en laten daarna de andere weer los.'

'Langzamer,' zegt Napier. 'Zeg het nog eens.'

Ik haal diep adem. Ik kuch. Ik kijk naar mijn hand. Die is bespat met bloed. 'Het is heel eenvoudig. Als iemand een order op het internet plaatst om een aandeel te kopen, onderscheppen we die. Hij gaat eerst naar ons, niet naar de *broker.* We verzamelen zo duizenden orders – honderdduizenden – en kijken welke aandelen mensen willen kopen. Als we zien dat duizend mensen een bepaald aandeel willen kopen, plaatsen wij als eerste een order. Daarna laten we de andere orders weer los, pas nadat we het aandeel zelf hebben gekocht. De aandelenprijs gaat omhoog omdat iedereen probeert te kopen. We verdienen dus geld en verkopen het aandeel weer.'

'Je loopt dus voorop.'

'We onderscheppen aandeleninformatie voordat het verhandeld wordt. Niemand heeft er last van.'

'Het is illegaal,' zegt Napier.

Ik haal mijn schouders op.

'Waarom dat grote toneelspel? Dat hele Pythia-bedrijf. Waarom heb je mij nodig?'

'Voor het geld. We hebben kapitaal nodig.'

'Leg uit.'

'We hebben een maand – misschien twee – voordat ze ons doorhebben. Daarom heb ik je nodig. We moeten in een maand tijd zo veel mogelijk geld proberen te verdienen, voordat ze ons in de gaten krijgen. Als we maar een paar keer kunnen gokken, laten we het dan groots doen.'

'Je was van plan me op te lichten,' zegt hij, hoewel hij niet zo zeker meer klinkt.

'Nee,' zeg ik. 'Ik zweer het. Het geld is echt. Ik deel het met je, fifty-fifty, precies zoals we hadden afgesproken. Kijk dan, je hebt je bankrekening gecontroleerd. Er staat vierhonderdduizend dollar op. Ik probeer je helemaal niet op te lichten.'

'Als je liegt, vermoord ik je.'

'Ik lieg niet.'

'Misschien vermoord ik je sowieso,' zegt Napier. Hij staart me aan. Hij weegt het bewijs af. Ik ben een oplichter, maar ik heb wel vierhonderdduizend dollar op zijn bankrekening gestort. Dat is geen geldsom die veel mensen hebben rondslingeren. Ik moet toch iets op het spoor zijn.

'Dus er is echt software,' zegt Napier.

'Heel eenvoudige. De software kijkt alleen maar naar wat anderen doen. Wij doen het dan vervolgens als eerste. Het moeilijkste gedeelte is het onderscheppen van de orders.'

'Hoe doe je dat?'

'Dat kan ik je laten zien,' zeg ik.

Ik zit in Napiers Citation jet, twintigduizend voet boven de grond, met Peter naast me. Toby en Jess zitten achter in het vliegtuig. Napier slaapt en snurkt in de stoel voorin en droomt over zijn volgende weekend in St.-Croix, of misschien over een zeekreeftendiner in de Palm. De krachtpatser met de met bloed besmeurde Cole Haan-schoenen zit in de stoel tegenover ons. Hij is klaarwakker en staart naar ons.

De laatste keer dat ik in dit vliegtuig zat, werd er kaviaar en champagne geserveerd door een platinablonde vrouw met geweldige tieten. Nu word ik aangestaard door een gespierde Italiaan met verwijde poriën en een uitstekende rechtse hoek. Tijden veranderen.

Voordat ze ons naar het vliegveld reden, mocht ik me even opfrissen. Met opfrissen bedoel ik dat ik toestemming kreeg om mijn twee tanden van de grond op te rapen, ze in mijn broekzak te stoppen en het bloed van mijn gezicht te spoelen met koud water. Ondanks mijn inspanningen weet ik zeker dat als we in New York landen, ik niet door *Vogue* op straat ontdekt zal worden en gevraagd zal worden voor modellenwerk.

Na zes uur landen we op LaGuardia. Bij de gate worden we begroet door twee dikke kerels in pakken. Ze schudden Napier de hand en buigen respectvol hun hoofd. Ze leiden ons door de terminal naar het parkeerterrein. Ik verwacht minstens een limousine, misschien een Rolls Royce. Maar ze tonen ons een blauw-wit geverfd busje, met een gele sirene op het dak en een logo van nutsbedrijf Consolidated Edison op beide zijkanten.

'Zoals u gevraagd had, meneer Napier,' zegt een van de kleerkasten.

Mijn team van vier klimt achter in het busje van het nutsbedrijf en stapt over trossen koperdraad, draadscharen en lederen gereedschapsriemen. Napier en zijn spierbundels zitten op de achterbank van het busje, de twee krachtpatsers uit New York voorin.

Terwijl we het parkeerterrein van LaGuardia af rijden, vraagt de chauffeur: 'Waar naartoe, meneer Napier?'

Napier draait zich naar me om in zijn stoel. 'Waar is het?'

'In het centrum,' zeg ik. 'Tussen Fourteenth en Fifth.'

We racen door Queens en rijden via de Midtown Tunnel Manhattan in. Een halfuur nadat we vertrokken zijn, stoppen we voor een artdeco gebouw van vijf verdiepingen. In een stalen bord bij de voordeur staat gegraveerd: DATEK SECURITIES.

'Hier is het,' zeg ik.

We parkeren dubbel op Fourteenth Street. Napiers spierbundels klimmen uit het busje en lopen naar de achterkant om ons eruit te laten. Hoewel ieder van ons er op zijn manier belachelijk uitziet, weet ik zeker dat Ed Napier het meest absurd oogt: zongebruind, Hermes stropdas, Armani-pak – en een witte plastic valhelm. Maar ik mis twee voortanden en heb een jaap in de vorm van een swastikateken op mijn voorhoofd, alsof ik klaar ben voor een terechtstelling. Misschien lacht Napier wel om *míj*.

'Laat maar zien,' zegt hij.

Peter gaat ons voor. We lopen door de straat. Op de kruising met Fifth wijst hij naar het asfalt, naar een putdeksel. 'Hier is het.'

De New Yorkse kleerkasten proberen het deksel met hun vingers op te tillen, maar tevergeefs. Een van hen schudt zijn hoofd en loopt terug naar het busje. Even later komt hij terug met een breekijzer en een zaklantaarn. Hij drukt het deksel omhoog en schuift het op het asfalt.

'Daarbeneden,' zegt Peter.

Peter hurkt, pakt een sport van de trap vast en klimt naar beneden. Ik vraag Napier met een blik toestemming om hem te volgen. Hij knikt.

Ik ga achter Peter aan naar beneden. We dalen vier meter af een tunnel in. Het is donker en vochtig. De muren, voor zover ik in de duisternis kan zien, zijn bekleed met dikke draden en pvc-buizen. Ik stap bij de trap weg om Napier erlangs te laten. Hij springt naast me op de grond. Toby en Jess volgen.

Napier roept naar zijn mannen: 'Geef me de zaklamp.'

Napiers krachtpatser gooit de zaklamp in het gat. Napier vangt hem. Hij schijnt met de lichtbundel op Peters gezicht.

'Daar heb ik het aangelegd,' zegt Peter. 'Daar.'

Peter wijst naar de muur. Napier richt de zaklamp op een zwart plastic doosje, zo groot als een sigarendoos. Op de doos knipperen twee groene LED-lampjes.

'Datek heeft een T-3-verbinding die hierdoor naar het kantoor loopt,' zegt Peter. Hij wijst naar een zwarte kabel, zo breed als een pink, die aan het achterpaneel van de plastic doos is gelast. 'En hier komt hij er weer uit.' Hij wijst naar een tweede, zwarte kabel, die uit de doos komt. 'Beschouw het als een soort router. We hebben hem zes weken geleden geïnstalleerd. Elk aandelenpakket dat Datek binnengaat, komt eerst in deze doos.'

'En je onderschept alles wat binnenkomt?' vraagt Napier.

'Precies. Als een pakket in deze doos komt, wordt het doorgesluisd naar ons kantoor in Californië. Wij besluiten of we het meteen doorsturen naar Datek of dat we het vasthouden.'

'Als het een aandelenorder is, hou je het vast,' zegt Napier. Hij begint de zwendel te begrijpen.

'Klopt,' zegt Peter. 'We kunnen per keer tienduizenden orders in de wacht zetten. We bekijken tienduizend orders en controleren wie welke aandelen koopt. Als we zien dat veel mensen een bepaald aandeel kopen, sturen we onze order vanuit Californië en kopen het aandeel als eerste. Zodra we gekocht hebben, laten we de orders los die in de wacht hebben gestaan. Het klinkt als een omvangrijke operatie, maar het proces gaat heel snel. De extra sprong naar Californië en terug kost ongeveer een tiende van een seconde. Plus hoelang we de orders vasthouden.'

'En niemand heeft het in de gaten?' vraagt Napier.

'Nog niet. Uiteindelijk zal dat wel gebeuren. Maar we houden orders nooit lang vast. Dertig seconden op z'n hoogst. En niet voortdurend, slechts een paar minuten per dag. Het zal dus even duren voordat mensen het doorkrijgen.'

'Waarom denk je dat het ontdekt wordt?'

Ik antwoord voor Peter. 'Omdat dat altijd gebeurt. Dat is een regel. Zo zit het leven in elkaar.'

Napier knikt. Hij begrijpt die regel. Zijn hele leven – de aankoop van zijn eerste casino met maffiageld, het terugslaan naar de familie in Genovese, zijn steekpenningen aan de kansspelcommissie in Nevada – zijn voorbeelden geweest van nét niet gepakt worden. Hij weet dat hij ooit aan de beurt zal zijn.

Peter vertelt verder. 'We hebben een doos hier vlak bij Datek geplaatst, een in Omaha bij Ameritrade en een in het centrum, vlak bij E-trade. We kunnen zo naar ongeveer veertig procent van het dagelijkse Nasdaq-volume kijken. Dat lijkt misschien niet veel, maar het is genoeg om te garanderen dat we kunnen bellen als een aandeel fluctueert.'

'Verbijsterend,' zegt Napier. Hij denkt even na. 'Is er iets wat de doos met jullie in verband brengt? Stel dat iemand hier naar beneden gaat en het ding vindt.'

'Om de achtenveertig uur nemen de dozen contact op met onze servers in Californië,' antwoordt Peter. 'Als de servers niet met de juiste beveiligingscode reageren, wissen de dozen automatisch hun eigen geheugen. Ze houden er gewoon mee op, alsof ze er nooit zijn geweest. Als iemand hier komt, zijn we veilig. Er is niets wat naar ons leidt. Slechts een paar onderdelen die je in elke doe-het-zelfzaak kunt kopen.'

'Goed,' zegt Napier.

Ik ga met mijn tong over mijn bovengebit en voel de gaten waar mijn twee voortanden hebben gezeten. Ik zeg tegen Napier: 'Wat vind je ervan?'

Hij knikt. 'Voor een stelletje schoften,' zegt hij, 'hebben jullie best knap werk verricht.'

Om elf uur die avond landen we weer in Palo Alto. Napier brengt ons terug naar zijn huis.

We lopen over de overdekte loggia, door de warme avond en het geluid van krekels. Ik ruik jasmijn en rozemarijn. Het is twaalf uur geleden dat ik in elkaar ben geslagen, en ik kan wel een drankje gebruiken.

Napier gaat ons via de zitkamer voor naar de eetzaal. De tafel is formeel gedekt met linnen lakens en klassieke kaarsen.

'Ga zitten,' zegt Napier.

We nemen plaats. Een man in kostuum verschijnt. Hij draagt een fles wijn op een zilveren dienblad. Hij schenkt elk van ons een glas in.

'Goed,' zegt Napier. 'We drinken op onze nieuwe overeenkomst.'

'Wat voor nieuwe overeenkomst?' vraag ik.

'Ik leen jullie geld. Jullie gaan door met waar jullie mee bezig zijn: geld verdienen op de aandelenmarkt. We delen alles 80-20.'

'Zo hadden we het niet afgesproken,' zeg ik.

'Zoals ik al zei,' legt Napier uit, 'onze níéuwe overeenkomst.'

'En als ik weiger?' vraag ik, ook al weet ik het antwoord al.

'Dan geef ik je aan. Ik pleeg een telefoontje naar de FBI en beschrijf hoe jij aandelen manipuleert. Dan ga je terug de bak in, Kip, voor lange tijd. Begrepen?'

Ik knik.

'Nog één ding,' zegt Napier. 'Als ik ontdek dat jullie me op wat voor manier ook oplichten, tegen me liegen, zelfs al is het een piepklein leugentje, dan laat ik jullie vermoorden. Allemaal.'

Hij kijkt elk van ons aan, langzaam – misschien in de volgorde waarin hij ons laat vermoorden? – om zich ervan te vergewissen dat we hem begrijpen.

'Goed,' zegt hij. Hij pakt een glas van tafel en houdt het in de lucht. 'Ik wil graag een toast uitbrengen. Op onze nieuwe samenwerking.'

Mijn team draait zich naar me om, op zoek naar leiding. Ik haal mijn schouders op, als om te zeggen: wat kan het schelen. Vervolgens hef ik mijn glas. 'Op onze nieuwe samenwerking,' zeg ik. 'En op volledige, totale eerlijkheid.'

Iedereen heft zijn glas.

Ik zie ineens dat Napier glimlacht, alsof ik iets grappigs heb gezegd.

27

NATUURLIJK ZIT ER in de doos die we onder Fourteenth Street in Manhattan hebben geplaatst niet meer dan een batterij van negen volt en twee knipperende groene LED-lampjes. Ondanks mijn ingewikkelde verklaring van de doos, dat die internetbestellingen onderschept en doorstuurt naar ons kantoor in Californië, en dat we tienduizenden aandelenorders analyseren, is de realiteit prozaïscher. De doos doet niets, behalve dat hij groene lichtjes laat knipperen. We onderscheppen niets. We analyseren niets.

Wat we doen is groene lampjes laten knipperen.

Had je iets anders gedacht? Hou dan in gedachten dat dit een verhaal is over zwendel. In een zwendel neemt iedereen deel aan een toneelstuk. En iedereen weet dat het een toneelstuk is, op één man na. En als je een zwendel opzet, wil je er zeker van zijn dat jíj die man níét bent.

28

ALS IK DE VOLGENDE DAG wakker word, lijk ik op mysterieuze wijze naar de kathedraal van Chartres in Frankrijk getransporteerd te zijn. Mijn hoofd is stevig in de grote koperen klok boven in de toren gedrukt, en onder me speelt een monnik op het carillon een levendige versie van 'Yankee Doodle Dandy'.

Tenminste, zo voelt het in mijn schedel. Het duurt even voordat ik besef dat ik niet in Chartres ben, maar – een stuk minder interessant – op mijn eigen bank lig in mijn eigen woonkamer in Palo Alto met een gekneusd borstbeen, twee ontbrekende voortanden en barstende koppijn.

Ik ga rechtop zitten en maak me los van de bank. Ik wrijf over mijn wang en voel de afdruk van de bekleding van de bank in mijn vel. Ik probeer me te herinneren wat er gisteravond is gebeurd: de lange vlucht terug uit New York, het diner bij Napier thuis, de op dreigementen geïnspireerde zakendeal, de vele glazen wijn en daarna de rustige rit naar mijn appartement in Jess' auto.

Ik kijk op mijn horloge. Het is zaterdag, tien uur 's ochtends. Ik strompel door mijn woonkamer en ben verbaasd te zien dat MrVitamin.com gisteravond, toen ik door maffialeden in elkaar werd geslagen, voor 983 dollar aan vitaminen heeft verkocht. Het lijkt onmogelijk, dus ga ik achter de computer zitten en haal de transactiegegevens op voor een extra controle. De verkopen zijn inderdaad echt, van over het hele land: een potje vitaminen hier, een potje visolietabletten daar. De reden voor de plotselinge interesse in mijn website is me een raadsel: Misschien heb ik goede persberichten gehad, of misschien is het allemaal gewoon mazzel. Maar het voelt goed om te weten dat ik misschien toch nog een toekomst in handel via internet heb, mocht de Grote Zwendelzaak op niets uitlopen.

Ik breng dertig minuten door met bladeren door de Gouden Gids en tandartsen bellen in een poging een praktijk in de buurt te vinden voor een spoedingreep op zaterdag.

Uiteindelijk neem ik een taxi naar San José, naar een tandarts met een exotische, buitenlandse naam vol verrassende medeklinkers en een opvallend leeg afsprakenboek.

Maar doctor Chatchadabenjakalani is, als hij inderdaad een echte doctor is, vriendelijk en efficiënt. Zijn praktijk op de eerste verdieping, boven een Vietnamees restaurant, is schoon, hoewel het er vaag naar *Nam Pla* ruikt, Thaise vissaus. Voordat ik achterover op de tandartsstoel ga liggen, reik ik in mijn jaszak en bied de dokter mijn twee voortanden aan, die ik de afgelopen dag als amuletten met me mee heb gedragen.

Doctor Chatchadabenjakalani houdt zijn hand op en accepteert mijn tanden gracieus. Hij duwt zijn bril naar zijn voorhoofd en bekijkt mijn tanden zorgvuldig, als een Amsterdamse diamantslijper. Uiteindelijk verkondigt hij: 'Ik vrees dat deze niet meer te gebruiken zijn.' Hij geeft ze aan me terug, voor het geval ik ze wil bewaren.

'Laat maar,' zeg ik. 'U mag ze houden.'

Twee uur later ben ik terug in Palo Alto, met twee glanzende witte voortanden, zo goed als nieuw. De rekening van vijfhonderd dollar die de dokter me onderweg naar buiten geeft, mag de pret niet drukken. Ik beschouw de uitgave als zakelijke kosten, zoals de meeste mensen dat doen met de rekening van hun advocaat of fotokopieerkosten. Je voortanden laten vervangen, nadat je in het gezicht bent geschopt door de handlangers van je doelwit? In mijn branche is het gewoon de prijs voor het zakendoen.

In mijn appartement zit Toby op de bank. Hij praat op gedempte toon in zijn mobiele telefoon. Als ik binnenloop, zegt hij tegen degene aan de andere kant van de lijn: 'Ik kan maar beter ophangen. Het is pa.'

Ik sluit de deur achter me. Hij neemt afscheid van degene met wie hij belt, klapt de telefoon dicht en gooit hem op de bank naast zich.

'Wie was dat?' vraag ik.

'Ma.'

'Wat moest ze?'

'Ze wilde weten hoe het met me ging, controleren of ik nog leef.'

Ik leg mijn sleutels op de tafel bij de voordeur en ga bij Toby in de woonkamer zitten. Hij staart naar mijn mond.

'Je tanden zien er goed uit,' zegt hij.

'Dankzij doctor Chatchadabenjakalani.'

'Dat meen je niet.'

'Hij is Thais.'

'Is dat soms de reden dat ze daar nog met stokjes eten? Omdat ze te veel tijd verdoen met het uitspreken van elkaars naam om nog tijd te hebben voor uitvindingen zoals een vork?'

Ik ga naast hem zitten. 'Dat vind ik een erg racistische opmerking.'

'Maar ik heb wel gelijk, toch?'

'Misschien.'

'Mag ik je een vraag stellen?'

Ik haal mijn schouders op.

'Je wílde dat Napier zou ontdekken wie je was, hè? Je liet hem uitzoeken wie je was, dat je een oplichter bent. Dat vormt ook onderdeel van de zwendel, hè?'

'Je niet-aflatende verlangen naar een cursus oplichten.'

'Wil je het me dan niet leren?'

'Ik wil niet dat je gaat doen wat ik doe. Ik wil dat je dokter wordt, of ingenieur, of tandarts. Weet je wat ik vandaag heb ontdekt? Dat die het op de maatschappelijke ladder en in financieel opzicht erg goed doen.'

'Daar is het wel een beetje laat voor,' zegt hij. 'Ik ben wat ik ben.'

Ik wil zeggen: en wat is dat dan? Maar voor één keer slaag ik erin mijn mond te houden en mijn eigen zoon niet te beledigen. In plaats daarvan zeg ik: 'Het is nooit te laat om te veranderen.'

Hij grijnst. 'Zoals jij, bedoel je?'

Ik zucht. Soms kan hij gemeen zijn. Van wie heeft hij dat gen? Van mij of van Celia? Dan besef ik het: van mijn eigen vader. Die gemene ouwe rotzak.

Ik beantwoord een andere vraag: 'Ja,' zeg ik. 'Ik verwachtte dat Napier erachter zou komen wie ik was. Het is de enige manier waarop het gaat werken. Hij moet geloven dat hij iets illegaals doet.'

Toby knikt. 'Zodat we hem aan het einde van de zwendel op de vlucht kunnen jagen? Doen alsof we gearresteerd worden, of zo. Toch?'

Ik antwoord niet, maar sta op van de bank. 'Ik heb berehonger. Ga je mee lunchen?'

'Heb net gegeten.'

'Prima. Ik ben zo terug.'

Ik loop de stad in.

Het is zaterdag, eind augustus, en de universiteit heeft zomerreces. University Avenue, de straat die tijdens de herfst krioelt van de studenten en skateboarders, is verlaten. De hele stad lijkt leeg en provisorisch, een filmdecor dat binnenkort wordt afgebroken. Terwijl ik over het trottoir loop, toets ik een telefoonnummer in.

Na twee keer overgaan, neemt Celia op. 'Hallo?'

'Hallo, met Kip.'

'Hoi, Kip.' Ik hoor haar iets zeggen tegen iemand die bij haar in de kamer is – iets wat klinkt als 'mijn echtgenoot...' Daarna hoor ik een mannenstem en het geluid van voetstappen. Uiteindelijk komt ze terug aan de lijn. 'Wat is er?'

'Toby vroeg me je te bellen. Hij wil zijn verontschuldigingen aanbieden omdat hij jullie telefoongesprek zo abrupt heeft beëindigd. Hij zegt dat het hem spijt.'

'Ik heb... Toby heeft helemaal niet gebeld...' Ze klinkt verward.

'Dat is vreemd,' zeg ik. 'Dan heb ik hem verkeerd begrepen. Afijn, hoe gaat het?'

'Bel je gewoon om te kletsen?'

'Ja,' zeg ik. 'Klopt. Hoe gaat het met Carl? Alles goed?'

'Alles is goed.' Ze klinkt ijzig nu. Ach, wat maakt het uit.

'Oké,' zeg ik. 'Volgens mij bel ik niet gelegen.'

'Nee... Het is alleen...'

'Ik begrijp het. We bellen een andere keer wel weer. Dag, Celia.'

'Dag.'

Ik hang op en stop de telefoon in mijn jaszak.

Toby blijkt dus een vrij goede leugenaar te zijn. Hij belde niet met zijn moeder. Misschien zat ik er toch naast wat dat gen betreft. Misschien heeft hij het toch van mij.

Ik besluit het ontbijt over te slaan en meteen te gaan lunchen.

Onderweg stop ik twee kwartjes in een krantenmachine en pak er een *San José Merc* uit. Daarna loop ik naar El Pollo Loco en bestel een taco met vis en een cola. De bediende geeft me een bonnetje. 'U bent nummer dertien,' zegt hij. 'We roepen om als het klaar is.'

Ik ga aan een tafeltje zitten en begin de krant te lezen. Alsof ik een acteur in een gigantische, surrealistische karmische grap ben, sla ik de financiële bijlage open en zie een foto van Ed Napier in net pak achter een roulettetafel. Het lijkt wel alsof ik niet aan Ed Napier kan ontsnappen, zelfs al ben ik alleen maar uit op een vistaco. Het artikel gaat over Napiers strijd om de aankoop van de oude Tracadero. Wat ooit begonnen is als een weinig interessant onroerendgoedverhaal, is nu klaarblijkelijk een trendy soapserie geworden. In grote lijnen: het oude Tracadero-casino gaat failliet. Ed Napier komt als de ridder op het witte paard langs en biedt aan de Tracadero te kopen, het af te breken en de grond opnieuw te bebouwen. Hij wil er het grootste casino van Las Vegas neerzetten, vier keer zo groot als The Clouds! (Zo citeren de kranten Napier – met uitroeptekens na zijn spannende verkondigingen! Het hotel wordt groot! Het grootste van Las Vegas!) De obligatiehouders van de oude Tracadero, die enkele weken geleden nog dachten dat ze slechts een paar centen van iedere geïnvesteerde dollar zouden terugzien, stemmen in met de deal. Helaas voor Napier duikt op het allerlaatste moment nog een investeerdersgroep op, die een concurrerend bod doet. Het bod komt van een vrij onbekend consortium van Europese en Japanse investeerders. Dus verhoogt Napier zijn bod en verandert het van een *all equity-offer* in een *equity plus cash-offer*. De obligatiehouders van de Tracadero stemmen in met Napiers nieuwe voorwaarden. Maar dan verhogen de Europeanen en Japanners hun bod. Ze bieden nog meer. Napier doet een tegenbod. Nu er een biedoorlog gaande is, ruiken de kranten een verhaal. Sommige berichten dat Napier het geld dat hij beweert te hebben, helemaal niet heeft. Omdat zijn bedrijf een bv is, is bijna niemand op de hoogte van zijn financiële positie, maar het gerucht gaat dat die positie precair is. De bouw van The Clouds heeft hem bijna de das om gedaan, beweren sommigen. Een aantal politici begint te mompelen over Napiers banden met de georganiseerde misdaad. Andere politici mopperen dat de Tracadero – het laatste onderontwikkelde terrein langs de *Strip* – niet aan Europeanen en Japanners verkocht zou moeten worden.

Wat duidelijk is, achter de rookgordijnen en steekpenningen aan krantenvertegenwoordigers en politici, is dat twee bedrijven in een dodelijke strijd verwikkeld zijn om een investering die miljarden dollars moet opleveren. Ed Napiers geld raakt op, en hij heeft snel meer nodig om de hoofdprijs te kunnen opeisen.

Dat is natuurlijk het moment waarop ik in beeld kom.

Terwijl ik dit alles verwerk, merk ik dat er iemand op de stoel tegenover me plaatsneemt. Ik trek de krant naar beneden en zie Dmitri, het sloofje van Professor Sustevich.

'Hallo, Dmitri,' zeg ik. 'Hoe gaat het in de kwaadaardige handlangerbusiness?'

'Kom mee, alstublieft,' zegt Dmitri.

'Sorry, Dmitri,' zeg ik. Ik reik in mijn borstzakje, haal mijn Pollo Loco-bonnetje tevoorschijn en laat het hem zien. 'Ik ben nummer dertien. Ik wacht op mijn taco.'

'Professor Sustevich wil je spreken.'

'En ik hem,' zeg ik. 'Nadat ik mijn taco heb opgegeten.'

Het omroepsysteem kraakt en een stem verkondigt: 'Nummer dertien. Nummer dertien.'

'Zie je wel?' zeg ik.

Ik sta op uit mijn stoel. Tot mijn verrassing voel ik een hand op mijn schouder. Ik draai me om en zie Hovsep, Sustevichs luciferkopspecialist achter me staan. Waar komt hij ineens vandaan? Ik voel een lange, koude vinger in mijn rug, die in mijn nier prikt. Het duurt even voordat ik besef dat het geen vinger is.

'Wat wil je nou?' vraag ik. 'Me in El Pollo Loco neerschieten?'

Dmitri kijkt verward. 'Wat is dat?'

Het duurt even voordat ik besef dat hij denkt dat ik het over een lichaamsdeel heb waarvan hij nog nooit heeft gehoord. 'Nee,' zeg ik. 'Ik bedoel: ga je me midden in een restaurant neerschieten?'

'Ja,' antwoordt Dmitri alleen maar.

'Heeft de Professor je dat opgedragen? Dat je me *en plein public* moet neerknallen?'

'Ja,' zegt Dmitri weer. Hij staart me uitdrukkingsloos aan.

'Oké,' zeg ik. 'Ik kan ook later eten. Staat de auto voor?'

Ik word naar een zwarte Lincoln geleid. We rijden in noordelijke richting over de I-280 door de stad. Dertig seconden later stoppen we voor het hek van Sustevichs huis in Pacific Heights. Een potige man loopt het beveiligingshokje uit en leunt over de auto. Dmitri draait zijn raampje naar beneden en zegt iets in het Russisch. De twee mannen lachen. Misschien wisselen ze hockeyuitslagen uit, of halen ze herinneringen op aan de avond dat ze zich zo vermaakt hebben in de stripclub. Of misschien lachen ze om wat mij zo meteen te wachten staat.

De bewaker loopt terug naar zijn hok en het hek zwaait open. De Lincoln trekt op en het hek sluit zich met een solide klap achter ons.

Onder de zuilengang voor het huis word ik begroet door dezelfde vlezige blonde man die – vele weken geleden – aan mijn testikels heeft gevoeld toen hij me onderzocht op wapens. 'Jij weer,' zeg ik. 'Na de laatste keer had ik minstens een telefoontje verwacht.'

'Mobieltje, alstublieft,' zegt hij terwijl hij zijn hand uitstrekt. Ik reik in mijn jaszak en haal mijn Motorola tevoorschijn. Ik leg hem in zijn hand.

'Til uw armen op, alstublieft,' zegt de blonde Hulk.

Ik til mijn armen op. De Russische man fouilleert me: langs mijn armen, over mijn ribbenkast. Hij hurkt en voelt van mijn enkels tot aan de binnenkant van mijn dij, en daarna knijpt hij even snel in mijn ballen. Hij gaat weer staan. 'Kom met mij mee,' zegt hij.

Hij gaat me voor naar de foyer, de grote ruimte met de dure zwartwitte marmeren vloer en de statige wenteltrap. Op een tafel in het midden staat een vaas met gladiolen, als een begrafenisarrangement. Professor Sustevich loopt net de trap af als ik binnenkom. 'Ah, meneer Largo,' roept hij naar me. 'Bedankt voor uw komst.'

'Ik had het voor geen goud willen missen.'

'Komt u met mij mee, alstublieft,' zegt Sustevich. Hij loopt door de foyer de woonkamer in. Ik loop achter hem aan.

'Wilt u iets eten?' vraagt hij.

'Vistaco's,' zeg ik.

'Vistaco's?' Hij kijkt verward. 'Ik weet niet wat dat is.'

'Gewoon een uitdrukking. Als je je goed voelt, roep je: "Vistaco's!"'

'Aha.'

'Dat zeggen jongeren tegenwoordig. De MTV-generatie.'

'Hmm.' Hij neemt me aandachtig op. 'Iets drinken?'

'Vistaco's, ja!'

Hij knikt. 'Ik begrijp het.' Hij loopt naar de buffetkast en opent een fles Johnny Walker. 'Drinkt u whisky?'

'Vandaag wel,' zeg ik. Ik wijs naar mijn tanden.'Ik ben net bij de tandarts geweest.'

'Echt?'

'Twee rouwdouwers hebben mijn voortanden eruit geslagen.'

Hij kijkt naar mijn tanden. 'Ik zie er niets van.'

'Doctor Chatchadabenjakalani,' zeg ik. 'Geen naam die je graag uitspreekt als je twee voortanden mist. Maar hij is een genie. Kostte me vijfhonderd dollar.'

'Juist.' Hij schenkt twee glazen whisky in en geeft mij er een. 'Weet u waarom ik u gevraagd heb hier te komen?'

Ik sla mijn whisky in drie teugen achterover. Ik vermoed dat ik het nodig zal hebben. 'Ik neem aan dat u me gaat bedreigen, me opdraagt het geld terug te betalen dat ik heb geleend. Of anders...'

'Ja,' zegt de Professor. 'Dat klopt precies.'

'Niet om het een of ander, maar had u me niet gewoon kunnen bellen? Was het echt nodig om me hiernaartoe te halen?'

'Ik wil het graag demonstreren.'

'Dat klinkt niet prettig,' zeg ik.

Sustevich draait zich naar rechts om en praat tegen de lege kamer. 'Dmitri,' zegt hij. Hij zegt de naam zacht, alsof Dmitri naast hem staat. Precies een seconde lang lijkt Sustevich gestoord, omdat hij tegen een onzichtbare vriend staat te praten. Maar dan, als bij toverslag, verschijnt Dmitri om de hoek en loopt naar de exacte plek waarnaar Sustevich staart.

'Ja, Professor?'

'Hoeveel tijd heeft de heer Largo nog om ons twaalf miljoen dollar terug te betalen?'

'Acht dagen.'

De Professor knikt. 'Acht dagen. Niet veel tijd. Bent u in staat me terug te betalen?'

'Dat denk ik wel. Maar stel dat ik, omwille van de discussie, nog een paar dagen extra zou vragen. Is dat dan onderhandelbaar?'

'Ja,' zegt Sustevich.

'Oké,' zeg ik, in de veronderstelling dat de Professor toch nog redelijk is.

'Maar voor elke dag die u extra vraagt, snij ik een van uw vingers af.'

Ik knik. 'Juist. Dus tien dagen extra is echt de uiterste limiet.'

'Dat hoeft niet.'

'Nou, ik denk dat ik toch maar probeer om de oorspronkelijke deadline te halen.'

'Heel verstandig. Dmitri, neem de heer Largo alsjeblieft mee naar de kelder en toon hem het belang van tijdige afbetaling.'

'Weet u,' zeg ik. 'Dat is echt niet nodig.'

Dmitri trekt een pistool uit zijn jaszak en glimlacht naar me. 'Alstublieft,' zegt Dmitri. 'Komt u met mij mee.'

'Luister,' zeg ik tegen Sustevich. 'We zijn zakenpartners. Geweld is niet nodig.'

'Ik heb begrepen dat u laatst naar de luchthaven van Palo Alto bent gereden. Dat u aan boord van een vliegtuig bent gestapt. Twee keer in twee dagen. Ik hoop dat u niet probeert te vertrekken zonder uw schuld aan mij terug te betalen. Dat zou onverstandig zijn.'

'Volledig met u eens.'

'Alstublieft,' zegt Dmitri. 'Komt u met mij mee.'

'Ik ga niet met je mee,' zeg ik.

Dmitri duwt de loop van het pistool tegen mijn voorhoofd. Met zijn vlezige duim spant hij de haan.

'Ho, ho, ho,' zeg ik. Ik til mijn handen langzaam in de lucht. 'Rustig aan met dat ding. Ziet er stoer uit in films, maar is niet slim om te doen, de haan spannen terwijl de vergrendeling eraf is. Waar heb je dat in vredesnaam geleerd?'

'Het Russische leger,' antwoordt Dmitri.

'O,' zeg ik.

'Dmitri is erg ongeduldig,' zegt Sustevich. 'Ik zou maar met hem meegaan als ik u was.'

'Prima.'

Dmitri trekt de loop van het wapen van mijn voorhoofd weg.

'Ik zie u over acht dagen. Bent u hier dan?' vraagt de Professor.

'In vol ornaat.'

'Vistaco's dan, meneer Largo,' zegt Sustevich terwijl hij zwierig met zijn vingers salueert. Hij draait zich om en verlaat de ruimte.

'Ja, u ook vistaco's.'

Dmitri gaat me via een donkere trap voor naar de kelder. Het is een kale, betonnen ruimte, zo'n vijftien vierkante meter, met een peertje in een emaillen fitting en een trekkoordje. Ik vermoed dat deze kamer het laatste is wat veel mannen zien.

'Oké, Dmitri,' zeg ik. 'Wat ben je van plan? Ga je me in elkaar slaan?'

'Ja.'

'Dat is helemaal niet nodig. Ik ben een zakenpartner van je baas. Ik verdien geld voor hem. Ik wérk voor hem.'

'Ja,' zegt hij.

'Dmitri,' zeg ik. 'Misschien is het in elkaar rammen van werknemers in Rusland normaal, maar we zijn hier in Silicon Valley. Dit is de Nieuwe Economie. Iedereen is hier freelance werknemer. Het internet verandert alles. We werken allemaal aan "Project Ik".'

'Ja,' zegt hij. Met dit als waarschuwing geeft hij me een rechtse hoek tegen mijn kaak. Ik vlieg achterover en val op de betonnen vloer. Ik voel een pijnscheut van mijn stuitje naar mijn nek gaan. Heb ik mijn heup gebroken?

'Godsamme,' roep ik. 'Ik heb verdorie net vijfhonderd dollar voor nieuwe tanden neergeteld. Ben je gek geworden?'

Meteen heb ik spijt van mijn opmerking, want klaarblijkelijk beschouwt Dmitri die als een voorstel voor een volgende treffer. Hij geeft een stevige trap tegen mijn tanden. Als het niet zo pijnlijk was, zou ik lachen, want daar gáát het werk van doctor Chatchadabenjakalani; het stuitert over de betonnen vloer; een van de voortanden rinkelt als een bal in een roulettewiel tegen de achterwand.

'O,' zeg ik beduusd, terwijl ik met mijn wijsvinger het nieuwe gat in mijn gebit aanraak.

'Oké,' zegt Dmitri. 'Dat was het. U hebt acht dagen. De volgende keer laat ik u gif drinken.'

'Gif drinken?' zeg ik. Ik schud mijn hoofd. 'Jullie Russen zijn volledig gestoord. Waarom we jullie in vredesnaam niet met kernwapens hebben bestookt toen het nog kon, is mij een raadsel.'

'Ja,' zegt Dmitri. Hij buigt voorover en reikt me de hand. Nu hij me in elkaar heeft geramd en mijn voortand eruit heeft geslagen, is hij mijn vriend. Hij trekt me overeind en slaat op mijn rug. 'Acht dagen,' zegt hij weer. 'U moet ons twaalf miljoen dollar terugbetalen.'

'Dat weet ik,' zeg ik. 'Of anders dood je me met gif.'

'En je zoon,' zegt Dmitri terwijl hij zijn wijsvinger ophoudt. 'Vergeet je zoon niet.'

De taxirit terug naar huis kost honderdtwintig dollar, wat belachelijk veel is, concludeer ik wanneer ik uitstap en de deur dichtsla. Sinds het auto-ongeluk heb ik meer aan taxi's uitgegeven dan ik oorspronkelijk voor mijn tweedehands Honda heb betaald.

Terug in mijn appartement pleeg ik twee snelle telefoontjes: het eerste naar Hank's Service Station om naar mijn auto te informeren ('nog drie dagen'), het tweede naar doctor Chatchadabenjakalani ('kom direct maar'). Een taxirit naar San José (23 dollar) en twee verdovingsinjecties later heb ik een níéuwe nieuwe voortand, die helaas niet helemaal dezelfde kleur heeft als mijn oude nieuwe voortand. Nadat het beschermkapje in mijn tandvlees is vastgezet, houdt doctor Chatchadabenjakalani een spiegel voor mijn gezicht, als een kapper die een nieuw kapsel toont.

'Oké?' vraagt hij.

Ik staar naar mijn nieuwe tweekleurige glimlach, een kleurenpalet van wit en ivoor, als de lobby van een Ian Schrager-hotel. Kan het schelen, denk ik. De tijd van vrouwen versieren is allang voorbij. 'Knap werk, doc,' zeg ik.

De doctor loopt met me mee naar de receptie en zoekt de prijs op in zijn computer. Ik verwacht eigenlijk een soort korting – ik heb tenslotte binnen twaalf uur tijd drie tanden gekocht – maar doctor Chatchadabenjakalani geeft me een rekening van tweehonderdvijftig dollar voor de tand, precies de helft van wat hij rekende voor de eerste twee.

Ik moet toegeven dat de gelatenheid die ik voelde toen ik zijn praktijk de eerste keer verliet nu ver te zoeken is. Wanneer doctor Chatchadabenjakalani me, als ik zijn praktijk verlaat, vrolijk achterna roept: 'Tot later vanavond, misschien!' wuif ik met mijn hand over mijn schouder en brom hem gedag.

Die avond kijken Toby en ik naar worstelen op de televisie. Ik kan de sport ineens wel waarderen. Terwijl ik kijk naar de twee langharige gespierde mannen die door de ring huppelen, met hun borst die glinstert van de olie, besef ik dat ik veel gemeen heb met Killer Eight Ball en Frankie the Fist. De mannen zijn natuurlijk acteurs en volgen een script, en veel van het gekarikaturiseerde geweld is nep – eigenlijk niet meer dan choreografie. Maar af en toe gebeurt er iets onverwachts: een vuistslag iets te ver naar rechts, een uitglijder op het canvas, een slecht getimede sprong of een vergeten koprol. Spieren worden gekneusd, botten gebroken. Er zijn tijden geweest, weet ik, dat er mannen zijn gestorven.

Ik ga met mijn tong over mijn tweekleurige voortanden. Het enige verschil tussen mijn soort zwendel en die van hen is, denk ik, de hoeveelheid geld die erin omgaat. En natuurlijk die dreiging van gif drinken. Dat is een worstelaar vast nog nooit overkomen.

Terwijl we televisiekijken, rinkelt de telefoon. Ik neem op. Het is Ed Napier.

'Morgenochtend stort ik geld op je rekening. Drie miljoen dollar.'

'Drie miljoen dollar,' herhaal ik. 'Oké.'

'Herinner je je onze afspraak?'

'Jazeker,' zeg ik.

'Haal geen domme dingen uit.'

'Ik zou niet durven.'

'Bel me als het geld er is.'

Hij hangt op.

Toby draait zich naar me om. 'Wie was dat?'

'Ed Napier.'

'En?'

'Hij maakt morgen drie miljoen dollar naar me over.'

'Drie miljoen,' zegt hij. 'Je bent Sustevich maar twaalf verschuldigd. Je bent er bijna.'

'Bijna,' beaam ik.

Toby glimlacht en knikt. Voor de eerste keer in mijn leven is hij van zijn vader onder de indruk.

29

HET IS MAANDAGOCHTEND tien uur, en Toby, Jess en ik spelen tafelvoetbal.

Tafelvoetbal is een spel van miniatuurgeweld. We draaien onze polsen en slaan rijen plastic voetbalspelertjes van zes centimeter hoog tegen een gele pingpongbal. De tafel schudt en bonkt. De bal vliegt, slaat tegen de wand en ketst terug.

Ik beweeg mijn pols snel heen en weer. Mijn plastic mannetje slaat de bal richting doel. Jess gilt: 'Nee!'

De bal schiet langs Jess' verdediger het net in. 'Shit,' zegt ze. 'Waar blijft Peter, verdorie?'

Het is twee tegen één: ik en Toby aan de ene kant, Jess aan de andere. Peter is de hele ochtend al afwezig. Een ochtend zonder zijn programmeerkunsten gaat nog, maar we kunnen hem niet missen bij het tafelvoetballen.

'Toby,' zeg ik. 'Bel hem.'

'Heb ik net gedaan.'

'Bel dan nog een keer.'

Toby verlaat de tafel, pakt zijn krukken en hinkt naar de telefoon. Hij toetst Peters nummer in, luistert naar het antwoordapparaat en hangt op. 'Niet thuis,' zegt hij.

'Waar is hij toch?' vraagt Jess weer.

'Hij komt zo wel,' zeg ik. Ik pak de bal uit het net en gooi hem op de tafel. 'Vijf-twee,' zeg ik en ik sla de bal tegen Jess' plastic mannetje.

Peter arriveert even na elven, bleek en buiten adem.

'We moeten praten,' zegt hij zodra hij binnen is.

Toby, Jess en ik spelen nog steeds tafelvoetbal. Jess staat vreselijk op verlies. 'Neem je positie in,' zegt ze. Zonder op te kijken wijst ze naar de plaats naast zich.

Toby gooit de bal op de tafel. Jess wipt haar mannetje naar achteren en schiet de bal in de richting van ons doel. Toby trekt zijn spelers naar links, waardoor de tafel rammelt. Hij stopt de bal met een klap.

'We moeten praten,' zegt Peter Room weer.

Hij loopt naar de tafel, pakt het balletje en stopt het in zijn broekzak.

'Hé!' roept Toby.

'Het is belangrijk,' zegt Peter.

Ik kijk op. 'Wat is er?'

'Ik schei ermee uit.'

'Wat?'

'Ik schei ermee uit.'

'Dat kan niet,' zeg ik. 'We zitten midden in... waar we mee bezig zijn. We hebben je nodig.'

'Er is iets gaande,' zegt hij.

'Hoe bedoel je?'

'Ik word gevolgd.'

'Je wordt gevolgd? Nou, en? Toby en ik worden ook gevolgd. Ja toch, Toby?'

'Klopt. Mijn vader schrok er zo van dat hij een auto-ongeluk heeft veroorzaakt. Hij heeft bijna een non vermoord.'

Ik zeg tegen Peter: 'Het zijn waarschijnlijk mannen van Napier, of misschien wel van Sustevich.'

'Dat denk ik niet. Ze waren met te veel. Er zijn wel vijf teams. Als ik 's avonds thuiskom, staan ze op het parkeerterrein. Een ander team volgt me op de 101. Gisteren zag ik een derde team in Mountain View. En er zijn gezichten. Ze komen me zo bekend voor, maar ik kan ze niet plaatsen. Ik zie voortdurend dezelfde mensen op straat, of in een restaurant. Ik zweer het je: Ik word gevolgd.'

'Door wie?' vraag ik.

'De politie.'

'De politie van Palo Alto heeft geen surveillanceteam van twintig man. Ze redden alleen katten uit bomen.'

'Dan zijn ze van de FBI.'

'Je verbeeldt het je maar,' zeg ik.

'Misschien. Maar ik hou ermee op.'

'Peter,' zeg ik. 'Rustig nou even. Je houdt er niet mee op.'

'Ik ga niet de gevangenis in, Kip. Ik weet dat het voor jou niets nieuws is – weinig voorstelt. Maar ik speel dit spelletje niet meer mee, sorry. Het is het allemaal niet waard.'

'Ten eerste,' zeg ik rustig, 'is het geen spelletje. Niet meer. Er staan mensenlevens op het spel.' Voor het geval hem niet duidelijk is wat ik bedoel, voeg ik eraan toe: 'Dat van mij en Toby, bijvoorbeeld.'

'Maar –'

Ik onderbreek hem. 'Ten tweede is het het wél allemaal waard. We hebben het hier over een heleboel geld.'

'Je had beloofd dat ik niet in de problemen zou komen.'

'Je zit ook niet in de problemen.'

'Waarom volgt de politie me dan?'

'Peter, wil je even rustig doen?' Ik wend me tot Jess. 'Jess, heb jij gemerkt dat iemand je volgt?'

'Ik weet het niet. Misschien een of twee keer. Maar ik weet het niet zeker.'

'Peter,' zeg ik. 'We hebben je nodig. Nog zeven dagen, dan is het voorbij. Dan ben je een miljoen dollar rijker. Voor zeven dagen werk.'

'Kip, zie je het dan niet? Het loopt uit de hand.' Hij schudt zijn hoofd en wijst naar me. 'Ik bedoel, kijk alleen al naar je tanden.'

'Wat is er mis met mijn tanden?' vraag ik ineens opgelaten. Ik krul mijn bovenlip over mijn voortanden.

'Ze zijn verschillend van kleur, man.'

'Kun je dat zien?'

'Ja, dat kan ik zien.'

Ik kijk naar Jess. Ze haalt haar schouders op, als om te zeggen dat ook zij het ziet.

'Luister,' zegt Peter. 'Het wordt gewoon eng. Grote Italiaanse schurken in maatpakken die je in elkaar slaan. Russische gangsters met pistolen.'

'Dmitri is een vriend van me,' verklaar ik. Ik denk aan die keer dat hij me van de vloer heeft geholpen nadat hij mijn tand eruit had geslagen.

'Het spijt me. Ik wil nog niet dood. Ik ben gelukkig met de honderdduizend dollar die ik per jaar verdien met Java-codes schrijven. Ik kan deze onzin niet gebruiken.'

'Peter,' zeg ik. 'Weet je nog wat ik gezegd heb? Toen je vroeg of je mee mocht doen?' Ik herhaal de woorden, en benadruk ze. 'Toen je vróég of je mee mocht doen?'

'Wat?'

'Als je meedoet, kun je niet meer terug.'

'Is dat een dreigement, Kip?'

'Nee,' zeg ik. Ik steek mijn handen omhoog. 'Ik zou je nooit iets aandoen.'

'Iets aandoen? Hebben we het nu over geweld? Tegen mij?'

'Ik zei dat ik je nooit iets aan zou doen. Rustig maar.'

Hij schudt zijn hoofd.

'Peter,' zegt Jess. 'Kip heeft je niet bedreigd. Rustig nou. We hebben je nog zeven dagen nodig. Daarna kun je vakantie nemen.'

'Kom op, Peter,' zegt Toby.

'Nog zeven dagen?' vraagt Peter.

'Nog zeven dagen,' zeg ik. 'Alsjeblieft.'

Peter schudt nog een keer zijn hoofd en loopt weg. Maar hij stormt niet kwaad het gebouw uit, dus voor iedereen lijkt het dat we nog minstens zeven dagen van Peters diensten gebruik kunnen maken. En dat is precies hoe ik wil dat het lijkt.

30

ALS EEN ZWENDEL goed gaat, voel je je als Jezus Christus die water in wijn verandert, de menigte voedt en de doden tot leven wekt.

Vanochtend bezoekt Napier mijn kantoor. Hij heeft drie miljoen dollar naar mijn rekening overgemaakt. Het duurt niet lang meer of ik zal zijn drie miljoen in zes miljoen omzetten en vervolgens terugstorten. Dit is het begin van het einde. Na vandaag zal Napier gek worden van hebzucht. Hij zal de kans om zijn winst te verdubbelen zien en grijpen. Te laat zal hij beseffen dat geld is als verlossing: Het wordt niet gemakkelijk gegeven; en als het komt, kun je het niet lang vasthouden.

In de vergaderzaal dimmen we de lichten, zetten de projector aan en kijken toe terwijl Pythia het scherm vult met tien grafieken en tien voorspellingen. De rode doelcirkels spatten op het scherm als regendruppels in een poel, de ene na de andere, en de aandelenprijzen stijgen en dalen en belanden in de cirkels waar Pythia zegt dat ze zullen belanden. We verdienen hier tienduizend dollar en daar negenduizend. We kijken toe terwijl Pythia het proces herhaalt, tien grafieken per keer, een gok met honderdduizend dollar per dertig seconden, totdat onze winst is opgelopen tot vijfhonderdduizend, daarna zevenhonderdduizend en dan uiteindelijk een miljoen.

In vier minuten hebben we twee miljoen dollar verdiend. In zes minuten drie miljoen.

Uiteindelijk loopt Peter naar het toetsenbord en typt iets in. We kijken naar een tabel, gevuld met getallen. Hij draait zich naar Ed Napier om. 'U hebt zojuist drie miljoen dollar in zes miljoen dollar omgezet.'

'O ja?' zegt Napier. 'Ik heb nog nooit van mijn leven zo weinig gewerkt. En dat wil iets zeggen.'

Met de speakertelefoon tegenover Napier en mijn team bel ik mijn *broker* en geef hem de transactiegegevens: Ik zal nu zes miljoen dollar van mijn rekening naar die van Napier overboeken. Natuurlijk kan ik niet echt de aandelenmarkt voorspellen, en natuurlijk heeft Pythia geen echte aandelenhandel geplaatst, en de software plus de kennis erachter zijn hartstikke nep. Maar om een zwendel te laten werken, moet het geld wel echt zijn. Dus de zes miljoen dollar die ik nu naar Napiers rekening overmaak, is geen illusie. Het is het geld dat Sustevich ons heeft geleend. Het was zijn investering in onze zwendel, zijn durfkapitaal.

Dertig seconden nadat ik heb opgehangen, wordt er op de voordeur geklopt. Ik loop door de hal om open te doen. Toby en Jess volgen.

Ik trek de deur open. Twee mannen – een blanke en een zwarte – gekleed in identieke uniformen en met een stijlvolle vliegeniersbril op, staren me aan.

'Kip Largo?' vraagt de blanke man.

'Ja?'

'Hij zwaait met zijn penning. 'Ik ben agent Farrell. Dit is agent Crosby. We zijn van de FBI. Mogen we even binnenkomen? We hebben een paar vragen.'

3

KIPPENBLAAS

31

IK GA DE FBI-AGENTEN voor door de hal, langs de Ms. Pac-Man en onze serverruimte, naar onze vergaderzaal. Peter heeft in elk geval nog het gezonde verstand om de projector uit te zetten en voor de agenten het bewijs te verbergen van onze omvangrijke aandelenfraude, dat in heldere kleuren op het grote scherm geprojecteerd stond.

'Goed, wat is er aan de hand, heren?' vraag ik. Ik hoor mijn eigen stem. Ik klink vriendelijk, maar nerveus. Ik zwaai met mijn hand en bied de agenten aan plaats te nemen aan de vergadertafel. Ze accepteren mijn aanbod niet, maar slaan het ook niet af. Ze blijven gewoon stokstijf staan.

Agent Crosby vraagt aan mij: 'Hebt u hier de leiding?'

'Soms,' antwoord ik. 'Als de zaken goed gaan.'

Mijn poging tot humor wordt niet gewaardeerd. Crosby staart me aan. Hij is een grote, donkere man met een hoofd dat een week geleden nog stijlvol geschoren was, maar er nu onverzorgd uitziet, als een stuk gazon na een lang zomerweekend. Hij heeft brede schouders en een starre houding. Misschien is hij een ex-militair, of misschien was zijn vader agent. Hij kijkt me streng aan. Uiteindelijk zegt hij: 'Ik wil u iets vragen over uw bedrijf. Over wat u precies doet.'

'Wat we precies doen?' herhaal ik. 'Nou, dat is nogal ingewikkeld, eigenlijk...' Ik denk even na en haal diep adem. 'En het is vrij technisch...'

Napier spreekt op. 'Wacht even, Kip.' Hij doet een stap naar voren. 'Je hoeft die vraag niet te beantwoorden.'

De agenten richten zich nu tot Napier, alsof ze hem voor het eerst opmerken. 'En u bent?' vraagt Crosby.

'Ed Napier. Ik investeer in dit bedrijf. Ook zit ik in de Raad van Commissarissen. Pythia ontwikkelt zeer interessante technologie, maar vanwege de concurrentie vrees ik dat we het nog geheim moeten houden.'

‘Natuurlijk,’ zegt Crosby. Hij kijkt Napier met samengeknepen ogen aan, alsof hij wil zeggen: Is hij wie ik denk dat hij is?

Agent Farrell zegt: ‘Wacht eens even. Bent u Ed Napier? Dé Ed Napier uit Las Vegas?’

‘Dat klopt.’

‘Ik was vorig weekend nog in The Clouds.’

Napier werpt hem een brede glimlach toe. ‘Dat meent u niet. Hoe hebt u het gedaan?’

‘Tweehonderd dollar verloren.’

‘Is dat alles wat we aan u hebben verdiend?’ vraagt Napier met zijn zware donderstem. ‘Volgens mij moet u dit weekend nog maar een keer langskomen!’

De FBI-agenten lachen. Napier lacht. Zelfs ik probeer te lachen. Peter staat in de hoek van de kamer. Hij lacht niet.

‘Nou, meneer Napier,’ zegt agent Crosby, ‘de reden dat we hier zijn, is dat we een aantal van uw werknemers willen ondervragen. Agent Farrell en ik werken voor de CCTF – sorry, de Cyber Crime Task Force. We hebben rapporten gekregen over *hack*pogingen afkomstig van IP-adressen binnen uw bedrijf.’

‘Aha.’

Crosby neemt het over. ‘De doelwitten zijn online *brokers*: Datek, E-Trade en Schwab.’ Hij heft zijn handpalm in de lucht. ‘Begrijp me niet verkeerd. We beschuldigen niemand hier van het *hacken* van computersystemen. Maar soms gebruiken werknemers de faciliteiten van hun bedrijf om misdrijven te plegen.’

‘Natuurlijk,’ zeg ik.

‘Dus hopen we van u een lijst met alle medewerkers van Pythia te krijgen. Zo heet uw bedrijf, toch?’

‘Dat klopt,’ zeg ik.

‘Dan kunnen we die lijst vergelijken met onze eigen lijst.’

‘Uw eigen lijst?’

‘Misdadigers, criminelen, mensen met een duister verleden.’

Ik kijk op en zie Peter. Hij staart me aan alsof hij wil zeggen: mensen zoals jíj.

‘Natuurlijk,’ zeg ik.

‘Vervolgens willen we graag met uw werknemers spreken. Op volledig vrijwillige basis. Een paar minuten per persoon. U weet wel, soms is het feit dat de FBI op de stoep staat al voldoende om mensen de stuipen op het lijf te jagen, om dingen te laten uitlekken.'

'Juist,' zeg ik. 'Het probleem is dat we veel met contractanten werken. Ongeveer tien personen. Strikt gesproken zijn het niet allemaal werknemers.'

'Maar u weet wel wie ze zijn,' zegt Crosby.

'Zeker.'

'Nou, dat is prima. Dan ook graag een lijst van hen.'

Ik schraap mijn keel. 'Wat denkt de FBI dat deze hackers precies doen? Waarom online *brokers*? Verduisteren ze geld?'

'Dat weten we niet zeker,' zegt agent Farrell. 'Daarom willen we ook met de mensen praten. Het allemaal uitzoeken.' Hij wijst naar zijn schedel, om te demonstreren waar al dat uitzoekwerk gebeurt.

'Oké,' zeg ik. 'Ik zal een lijst voor jullie opstellen. Later vandaag heb ik hem klaar.'

Agent Crosby geeft me een visitekaartje. Ik kijk ernaar. Het is voorzien van een versierd bladgouden FBI-logo, een adelaar die pijlen vasthoudt. Heel authentiek. Je kunt vijftig visitekaartjes precies zoals deze voor 34,95 dollar kopen op www.businesscards.com. Geloof me, ik kan het weten.

'Als de lijst compleet is, kunt u hem faxen,' zegt Crosby.

'Akkoord,' zeg ik. 'Zal ik doen.'

'Luister,' zegt Napier, 'als jullie heren dit weekend niets te doen hebben, waarom komen jullie dan niet naar The Clouds? Ik zorg voor alles. Adembenemende penthousesuites op de vierendertigste verdieping. Neem jullie echtgenotes gerust mee.'

'Ik ben niet getrouwd, eigenlijk,' zegt Farrell.

'Nog beter,' zegt Napier met een knipoog. 'Ook daar zorg ik voor.'

Crosby lacht. 'Ik weet het niet...'

'Ik meen het,' zegt Napier. 'Hier is mijn visitekaartje.' Hij reikt in zijn zak en haalt er een stapel visitekaartjes uit. Hij geeft er een aan Crosby en een aan Farrell. 'Bel gerust mijn assistente, Clarissa. Dit weekend, volgend weekend, wanneer dan ook. Geef uw naam door en zij regelt verder alles. Misschien zie ik u daar binnenkort.'

'Dat is heel genereus van u,' zegt agent Crosby. 'Maar ik vrees dat we dat niet kunnen doen. Geschenken aannemen van iemand die bij een onderzoek betrokken is...'

'Ben ik bij een onderzoek betrokken, dan?' vraagt Napier.

'Een beetje. Voorlopig.'

'Oké,' zegt Napier. Hij haalt zijn schouders op. 'Misschien wanneer dit allemaal achter de rug is.'

'Ja,' zegt Crosby. 'Misschien.' Hij knikt. Maar ik zie het: de lichaamstaal van de agent is veranderd. Hij is niet langer stijf en agressief. Zijn schouders hangen, zijn houding is relaxt.

Zie je nu hoe je miljardair wordt? Als iemand je criminele activiteiten onderzoekt, bied je hem een penthouse en een hoertje aan. En al die tijd dacht je dat het neerkwam op een goed stel hersens en hard werken.

De twee agenten draaien zich om en willen vertrekken. Farrell reikt naar de deur, maar stopt met zijn hand op de klink. Hij draait zich om naar Peter. 'Gewoon ten bate van mijn aantekeningen: Hoe heet jij?'

Peter, die bleek was toen de FBI binnenkwam, heeft nu de verschijning aangenomen van een week oude sneeuw: grijsachtig wit, langzaam smeltend. 'Ik?'

'Ja.'

'Peter,' zegt hij. 'Peter Room.'

Farrell pakt zijn notitieblokje uit zijn jaszak en schrijft iets op. 'Peter Room,' herhaalt hij. Hij wendt zich tot Jess en Toby. 'En jullie twee?'

'Toby Largo,' antwoordt mijn zoon.

'Jessica Smith.'

Farrell knikt. Hij schrijft de namen op. Hij drukt zijn pen dicht, schuift hem in de spiraal van zijn notitieblok en steekt die terug in zijn jaszak.

'Dank u,' zegt hij. Hij knikt naar agent Crosby, en de twee mannen vertrekken.

Zestig seconden later, nadat we de Pontiac van de FBI van onze parkeerplaats hebben zien rijden, kondigt Peter aan: 'Dat was het. Ik ben er klaar mee.'

'Je bent er klaar mee?' vraag ik.

'Ik stop ermee.'

'Peter,' zeg ik. Ik kijk betekenisvol naar Ed Napier. 'Niet nu.'

'Het kan me niet schelen of hij het hoort,' zegt Peter. 'Ik ga niet de gevangenis in, niet voor jou, niet voor hem, of voor wie dan ook. Ik ben hier weg.'

Napier zegt: 'Peter, rustig aan. Die twee kerels zijn boerenkinkels. Geloof me. Ze gissen maar wat. Als ze echt iets hadden, zouden ze ons wel arresteren. Maar ze hebben niets.'

'Als ze niets hebben, waarom waren ze dan hier? Hoe wisten ze van Datek en de andere *brokers*?'

'Misschien ben je niet voorzichtig genoeg geweest,' zegt Napier.

'Krijg de tering,' zegt Peter.

'Ho, ho,' zeg ik.

Napier trekt zijn wenkbrauw op. Voor de eerste keer sinds ik hem ken, spreekt hij zacht, half tegen zichzelf. 'Uitkijken, Peter.'

'Uitkijken? Hoezo? Ga je me in elkaar slaan of zo?'

Napier blijft glimlachen.

'Peter,' zeg ik. 'Behandel de heer Napier alsjeblieft met respect.'

'Ja, hoor,' zegt Peter. 'Jij wilt respect? Hier heb je respect.' Hij kijkt Napier aan. 'Met alle respect deel ik mee...' Hij wendt zich nu tot mij. 'Dat ik hier weg ben.' Hij loopt naar de deur. Hij opent hem en blijft op de drempel staan. 'Trouwens,' zegt hij terwijl hij zich naar ons omdraait. 'Als jullie denken dat ik hier bewijs achterlaat dat naar mij leidt, zijn jullie gek.'

Hij vertrekt en slaat de deur dicht.

'Een ding dat me is opgevallen,' zegt Napier, alsof hij een ander gesprek voortzet, 'is dat die computerjongens arrogante rotzakjes zijn. Ze denken altijd dat ze de slimsten zijn.'

'In Peters geval,' zeg ik, 'is dat waar.'

'We zullen zien,' zegt Napier. Hij kijkt peinzend in de verte. Als ik moest raden wat hij dacht, zou het zijn: Moet ik Peter nú vermoorden of later?

'Wat bedoelde hij met dat hij geen bewijs achter zou laten?'

'Dat weet ik niet,' antwoord ik.

Napier kijkt naar Jess. 'Jessica?'

'Ik heb geen idee,' zegt ze.

'Peter doet de laatste weken een beetje vreemd,' zeg ik. 'Hij is bang dat hij gepakt wordt.'

Napier knikt. Uiteindelijk zegt hij: 'Peter heeft nu andere dingen om bang voor te zijn.'

Later, als Napier vertrokken is, nemen Toby en ik een taxi naar Hank's

Service Station aan Willow Road om eindelijk mijn Honda op te halen. Ik betaal het taxigeld voor naar ik mag hopen de laatste keer, regel de betaling met Hank (de verzekering minus een eigen risico van vijfhonderd dollar) en daarna zijn we weg en racen over Willow terug naar huis. Nu de zwendel zijn climax nadert – nog vier dagen, op zijn hoogst – ben ik in een royale bui, en overweeg ik Toby mee uit eten te nemen.

Toby zit op de achterbank met zijn gipsbeen op de versnellingsbak naast mijn elleboog. Hij staart uit het raam en denkt in stilte na. Dit is een kant van Toby waarmee ik voorheen niet bekend was: nadenkend, zwijgend. Het is een kant van hem die ik graag vaker had gezien, toen hij opgroeide.

Uiteindelijk zegt hij: 'Dat heet een *button*, toch?'

'Wat?'

'Als je nep FBI-agenten in je kantoor laat opdraven, om je doelwit af te schrikken. Om druk uit te oefenen.'

'Denk je dat?' vraag ik.

'Je zou het me echt moeten vertellen, pa,' zegt Toby. 'Ik dacht dat het hele idee was dat je me zwendels zou leren.'

'Het hele idee,' zeg ik, 'was te voorkomen dat jij werd afgemaakt.'

'Wat je ook hebt gedaan.'

'Tot dusver.'

Nog meer stilte terwijl Toby uit zijn raam staart. Uiteindelijk zegt hij: 'Dus ik heb gelijk? Dit is een *button*? De FBI-agenten zijn niet echt, toch?'

'Nee,' zeg ik. 'Ze zijn niet echt.'

'Gewoon acteurs?'

'Gewoon acteurs.'

'Ze waren wel goed,' zegt Toby. 'Heel overtuigend.'

'Dank je.'

'Die gespierde zwarte was goed. Leuk gedaan.'

'Dat dacht ik.'

'En die met dat kaalgeschoren hoofd. Heel Kojak-achtig.'

Ik sla op Middlefield links af en rijd Palo Alto binnen. Aan de horizon zie ik regenwolken – ongewoon voor deze tijd van het jaar. Noord-Californië kent eigenlijk twee seizoenen: Nat en Droog, nooit tegelijkertijd. Maar sinds kort, sinds een paar jaar, regent het in de zomer en blijft het droog in de winter. Ik geloof dat dit alles onderdeel vormt van Gods kosmische plan om je compleet in verwarring te brengen. Hele religies zijn gesticht om uit te leggen waarom God zoiets zou willen doen. Ik word niet door de vraag gestoord. Een zwendel is een zwendel, wie hem ook begaat.

'En hoe zit het dan met Peter?' vraagt Toby.

'Wat is er met hem?'

'Hij acteert ook alleen maar, toch? Onderdeel van de zwendel?'

'Toby, je stelt te veel vragen.'

'Ik ben nieuwsgierig.'

'Kindertjes die vragen, worden overgeslagen.'

'Ik vind het gewoon vreemd, meer niet.'

'Wat?'

'Meedoen aan een zwendel, maar niet weten wat er gebeurt.'

'Wees niet beledigd,' zeg ik. 'Het is voor je eigen bestwil. Hoe minder je weet, hoe beter.'

Toby gromt. Het kan een gebaar van instemming zijn, misschien zelfs een teken van groeiende volwassenheid, dat hij eindelijk accepteert dat sommige dingen niet te bevatten zijn. Of misschien is het alleen maar een grom, een onwillekeurig schrapen van de keel, een geval van vastzittend slijm.

32

DE GROTE VRAAG bij elke zwendel is hoe je hem moet beëindigen. Het is gemakkelijk om geld van iemand te stelen; het probleem is ermee weg te komen. Je wilt niet dat je doelwit naar de politie stapt of – in het geval van rijke, machtige, enge mannen – dat ze je op eigen houtje opspeuren en je over de hele wereld achtervolgen.

Idealiter is je doelwit zich, als alles achter de rug is, totaal niet bewust van het feit dat hij is opgelicht. Hij moet denken dat zijn opwindende onderneming is mislukt als gevolg van een verkeerd begrepen telefoontje, of domme pech, of slechte timing. Hij zou in feite enthousiast moeten zijn om de zwendel opnieuw te proberen! Een Grote Zwendel is er een waarin je je doelwit twee of drie keer kunt bespelen, met steeds grotere inzet, totdat je hem alles hebt afgenomen. Als je doelwit wegloopt zonder zich ervan bewust te zijn dat hij is bespeeld, dan is je opzet geslaagd en mag je trots op jezelf zijn.

Hoe raak je dus een doelwit kwijt als je zijn geld eenmaal binnen hebt? De *button*, die Toby noemde, is een manier. Je organiseert een *button* als volgt: Je smeert de zwendel over verscheidene weken uit. Je laat je doelwit langzaam tot het besef komen dat hij door deel te nemen aan een illegaal plan, grote hoeveelheden geld kan verdienen, risicovrij. Je laat je doelwit een paar keer winnen, zodat hebzucht zich van hem meester maakt. Hij wint bijvoorbeeld een paar paardenraces, dankzij de 'onderschepte' telegraafberichten. Of hij verdient een miljoen dollar op de aandelenmarkt, dankzij een illegale routerdoos, verborgen onder een putdeksel in Manhattan.

Je kijkt toe terwijl de opwinding van je doelwit toeneemt. Je kunt zijn lippen praktisch zien bewegen terwijl hij de rekensom maakt en het geld telt dat hij op het punt staat te winnen...

Dan organiseer je de climax. Er komt nog een laatste grote gok, waarin het doelwit in staat zal zijn zijn fortuin te verdienen. Maar natuurlijk moet hij alles inzetten wat hij heeft.

Dus wedt hij op een paard...

Of hij koopt een miljoen aandelen...

Of hij koopt een winnend lot van een nietsvermoedende oude vrouw...

Wat de zwendel ook is, dit is wat er dan gebeurt: het doelwit wint. Zijn paard komt als eerste binnen. Zijn aandeel verdriedubbelt in prijs. Hij weet, met andere woorden, dat hij slechts minuten verwijderd is van het innen van zijn prijs – miljoenen dollars, enorme rijkdom! Maar op het moment waarop hij probeert het winnende racelot in te wisselen, of probeert zijn aandelenportefeuille te liquideren, of wat hij ook moet doen, gebeurt er iets onverwachts. Een bezoekje van de FBI misschien? Of een lokale politieagent in uniform? Of een telefoontje van een officier van justitie?

Meestal dringt de politie de gokhal binnen en dreigt iedereen te arresteren. Het doelwit ontkomt – nog net op tijd. Hij dankt de hemel. Hij is bedroefd dat hij niet in staat is zijn prijs op te eisen, dat hij zijn inzet heeft verloren, maar is opgelucht dat hij niet in de gevangenis zit, gebrandmerkt als crimineel, zijn leven aan flarden gescheurd.

Het doelwit denkt na over hoe dicht hij is gekomen bij het tarten van het lot, het winnen van een fortuin. Hij verlangt naar de dag waarop de lokvogel hem belt en hem de mogelijkheid biedt om het plan nog een keer te proberen.

Dat is pas een Grote Zwendel. Wanneer het slachtoffer niet weet dat hij bedonderd is. Wanneer het slachtoffer verlangt naar de dag waarop hij opnieuw wordt geplukt.

Toby heeft dus gelijk wat de agenten Farrell en Crosby betreft. Ze werken niet echt voor de FBI. Ze werken voor Elihu Katz, of een van zijn vrienden, of een van de vrienden van zijn vrienden. Het zijn zwendelaars, net zoals ik. Ze opereren vanuit Los Angeles. Je kunt ze per stuk inhuren voor vijfhonderd dollar per dag plus onkosten en een klein stukje van de taart die aan het einde van de klus wordt verdeeld. Ik weet niet veel van 'agent Farrell' en 'agent Crosby', maar ik meen me te herinneren te hebben gehoord dat het werkloze soapacteurs zijn, en dat agent Crosby zelfs twee weken lang een rolletje als dokter in *Days of our Lives* had, totdat de schrijvers besloten dat hij 'te zwart' was en hem bij een ongeluk lieten omkomen. Voor zover ik weet, heeft geen van Crosby's zwendelslachtoffers hem ooit herkend als de man van de televisie. Blanke Amerikanen uit het Midden-Westen zijn zo bang om beschuldigd te worden van denken dat 'alle zwarte mannen op elkaar lijken' dat ze het duidelijke feit over het hoofd zien dat de FBI-agent die met een gevangenisstraf dreigde een paar maanden geleden nog een hersenoperatie uitvoerde op de televisie.

Het is ergens wel prettig dat Toby het mechanisme van de zwendel zo snel heeft ontrafeld. Hij weet wat we Napier proberen aan te doen. Hij wist instinctief dat de verschijning van de FBI in ons kantoor vanmiddag in scène was gezet, de voorbereiding voor de laatste *button.*

Mijn zoon Toby heeft een goede intuïtie. Een deel van me is trots op hem. Een deel van me is teleurgesteld. En een deel van me, moet ik toegeven, is een heel klein beetje bang.

33

TOBY EN IK GAAN TERUG naar huis. We vegeteren een uur lang voor de televisie en kijken naar de *World Wrestling Federation Smackdown!* (uitroepteken is onderdeel van de programmatitel, niet mijn eigen enthousiasme). Na afloop besluiten we Palo Alto in te gaan voor hamburgers en bier.

Het is een warme avond. Een briesje waait uit het westen. Het daalt van over de heuvels op ons neer en draagt de geur van stof en rozemarijn met zich mee. Ik voel dat het gaat regenen. Even, nadat we drie straten zijn gepasseerd, overweeg ik terug te gaan naar mijn appartement om een paraplu te halen, maar dan besluit ik door te lopen – het restaurant is maar vier straten verderop – en het risico te nemen. Het leven is een eindeloze reeks gokken, klein en groot. Elke keer dat je je huis verlaat, of in je auto stapt, of probeert criminelen af te zetten, is het hetzelfde: Je neemt een risico. Nat worden of vermoord worden. Steeds maar weer het lot tarten.

Toby hinkt op zijn krukken naast me. 'Over een week mag het eraf,' zegt hij. Hij bedoelt het gips.

Onzeker wat ik erop moet zeggen, probeer ik: 'Goed zo.' Niet voldoende vaderlijk, besluit ik. Ik voeg eraan toe: 'Daar kijk je vast enorm naar uit.'

'O, zeker weten,' zegt Toby. 'Loop jij maar eens zes weken in de zomer in het gips.'

'Liever niet,' zeg ik.

'Maak de Russen dan maar niet boos.'

'Goed advies.'

We eten bij Gordon Biersch, een keten in de buurt van de baai met drie vestigingen, die zijn eigen bier brouwt en zich qua klandizie richt op programmeurs en Stanford-studenten. Nu de universiteit gesloten is en de helft van zijn cliëntèle mist, is het er leeg. Ik drink net iets te veel bier, maar ik voel me goed. De zwendel verloopt voorspoedig en er zijn geen verrassingen.

Anderhalf uur later zijn we weer thuis. Toby loopt meteen door naar de badkamer en begint te plassen met de badkamerdeur halfopen. Beleefd.

Ik besluit er niets van te zeggen en trek de gordijnen dicht, de slotscène van de dag. Over vijftien minuten zal ik in slaap vallen. Over drie dagen zit ik in een vliegtuig naar een ver en warm oord – Phuket Bay, misschien, of de Malediven. Zelfs als de zwendel perfect verloopt, en het doelwit niet beseft dat hij is opgelicht, is het nooit slim om te blijven hangen. Uit het oog, uit het hart.

Toby keert te snel terug uit de badkamer.

'Was je je handen even?' vraag ik.

'Jezus, pa. Ik ben vijfentwintig.'

'En je hebt net geplast.'

'Hij heeft de hele dag in mijn onderbroek gehangen, hoor. Het schoonste deel van mijn lichaam.' Hij denkt even na en besluit dat het het niet waard is om ruzie over te maken. Hij haalt zijn schouders op en hinkt terug naar de badkamer. Ik hoor het geluid van stromend water en het zeepbakje dat over de keramische wasbak schraapt.

Er wordt aan de deur geklopt. Ik kijk door het kijkgaatje. Het is de Arabische kleinzoon van meneer Grillo. Ik open de deur. Ik denk dat hij me met iets wil lastigvallen, misschien met de mededeling dat ik echt een vergunning nodig heb om vanuit mijn appartement vitaminen te verkopen. Of misschien geeft hij me een standje omdat ik een *highball* heb gedronken met meneer Grillo en hem heb geholpen met zijn rekeningen.

Maar hij heeft iets anders op zijn lever. 'Hé, Kip,' zegt hij. 'Mag ik even binnenkomen?'

Ik doe een stap opzij en laat hem passeren. Hij blijft in het halletje staan. 'Ik moet je iets vertellen,' zegt hij. 'Er kwamen twee figuren langs toen je weg was vanavond.'

'Figuren?'

'FBI-agenten. Ze lieten hun penning zien.'

Opgelucht haal ik adem. Ik weet meteen dat het 'agent Farrell' en 'agent Crosby' moeten zijn geweest, die hun rol overigens uitstekend spelen. Wanneer mijn doelwit het appartement in de gaten houdt, ziet hij de FBI rondsnuffelen. Weer een waarheidsgetrouw detail. Perfect. Ik prent mezelf in dat ik hun iets extra's moet toeschuiven als de zwendel achter de rug is. Ze zijn goed. Ze verdienen het.

'Hoe heetten ze?' vraag ik. 'Farrell en Crosby?'

De Arabier knijpt zijn ogen samen en kijkt onzeker. 'Volgens mij niet,' zegt hij. 'Het klonk anders.'

'Zwarte vent? Blanke partner?'

Hij schudt zijn hoofd. 'Nee, twee blanke figuren, een man en een vrouw. Hier, ze hebben me een kaartje gegeven.' Hij reikt in zijn jaszak en geeft me een kaartje. Het lijkt erg op dat van agent Farrell, behalve dat het gedrukt is op zwaarder, mat papier. Deze koop je niet per vijftig stuks voor 35 dollar op www.businesscards.com. Om zo'n kaartje te krijgen, moet je bij de FBI werken. De échte FBI. Op het kaartje staat: SPECIAL AGENT LOUIS DAVIES met een adres van een overheidsgebouw in San Francisco.

Nu, voor het eerst, heb ik het gevoel dat ik zink, dat ik bij de keel word gegrepen. Dit klopt niet. In mijn zwendel komt geen special agent Louis Davies voor. Hij is in elk geval niet door mij ingehuurd.

De Arabier zegt: 'Hij had een huiszoekingsbevel en heeft je appartement doorzocht.'

'O ja?' Ik kijk in de rondte. Niets lijkt anders dan anders. Vervolgens kijk ik naar mijn computerscherm. Er zou een stuiterende vitaminepil te zien moeten zijn, de screensaver die automatisch verschijnt als er twintig minuten geen gebruik is gemaakt van de computer. Maar in plaats van de screensaver zie ik de desktop van mijn computer. Iemand heeft in de afgelopen twintig minuten achter mijn computer gezeten. Op zoek naar iets. Maar wat?

De Arabier zegt: 'Ik heb hun gevraagd of ze je wilden spreken, maar dat was niet nodig.'

'Bedankt dat je me dit vertelt.'

'Dat is nu juist het vreemde,' zegt de Arabier. 'Ze wílden dat ik het je vertelde.'

'O ja?'

'Ze zeiden: "Laat de heer Largo vooral weten dat we zijn langsgeweest".'

'Juist.'

Toby verschijnt in de woonkamer achter me. 'Wat is er aan de hand?'

'Niets,' zeg ik. Ik sla de Arabier op zijn schouder. 'Bedankt,' zeg ik.

'Graag gedaan...'

Ik besef dat de Arabier me aanstaart. 'Wat?' zeg ik.

'Niets.'

'Zeg op. Wat is er?'

'Het is gewoon... Je tanden. Ze zijn verschillend van kleur.'

'Is dat zo?'

'Sorry.' Hij schudt zijn hoofd. 'Je mag het kaartje houden.' Hij draait zich om en vertrekt.

Toby zegt: 'Wat betekent dit?'

'Ik weet het niet,' antwoord ik.

'Je weet het niet? Ik dacht dat jij alles wist. Jij plant alles. Ik dacht dat er geen zwakke schakels waren.'

'Kennelijk is er dus wel een,' zeg ik. Er vliegen allerlei gedachten door mijn hoofd. Ik probeer het te bevatten. Waren het echte FBI-agenten die hier rondsnuffelden? Waarom? Wat zoeken ze? Hoeveel weten ze? Waarom zijn ze in me geïnteresseerd? Weten ze misschien toch iets van de zwendel?

'Dat is niet erg geruststellend, pa,' zegt Toby.

'Nee, dat klopt.'

'Ik bedoel, ik ben hier niet bepaald van onder de indruk.'

Ik kijk naar mijn zoon en probeer te glimlachen. Hoe moet ik daar nu op reageren? Ik loop naar de slaapkamer. 'Ik neem vanavond het bed,' zeg ik. 'Jij slaapt op de bank.' Ik sluit de deur en probeer te slapen.

's Nachts regent het. 's Ochtends vertelt de radiopresentator dat regen in deze tijd van het jaar *freakish* is, en ik vraag me af wat dat betekent.

34

MAAR DE ZWENDEL MOET DOORGAAN, zoals ze zeggen. Als je eenmaal bent begonnen, is het een tredmolen en kun je niet meer stoppen. Als er ineens twee smerissen met een huiszoekingsbevel voor je deur staan, kun je moeilijk je handen in de lucht gooien en roepen: 'Genoeg! Ik stop ermee.' Je zit er midden in. Napier heeft drie miljoen dollar van Sustevich. Zelf ben je de Russische maffia twaalf miljoen schuldig. Je hebt twee dagen om het terug te betalen. Zo niet, dan ben je een van de eersten die het gloednieuwe drankje uitprobeert waarover de hele Moskouse clubscene praat: de Giftige *Highball.* Neem een deel zoutzuur en een deel gemberbier naar smaak. Schud, roer, drink, sterf.

Oké, het is nu ochtend. Toby en ik rijden naar het werk. Ik heb hem vergeven dat hij zich als een irritante snotaap heeft gedragen. Hij is tenslotte mijn zoon. Die snotneuzerige activiteiten die hij ontplooit? Dat heeft hij van mij. Ik denk terug aan toen ik zelf vijfentwintig was. Ik organiseerde *pigeon drops* met mijn eigen vader, had een bloedhekel aan hem, heb zelf waarschijnlijk ook een paar snotneuzerige opmerkingen gemaakt, als hij niet achter de tralies zat. Is dat zo? Ik probeer het me te herinneren. Ik heb de afgelopen dertig jaar mijn uiterste best gedaan om de herinnering aan mijn vader uit te bannen, mijn vader die op alle mogelijke manieren tekortschoot: die me criminaliteit bijbracht in plaats van vissen, nooit iets voor me betaalde, dood neerviel en mij en mijn moeder met lege handen achterliet.

Ik ben erin geslaagd hem te vergeten. Nu is hij alleen nog maar een duistere aanwezigheid in een donker hoekje van mijn geheugen, een verhaal dat ik niet de moeite waard vind om te vertellen of om over na te denken. Maar natuurlijk vormt hij de context van mijn hele leven. Je beseft dit niet totdat het te laat is. Hier sta ik dan, vijftig jaar oud, over de helft van mijn leven, op weg naar mijn eigen einde, en pas nu, nu ik in mijn auto rij om met mijn eigen zoon een criminele daad te begaan, besef ik dat alles wat ik ooit heb gedaan – álles – een reactie op mijn vader is geweest. Mijn poging om zijn wereld te verlaten, mijn terugkeer; dat ik Toby in de steek heb gelaten; naar hem ben teruggegaan; mijn zoeken naar verlossing en mijn falen, tot dusver, om die te vinden.

Heb je ook in de gaten dat ik medelijden met mezelf heb? Dat overkomt mannen zoals ik altijd. We zijn superhelden, hebben de volledige controle over ons leven. Maar op het moment dat iemand een scheur in ons nauwgezette plan maakt, raken we in paniek en zwaaien we met onze armen. Kalm blijven. Dat is de enige manier waarop deze zwendel kans van slagen heeft. Rustig blijven. Je ogen gericht houden op de prijs. Je bent er bijna.

Slecht teken, als je tegen jezelf begint te praten. Een waarschuwing.

35

IN PLAATS VAN NAAR KANTOOR rijden Toby en ik naar het centrum. We rijden via Montgomery Street, een onmogelijk smalle weg die zowel de oostgrens van Chinatown vormt, als de hoofdader is van het financiële district. Het is een weg omzoomd door Thaise restaurants en voorzien van oranje verkeerspylonnen, en er komt damp omhoog uit de putdeksels. Auto's parkeren dubbel of driedubbel, soms op het trottoir, soms midden op de weg. De straat is zowel onbegaanbaar als onvermijdelijk. Waar je ook naartoe wilt in de binnenstad, je móét door deze straat, maar dat doe je wel op eigen risico. Je vervloekt jezelf dat je het überhaupt probeert.

Ik druk op mijn claxon, slalom en rij via Montgomery Street Sansome Street in. Onze bestemming is de Transamerica Piramide, de iconische driehoek midden in de *skyline* van San Francisco. We parkeren onder het gebouw, melden ons bij de receptie en krijgen een kartonnen bezoekerspasje, dat we op ons overhemd moeten spelden. We gaan naar de zeventiende verdieping, naar het kantoor van Rifkind, Stuart, Kellogg, een advocatenkantoor dat ik op advies van Elihu Katz heb uitgekozen.

In de wachtkamer van Stuart zit Jessica op ons te wachten. 'Ik heb onze namen al doorgegeven,' zegt ze. 'Peter is er nog niet.'

'Nee,' antwoord ik. 'Peter komt niet.'

Ze knikt, alsof ze het antwoord had verwacht. Ik loop naar de receptie en spreek met de knappe brunette die zo uit een fotosessie voor *Playboy* kan zijn gestapt. Advocaten hebben altijd de mooiste assistentes. Ze hebben nooit mooie vrouwen om zich heen gehad toen ze jong waren, tijdens de lange, saaie jaren van studeren. Wanneer ze uiteindelijk, twintig jaar later, partner zijn geworden, blijkt het allemaal toch de moeite van het wachten waard te zijn geweest. 'Ik ben Kip Largo,' zeg ik. 'En dit is Toby. Mijn gezelschap is compleet.'

De brunette drukt op een toets op haar telefooncentrale. 'Harris, de heer Largo is hier met zijn gezelschap.'

Ze zet haar koptelefoontje af en staat op. 'Volgt u mij, alstublieft.'

Ze gaat ons voor door een gang. Ik zie dat Toby naar haar achterwerk tuurt terwijl ze loopt. Ze brengt ons naar de vergaderzaal. De zaal heeft ramen rondom, die een spectaculair uitzicht bieden over de baai zeventien verdiepingen lager.

'Wilt u een glaasje water?' vraagt ze.

Ik sla het aanbod snel af namens mijn hele team. Ik wil zo vermijden dat Toby gaat flirten en me voor schut zet.

'De heer Stuart komt zo bij u,' zegt ze, waarna ze vertrekt.

'Lekker ding,' zegt Toby als ze vertrokken is.

'Ga zitten,' zeg ik tegen Toby.

Harris Stuart komt twee minuten later binnen. In contrast met zijn voorname, plechtige naam is hij klein en kaal, met een Slavisch uiterlijk en het postuur van een Russische matroesjka-pop; breed en rond van onderen met een glimmend, taps toelopend hoofd.

'Aangenaam kennis met u te maken, meneer Largo,' zegt hij. Hij schudt me de hand. 'Elihu Katz is een goede vriend van onze firma.'

Misschien is het een code voor iets, misschien ook niet. Elihu Katz loopt al lange tijd in het wereldje rond. In de jaren waarin hij grote zwendels opzette, waarin hij zowel mannen van grote faam als volslagen onbekenden oplichtte, heeft hij advocaten voor allerhande zaken ingezet: om problemen te maken en om uit de problemen te geraken. Wat ik weet van Rifkind, Stuart, Kellogg is wat Elihu me heeft verteld: dat ze openstaan voor elke vraag, hoe ongewoon ook.

We nemen plaats aan de tafel: ik, Toby en Jess aan de ene kant, meneer Harris Stuart aan de andere.

'Ik besef dat uw tijd kostbaar is,' zegt Stuart, 'dus hou ik het kort. Ik heb uw verzoek bestudeerd. Er is een zuivere, lege vennootschap beschikbaar. De eigenaar is aansprakelijk. We kunnen de zakendeal snel sluiten – tweehonderdduizend, plus juridische kosten. Alles bij elkaar genomen minder dan driehonderdduizend, is zo mijn schatting.'

'Dat klinkt prima. Wat is het voor bedrijf?'

'Het bedrijf heet Halifax Protein Products.'

'Eiwitproducten?'

'Ze produceerden visolie,' legt Stuart uit. 'Ze persten olie uit kabeljauwlever, vetzuren uit verse ingewanden, dat soort dingen.'

'Kun je daarvan leven?'

'Schijnbaar niet,' antwoordt Stuart. 'Ze zijn al drie jaar in onbruik. Geen enkele activiteit meer sinds 1996. Maar ze hebben hun boeken keurig bijgehouden, en ze staan nog steeds in de OTC van Nasdaq. Geen noemenswaardig handelsvolume.'

'Klinkt perfect. Kunt u het vandaag nog regelen?'

'Voor de lunch.'

'Wat een land,' merk ik half grappend op.

Maar Harris Stuart knikt serieus. 'Ja,' zegt hij. 'Zeg dat wel.'

Over vierentwintig uur ben ik hoofdeigenaar van een bedrijf dat Halifax Protein Products heet en op de Nasdaq handelt onder de afkorting HPPR. Later vandaag, wanneer ik een aantal papieren heb getekend en die door Rifkind, Stuart, Kellogg heb laten deponeren bij de referendaris van de staat Delaware en de Nasdaq, zullen we tien miljoen nieuwe aandelen uitgeven.

De waarde van elk aandeel zou ongeveer nul dollar moeten bedragen, aangezien HPPR geen zaken meer doet en geen klanten bedient. De handel in kabeljauwleverolie is nooit zo succesvol geworden als de oprichters van het bedrijf hadden gehoopt.

Halifax Protein Products is wat bekendstaat als een lege vennootschap – een entiteit op papier die niets doet, behalve bestaan. Het heeft alleen maar waarde omdat de vorige eigenaars van het bedrijf het noodzakelijke papierwerk blijven deponeren om hun bedrijf op de aandelenmarkt van Nasdaq te houden.

Je vraagt je misschien af waarom iemand een aandeel zou willen kopen in een bedrijf dat vroeger kabeljauwleverolie produceerde, maar nu niets meer doet. Het zou beslist een domme investering zijn, te vergelijken met investeringen in internetbedrijven die een dollar verliezen op elke vijftig cent aan verkoopwaarde, of bedrijven die gratis diensten verlenen, in de hoop dat ze er ergens in de verre toekomst geld mee kunnen verdienen. Het zou inderdaad een domme investering zijn, ténzij je natuurlijk wist dat HPPR op het punt staat te stijgen van drie cent naar tien dollar per aandeel.

Als je wist dat dat zou gebeuren, dan zou je graag veel aandelen HPPR willen bezitten. Je zou proberen zo veel mogelijk aandelen te kopen. Zoveel je je kunt permitteren.

Het was belangrijk dat Toby en Jess bij de bespreking met Harris Stuart aanwezig waren. Ook dat vormt onderdeel van de zwendel. Een onderdeel dat ik sinds dag één heb gepland.

Ik denk dat ik op het idee kwam via de IT'er in de Blowfish bar, toen dit verhaal begon, wat al zo lang geleden lijkt...

De jongen probeerde een Italiaan te bedriegen, een man met vlezige handen en een goedkope zegelring. Weet je nog? Hij zei tegen de man: Dit is een pot met veertig dollar. Hoeveel bied je ervoor?

De grote, domme vent dacht: veertig dollar? Ik bied dertig dollar om een pot met veertig dollar te winnen!

Dit is hetzelfde idee. Hoeveel zou je bereid zijn voor HPPR neer te tellen als je wist dat HPPR zou stijgen naar tien dollar per aandeel? Vijf dollar? Zeven dollar? Doe eens gek: negen dollar?

Ik geloof dat mijn idee zo is ontstaan.

Maar in de lift naar beneden van het kantoor van Rifkind, Stuart, Kellogg besef ik iets: De IT'er probeerde een soortgelijke zwendel op te zetten, maar eindigde met zijn hoofd op de bar, zijn nek samengeknepen en de lucht uit zijn longen geperst. Hij was bijna dood geweest. Mijn bemoeienis op het allerlaatste moment was zijn redding.

Dus moet ik me afvragen: Als ik achterover op een bar lig en langzaam gewurgd word, wie gaat míj dan in vredesnaam redden?

36

TERUG OP KANTOOR blijkt Peter er niet te zijn.

Hij kwam niet opdagen bij onze bespreking met de advocaat. Hij is niet op kantoor. Hij neemt zijn telefoon thuis niet op. Zijn werkplek is opgeruimd en zijn foto's en cd's zijn verdwenen. Er ligt alleen nog een wirwar van kabels waar ooit zijn laptop heeft gestaan.

En nu dit: Jess loopt naar me toe met een gesloten envelop. Voorop, in Peters handschrift, staat geschreven: Kip Largo.

Jess geeft de envelop aan mij. 'Ik vond deze in de vergaderzaal, op het tafelvoetbalspel.'

Jess kijkt me met een vreemde gezichtsuitdrukking aan. Alsof ze weet dat ik haar besodemieter, maar zich verplicht voelt om door te gaan. Haar uitdrukking zweeft ergens tussen nieuwsgierigheid en verontwaardiging. Nieuwsgierig over wat haar te wachten staat, verontwaardigd dat ik haar van tevoren niets heb verteld. Maar het is, zoals ik haar later zal proberen uit te leggen, voor haar eigen bestwil.

Ik leg mijn vinger onder de rand van de envelop en voel dat de plakrand nog nat is. Peter heeft het briefje waarschijnlijk geschreven en achtergelaten toen wij bij de advocaat zaten. Binnen een uur zal hij in een vliegtuig naar een verre bestemming zitten.

Tenminste, dat hoop ik maar. Voor zijn eigen bestwil.

Ik open de envelop en haal er een papiertje uit. Het is een handgeschreven briefje op groen tekenpapier, de vaste keuze van een softwareprogrammeur. In stilte lees ik zijn brief.

'Bel Napier,' zeg ik tegen Jess.

'Wat staat erin?'

'Bel Napier,' zeg ik weer. Ik vouw het briefje dubbel en steek het in mijn zak.

Voor het eerst in de achttien jaar dat ik Jessica Smith – nee, Brittany Diamond – ken, kijkt ze me aan met een uitdrukking die haat uitstraalt. Haar vermoeden is nu bevestigd: ik vertrouw haar niet.

Haar woede en verdriet lijken oprecht. Maar ik prent mezelf in dat ze al twintig jaar mannen bedriegt – natuurlijk lijkt haar reactie oprecht. Ze is een professional. Het is haar werk.

Napier komt twintig minuten later aanzetten met twee kleerkasten in zijn kielzog. Alle nepbeleefdheden van de afgelopen dagen – de geforceerde achting voor mijn team, de brede glimlach, het jongensachtige enthousiasme voor onze zwendel – zijn verdwenen. Dit is de oude Napier, de Napier die toezag op mijn gebitscorrectie in de betonnen ruimte in zijn huis; de Napier die dreigde ons op te sporen en te vermoorden als we hem bedrogen.

'Wat moet dit voorstellen?' zegt hij terwijl hij zich door de gang spoedt. Zijn twee spierbundels volgen hem als een cape.

'Peter,' zeg ik. Napier nadert me; ik geef hem Peters briefje.

In het briefje staat:

Sorry, Kip,
Je moet stoppen. Dit is gevaarlijk. De routers zullen binnenkort uitgeschakeld worden. Sorry.
Peter.
P.S. Ik neem een lange vakantie op. Zoek me alsjeblieft niet.

Napier propt het briefje in elkaar en steekt het in zijn jaszak. We lopen naar de vergaderzaal en voegen ons bij Jess en Toby, die zwijgend aan de tafel zitten.

'Wat betekent dat?' vraagt Napier. 'Dat de routers uitgeschakeld worden?'

'Dat betekent: *game over.*'

Napier kijkt me met samengeknepen ogen aan. Hij probeert me te peilen.

'De dozen die de orders onderscheppen... die doos die ik je in Manhattan heb laten zien? Ze zijn zo geprogrammeerd dat ze om de achtenveertig uur inloggen in ons kantoor. Het is een beveiligingsmechanisme. Als ze niet de juiste beveiligingscode ontvangen, gaan ze uit en wordt hun geheugen gewist.'

‘Zorg er dan voor dat ze de juiste beveiligingscode krijgen...’

‘Zo gemakkelijk gaat dat niet. Peter heeft het programma gewist.’

‘Gewíst?’ Napier kijkt me aan alsof ik gek ben. ‘Heb je het hem laten wissen?’

‘Ik heb het hem niet láten wissen. Hij heeft het gewoon gedaan.’

‘Die rotzak,’ zegt Napier vaag, maar uit zijn gezichtsuitdrukking maak ik op dat hij al helemaal niet meer aan Peter denkt. Hij is met andere dingen bezig, zoals proberen te bedenken hoe we de zwendel kunnen redden.

‘Hoeveel tijd hebben we nog?’ vraagt hij uiteindelijk.

‘De routers hebben vannacht nog ingelogd. Peter moet dus vanochtend alles hebben gewist,’ antwoordt Toby.

‘Dan hebben we nog tot morgenavond,’ concludeert Napier.

‘Tot morgenavond?’ zeg ik. ‘Om wat te doen?’

Weer werpt Napier me die blik toe – half haat, half medelijden: Hoe dom ben je?

‘Om geld te verdienen,’ zegt hij.

‘Je begrijpt het niet,’ zeg ik. ‘Het is voorbij. Over twee dagen werkt Pythia niet meer. Geen van ons is programmeur. We kunnen het niet opnieuw creëren. Daarvoor hebben we Peter nodig.’

‘We hebben nog tot morgenavond voordat het systeem uitvalt, toch?’

‘Dat is waar,’ zeg ik.

‘Oké, dan,’ zegt Napier. ‘Meer tijd hebben we ook niet nodig. Nog één dag. Morgen volgen we Pythia’s advies en plaatsen een grote handel. Nog één dag. Meer heb ik niet nodig.’

Nadat Napier is vertrokken, zegt Toby: ‘Nu begrijp ik het. Zo stelen we zijn geld zonder dat hij het weet.’

‘Nou, ik begrijp het niet,’ zegt Jess. Ze is nog steeds boos op me omdat ik geheimen voor haar heb.

Toby glimlacht en begint de zwendel enthousiast uit te leggen. Dit kon weleens de eerste keer in zijn schoolcarrière zijn dat hij natuurlijke aanleg heeft voor een vak – eindelijk is hij het slimste jongetje van de klas. Hij zegt: ‘Morgen zegt Pythia tegen Napier dat hij een bepaald aandeel moet kopen. En we weten allemaal welk aandeel Pythia hem aanbeveelt.’

Nu begrijpt Jess het ook. ‘Ah,’ zegt ze. ‘HPPR, wat Kip al in bezit heeft...’

'Pa heeft driehonderdduizend voor het hele bedrijf betaald. Nu heeft hij tien miljoen aandelen in zijn bezit. Voor hoeveel ga je ze verkopen, pa?'

Ik haal mijn schouders op. 'Dat weet ik nog niet. Hoe klinkt tien dollar per aandeel?'

Toby glimlacht en knikt. Het is officieel: Ik ben de vetste pa van de hele wereld. 'Dus je verkoopt tien miljoen aandelen aan Napier voor tien dollar per stuk. Jij loopt weg met honderd miljoen dollar en hij blijft met waardeloze aandelen zitten. En hij zal zelfs nooit weten dat jij degene bent die zijn geld heeft gepikt.'

'Hij zou het kunnen laten uitzoeken door de SEC, de officiële toezichthouder op het effectenverkeer,' zeg ik. 'Maar hij zou moeten uitleggen waarom hij federale kabelcommunicatie heeft onderschept en aandelenprijzen gemanipuleerd. Dus ik betwijfel of hij er werk van gaat maken.'

Aan Toby's gezicht kan ik zien dat hij geboeid is door de hele zwendel. 'Is het niet briljant?' roept mijn zoon uit. 'Je betaalt zelf drie cent per aandeel; je verkoopt ze voor tien dollar per stuk.'

'Ja,' zeg ik rustig. 'Absurde overdaad, zou je kunnen zeggen.'

37

EEN KIPPENBLAAS IS oplichtersjargon voor een rubberen blaas, gevuld met warm kippenbloed.

Een kippenblaas is weer een andere manier om een doelwit op de vlucht te jagen nadat hij is geplukt. Tijdens de laatste paar momenten van een zwendel verstopt een oplichter een kippenblaas in zijn mond. Op het moment dat het doelwit alles verliest, haalt de ene oplichter naar de andere uit en zwaait met een pistool. 'Hoe kon je nu op het verkeerde paard wedden?' schreeuwt hij. Of: 'Hoe kon je de verkeerde aandelen kopen?' Of: 'Hoe kon je al je geld op rood zetten. Ik zei zwart!'

Er weerklinkt een schot. De oplichter zakt op de grond. Het doelwit leunt over hem heen. Een stroompje bloed gutst uit de mond van de oplichter en bespat het doelwit. De andere deelnemers aan de zwendel mengen zich snel in het strijdgewoel en trekken iedereen aan de kant. Het 'dode' lichaam wordt verwijderd. Het doelwit krijgt de instructie te vluchten, de stad te verlaten. Hij mag met geen woord spreken over wat hij heeft gezien, opdat hij niet verwikkeld raakt in iets wat niet alleen financiële fraude blijkt te zijn, maar ook moord...

Kippenblazen werken goed bij alledaagse doelwitten: groenteboeren in Omaha, accountants in Poughkeepsie. Maar het effect is minder zeker wanneer je doelwit een crimineel is, iemand die gewend is aan bloed dat uit mondhoeken stroomt, die bekend is met moorddadig geweld. Het doel van de kippenblaas is je doelwit er door middel van shock toe te brengen zich te onderwerpen.

Maar hoe schrik je iemand af voor wie bloed en pijn alledaagse voorvallen zijn, plaagstootjes die worden uitgedeeld aan zakenpartners, zonder erbij na te denken en zonder gewetensbezwaren?

38

HET IS DE AVOND voor het einde. Morgen ronden we de zwendel af en stelen we tientallen miljoenen dollars van ons doelwit. Daarna stap ik op het vliegtuig. Ik zal wachten met het bepalen van mijn eindbestemming en met het beslissen wie ik meeneem totdat alles is afgerond. Planning is nuttig als het om het afzetten van mensen gaat, maar gevaarlijk als het neerkomt op ontsnappen. Het is riskant om afscheid te nemen. Om mensen te laten weten waar ze je kunnen vinden. En het is zelfs nog riskanter om een tweede vliegticket te kopen – om iemand te vertrouwen voordat het spel gespeeld is en de maskers zijn afgezet.

Toby en ik kijken televisie. Het geluid staat te hard. Aantekening voor mezelf: Als dit allemaal achter de rug is, koop ik een televisie met een goed functionerende volumeknop.

Maar dan word ik opeens bekropen door angst. Ben ik net als die ultraconservatievelingen in de zuidelijke staten die wanneer ze de loterij winnen, besluiten geld te verkwisten aan... de allernieuwste breedbeeldtelevisie?

Misschien moet ik toch hoger richten dan een televisie.

'Jezus Christus, pa,' roept Toby. 'Wanneer laat je nu verdorie eindelijk die televisie eens repareren?'

Nee. Alles op z'n tijd. Eerst een fatsoenlijke televisie.

In plaats van naar worstelen, kijken Toby en ik naar nieuwszender CNBC. Dat is de financiële zender waarop vierentwintig uur per dag aandelenprijzen over de onderkant van het beeld schuiven. Vergeleken bij de grijze en monotone presentatoren is de schuivende tekst in groen en rood, die langzaam voorbijtrekt als een rij mieren over een picknickdeken, ronduit boeiend.

Toby wil naar worstelen kijken. Ik zeg tegen hem dat dat kan: als hij een eigen appartement heeft.

'Jezus, pa,' zegt hij. 'Ik dacht dat je wílde dat ik bij je introk.'

Ik doe geen moeite zijn gekwetste gevoelens te sussen. Op de televisie komt de presentator eindelijk met het nieuws waarop ik zit te wachten. In het kader met grafieken naast zijn hoofd verschijnt een closeup van Ed Napier, die breed glimlacht alsof hij buiten beeld met veel passie door een hoertje wordt gepijpt.

De presentator zegt: 'In het voortdurende relaas van de herontwikkeling van de Las Vegas *Strip* heeft Ed Napier vandaag verkondigd dat hij zijn bod op het Tracadero-hotel verhoogt. Het nieuwe bod is negentig miljoen dollar.'

'Negentig miljoen dollar,' zegt Toby. 'Ik vraag me af waar hij zo'n bedrag vandaan wil halen.'

'Ja,' reageer ik. 'Dat vraag ik me ook af.'

De presentator vervolgt: 'De Eurobet Group, een consortium van Europese en Japanse investeerders dat met Napier strijdt om controle over het terrein, heeft aangegeven te proberen Napiers bod te evenaren. Het management van de Tracadero is niet bereikbaar voor commentaar.'

'Je zou verwachten dat hij zou wachten totdat hij het geld heeft voordat hij het uitgeeft.'

'Dat zou je inderdaad zeggen. Maar zo denken rijke mensen niet. Ze gaan er altijd van uit dat ze winnen. Misschien zijn ze daarom wel zo rijk.'

'Ja, misschien.' Ongeveer twee seconden lang peinst hij over de wijsheid die ik zojuist met hem heb gedeeld. Dan zegt hij: 'Kom op. Zet nou eens worstelen op.'

Om tien uur geef ik mijn zoon een klopje op de schouder, wens hem welterusten en loop naar de slaapkamer. Binnen enkele minuten val ik in slaap.

Ik word wakker van het geluid van mijn mobiele telefoon die afgaat. Ik reik naar het nachtkastje, trek de telefoon uit de oplader en leg hem tegen mijn oor. 'Ja?'

'Kip, met mij.' Jessica Smith.

'Wat is er?'

'Niets.' Ze blijft even stil. 'Nou, er is toch wel iets. Ik moet met je praten.'

Ik kijk naar de wekker. Halftwaalf. 'Kan het niet wachten? Het is al laat. Morgen is de grote dag.'

'Het is belangrijk.'

Ik wrijf in mijn ogen en ga rechtop in bed zitten. 'Oké. Ik kom wel naar jou toe.' Ze geeft me haar adres. Enkele minuten later sluip ik mijn appartement uit zonder mijn zoon te wekken en begin ik aan de veertig minuten durende rit in noordelijke richting op de snelweg.

Ze woont in Noe Valley, in een Victoriaans huis voor twee gezinnen waarvan zij de achteringang heeft. Het is hier ongeveer vijf graden kouder dan in de stad, en de nacht is kil en mistig. Ik klop zachtjes op het glas van haar deur. Ze doet meteen open, alsof ze al die tijd nerveus achter de deur heeft zitten wachten.

'Bedankt dat je bent gekomen,' zegt ze. Ze doet het kettinkje op de deur en gaat me via een smalle trap voor naar de zitkamer. De vloer bestaat uit ongelakt vurenhout, de muren zijn geel geverfd; de ingebouwde boekenkasten zitten boordevol dure glanzende kunstboeken en romans. Ik weet niet wat ik verwacht had: Misschien stapels pornobanden van Aria Video, contactafdrukken van naakte vrouwen, of dildo's die over de vloer rollen. Maar dit zeker niet. Achter een half muurtje zie ik haar keuken. Op het aanrecht: een blender, een broodrooster en een beduimeld kookboek met als titel: *How to Cook Everything.*

Dankzij het aanrecht krijg ik een kijkje in de intieme delen van haar leven: de rustige huiselijkheid, vruchtensap in de ochtend, twee sneetjes geroosterd brood en een heerlijke zelfgemaakte maaltijd aan het einde van de dag. Het enige wat ontbreekt, ben ik. Ik denk weer aan het huwelijksaanzoek dat ik haar een maand geleden in haar kantoor heb gedaan, en dat ze weloverwogen negeerde. Wederom lijkt het aanlokkelijk. Zou het vreemd zijn om met je collega-oplichter te trouwen? Ik ken haar al sinds haar negentiende. Een half mensenleven. Misschien is dat de beste soort liefde: afgestompte vertrouwdheid, saaie monotonie. Misschien is het wel de zoektocht naar nieuwigheid en opwinding die ons kapotmaakt. Per definitie verdwijnt de nieuwigheid op het moment dat je het hebt gevonden. Vertrouwdheid kan alleen maar dieper worden.

Ze gaat me voor naar de bank. Ik ga zitten.

'Wil je iets drinken?' vraagt ze.

'Nee, dank je.'

Ze neemt naast me plaats op de bank. 'We moeten praten.'

'Ik ben er. Brand maar los.'

'Ik ben verdrietig.'

Ze wacht tot ik iets zeg. Ik probeer: 'Verdrietig?'

'Je vertrouwt me niet.'

Haar beschuldiging overvalt me. Ik had warme intimiteit verwacht, misschien zelfs een vrijpartij op de bank. Maar nu begrijp ik het: Ik ben hiernaartoe geroepen voor een ruzie.

'Natuurlijk wel,' zeg ik.

Ze verwoordt haar tenlastelegging. Ze heeft dit voorbereid, geoefend. Het klinkt als het slotpleidooi van een openbaar aanklager. 'Je kwam naar míj toe, Kip. Je had mijn hulp nodig. Je vroeg me met Ed Napier te slapen; dat heb ik gedaan.' Ze reikt over de bank en raakt mijn onderarm aan. 'Ik heb alles gedaan wat je me vroeg.'

'Dat is zo.'

'Waarom heb ik dan het gevoel dat ik altijd drie passen achter je loop? Waarom wil je me niets over de zwendel vertellen?'

'Dat heb ik toch gedaan...'

'Je wist dat Ed Napier zou ontdekken wie je was. Dat wílde je ook. Maar je hebt mij niet verteld dat dat je plan was. En de FBI-agenten die je had ingehuurd – waarom heb je me niets over hen verteld? En Peter die overstuur raakte en verdween? Dat vormt ook onderdeel van de zwendel, of niet?'

'Wat maakt het uit?'

'Hoe zou jij je voelen als ik jou niet vertrouwde?'

'Gekwetst, maar ik zou het begrijpen.'

'Hoe eindigt de zwendel, Kip?'

'Ik heb toch gezegd –'

'Ja, ik weet het,' zegt ze. 'Je kunt het me niet vertellen. Voor mijn eigen veiligheid.'

'Precies.'

'Weet je wat ik denk? Ik denk dat je me nooit hebt vertrouwd. Vanaf het begin al niet.'

'Dat is niet waar.'

Maar ze heeft gelijk. Ik vertrouwde haar al niet sinds die avond, twee maanden geleden, dat ze me belde. Het was te toevallig, dat ze ineens, zomaar, belde na me jaren niet gesproken te hebben. Dat ze precies belde op het moment waarop ik mijn plan uitwerkte. Zulke dingen gebeuren niet zomaar. Niet in mijn wereld.

'Vertel me hoe het afloopt, Kip. Na morgen stap je op een vliegtuig en ga je ergens naartoe, ver weg. Wie gaat er met je mee?'

'Wie maar wil.'

'Mag ik mee?'

'Dat zou ik leuk vinden.'

Het is waar. Ik zou graag met Jessica Smith trouwen. Ik zou graag met haar op een vliegtuig stappen, naast haar zitten en afreizen naar een verre bestemming om samen een nieuw leven te beginnen. Als ik er maar zeker van kon zijn dat zij niet degene is die me gaat verraden.

'Vertel het dan,' zegt ze. 'Wees eerlijk tegen me. Vertel me dan hoe de zwendel afloopt. Laat zien dat je me vertrouwt. Om te beginnen nu. Zodat we geen geheimen voor elkaar hebben.'

'Wij zullen altijd geheimen voor elkaar hebben.'

Ze glimlacht. In een fractie van een seconde verandert haar gezichtsuitdrukking; haar ogen worden glazig als een dichtglijdende douchedeur. Nu kijkt ze langs me, naar een toekomst waarin ik geen rol speel. Ze zegt: 'Ik denk dat je nu maar moet gaan.'

'Jess.' Ik probeer iets te bedenken om te zeggen. Maar dat lukt niet. Dus sta ik op van de bank.

Ze gaat me voor de trap af, naar de voordeur van haar appartement.

'Tot morgen,' zegt ze. Haar stem is kil, emotieloos, professioneel. Voordat ik kan reageren, slaat ze de deur achter me dicht.

Je vraagt je misschien af waarom ik haar überhaupt gevraagd had om aan de zwendel deel te nemen als ik haar niet vertrouwde. Dat zal ik je vertellen. Het is waar dat ik haar niet vertrouwde. Maar een vijand in je eigen kamp zetten is de zekerste manier om hem te controleren. Het is als een stuk touw dat rechtstreeks van jou naar de vijand loopt. De vraag is alleen: Wie trekt er en wie wordt er getrokken?

En uiteindelijk is er altijd nog de kans, hoe klein ook, dat ze me echt zomaar belde. Zulke dingen gebeuren, toch? Dus, voor het geval dat, is het prettig om haar in de buurt te hebben. Later, als dit allemaal achter de rug is, probeer ik dat huwelijksaanzoek misschien nog een laatste keer.

Terwijl ik naar huis rij, denk ik aan de drie vrouwen in mijn leven van dit moment: Celia, Jessica en Lauren Napier.

Elk van hen maakt me op een andere manier ongelukkig. En toch, op een avond als deze, waarop ik door de mist over de snelweg rij, terug naar mijn appartement, zou ik het niet erg vinden om een warm bed met een van hen te delen.

39

OM ZEVEN UUR in de ochtend worden Toby en ik gewekt door kletterende vuilnisbakken onder ons raam – donderdag is vuilnisophaaldag in Palo Alto.

Het feit dat we tegelijkertijd ontwaken, betekent dat we strijden om de badkamer. Het is waar dat Toby door een gipsbeen en krukken wordt belemmerd, maar wat hij aan snelheid mist, maakt hij goed met sluwheid. In de gang vlak bij de badkamerdeur komt hij me tegen. 'Jouw appartement, dus jij mag eerst,' zegt hij terwijl hij grootmoedig met zijn hand zwaait. 'Ik pak alleen even mijn tandenborstel...'

Hij loopt naar binnen, sluit de deur. Ik hoor het klikken van het slot.

'Hé,' zeg ik.

'Wie niet snel is, moet slim zijn, ouwe,' roept hij door de deur.

Ik schud mijn hoofd en loop weg. Ik moet plassen. Mijn zoon begrijpt de mannelijke biologie niet. Ik kijk uit naar de dag dat hij zo oud is als ik, zijn prostaat zo groot als een avocadopit is, en hij 's ochtends wakker wordt met een onderzeebootballast aan zilt nat.

Ik kuier de woonkamer in. De telefoon gaat. Ik loop naar de keuken en neem op.

'Hallo?' zeg ik.

'Meneer Largo?' Ik ken de stem. Russisch. Gecultiveerd. Liederlijk. De Professor.

'Ja.'

'Weet u wie ik ben?'

'Natuurlijk.'

'Weet u wat het morgen voor dag is?'

'Vrijdag?'

'Ja,' zegt Sustevich. 'En drie dagen voordat u uw schuld aan mij moet terugbetalen. Weet u nog hoeveel u me verschuldigd bent?'

'Eens kijken,' zeg ik. Ik doe alsof ik nadenk. 'Hmm. Het is maar goed dat ik het op de achterkant van een supermarktbonnetje heb geschreven. Het moet hier ergens liggen. Momentje...'

'Twaalf miljoen dollar.'

'Prima,' zeg ik. 'Ik geloof u op uw woord.'

'Bent u in staat het terug te betalen?'

'Ik heb mijn woord gegeven.'

'Ja, en dat waardeer ik,' zegt Sustevich. 'Maar u moet begrijpen dat in mijn branche maar weinig mensen op hun woord te vertrouwen zijn.'

'Dat begrijp ik. Maar weest u niet bang. Ik heb het wel.'

'Dat hoop ik maar. Omwille van u, en uw zoon.'

'Weet u,' zeg ik, 'ik heb me bedacht wat mijn zoon betreft. U mag hem hebben. Hebt u behoefte aan een huisknecht? Iemand om u gezelschap te houden in dat grote oude landhuis van u? Hoeveel badkamers hebt u?'

'Meneer Largo? Bent u al buiten geweest? Hebt u uw vuilnisbakken al gecontroleerd?'

Ik voel dat de ruimte om me heen koud wordt. 'Hoezo?'

'Er ligt een boodschap in. Een waarschuwing. Zal ik aan de lijn blijven terwijl u kijkt?'

Ik antwoord niet. Ik laat de hoorn op de grond vallen. Hij slaat tegen het tapijt en begint te draaien – ontwart zich als een pasgeborene aan een navelstreng.

Ik ren het appartement uit, langs de rozenstruiken, naar de voorkant van het gebouw. Mijn penis bungelt in mijn boxershort – ik passeer de buurvrouw met de dwergpoedel, een oude vrouw naar wie ik de afgelopen vijf jaar altijd heb geknikt en gezwaaid – en ze kijkt beschaamd weg. Ik kijk naar beneden; de knoopjes van mijn ondergoed zitten los en mijn grijzende schaamhaar is volop zichtbaar, als een stijlvolle bontkraag. Ik trek mijn ondergoed samen en loop door.

Om de hoek van het flatgebouw staan drie vuilnisbakken. Ze zijn van de ouderwetse soort – van staal en gedeukt door twintig jaren van stoten, schoppen en vallen.

Ik trek het deksel van de eerste bak. Het deksel creëert een vacuüm terwijl ik het optil – de zijkanten van de bak worden naar binnen gezogen. Uiteindelijk geeft het mee. In de bak ligt een witte vuilniszak. Ik ruik oude vis en laat het deksel op de grond vallen.

Ik trek het tweede deksel eraf. In de bak liggen een zwarte plastic vuilniszak en een met vet besmeurde pizzadoos, die diagonaal gevouwen is, zodat hij in de vuilnisbak past.

Ik duw de tweede vuilnisbak aan de kant en richt me op de derde. Het deksel is stevig op de bak gedrukt. Ik trek. Weer even een vacuüm – het deksel weigert mee te geven. Ineens komt het los, verrassend snel, zodat ik een stap naar achteren moet doen om in evenwicht te blijven.

De vuilnisbak is volgestouwd met witte plastic vuilniszakken. Op de bovenste zak ligt de waarschuwing die Sustevich voor me heeft achtergelaten. Het duurt even voordat ik besef wat het is. Dan zie ik het ineens: het is een lange, rode paardenstaart, die eindigt in een klont bloederige huid en kraakbeen. Menselijk haar en een menselijke schedel, gedeponeerd op de vuilniszak als een kers op een ijscoupe.

De lange, rode paardenstaart is van Peter Room.

Die onnozele Peter Room. Ik had hem nog zo gezegd dat hij de stad moest verlaten. Hij is net iets te lang blijven hangen, heeft mijn waarschuwingen niet serieus genomen. Voor hem was het allemaal een groot spel: doen alsof hij de aandelenmarkt kon voorspellen, veinzen bang te zijn voor nep FBI-agenten, doen alsof hij het kantoor uit stormde en ermee kapte...

Hij genoot van het drama – het acteren. Hij begreep het niet: in een Grote Zwendel acteren sommige mensen niet.

Ik ren terug naar mijn appartement en loop naar de telefoon. Toby verlaat de badkamer terwijl ik binnenkom. 'Oké, ik ben hier klaar...' zegt hij. Dan ziet hij mijn lijkbleke gezicht en het ding in mijn hand met het lange rode haar. Hij houdt abrupt zijn mond en doet een stap naar achteren. 'Wat is dat, verdomme...'

Ik negeer hem, buk me en pak de hoorn op. 'Klootzak,' roep ik.

'Maar ik heb u een dienst bewezen,' zegt Sustevich. 'Geen zwakke schakels.'

'Hij was geen zwakke schakel. Hij maakte deel uit van de zwendel.'

'Nou, hoe moest ik dat weten?' Zijn toon is er een van amusement, alsof hij het heeft over een lunchafspraak die per ongeluk dubbel is geboekt. 'Hij was toch je kantoor uit gestormd?'

'Waar is hij nu?'

'O,' zegt Sustevich. 'Hij is allang vertrokken. We zouden toch niet willen dat de politie zijn lichaam vindt. Niet voordat u me hebt terugbetaald.'

'Waarom hebt u het gedaan?'

'Beschouwt u het als een waarschuwing, meneer Largo. Nu weet u dat dit geen spelletje is.'

'Ik heb nooit gezegd dat het een spelletje was.'

'Zondag, meneer Largo. Twintig miljoen dollar. Vistaco's dan maar.'

Hij hangt op.

Ik laat Peters schedel in een plastic zak vallen en leg er een dubbele knoop in, alsof het een zak met hondenpoep is. Later, onderweg naar kantoor, zullen Toby en ik bij een vuilnisvat achter het oude kantorenpark Intuit stoppen. Daar, tussen kladpapierbezinksel en lege laserprintercartridges, zal Peters schedel zijn laatste rustplaats vinden.

40

HOE WIST SUSTEVICH dat Peter Room een zwakke schakel was? Hoe wist hij dat Peter mijn kantoor uit was gestormd, uit de zwendel wilde stappen?

Heeft iemand het hem verteld? Natuurlijk.

Maar wie?

In mijn hart weet ik het, maar voordat ik iets onderneem, moet ik het zeker weten.

41

NADAT WE PETERS SCHEDEL in de afvakbak hebben gegooid, rijden we naar kantoor. Ik zeg tegen Toby: 'Niets tegen Jessica zeggen.'

'Wat niet?'

Hij weet wat ik bedoel, maar hij wil dat ik het hardop zeg. 'Over Peter.'

Ik wil niet dat ze het weet omdat ik niet zeker weet hoe ze zal reageren. Ik kan het me niet permitteren dat Jessica hysterisch wordt, door het lint gaat. Ik kan me niet nog een zwakke schakel veroorloven – omwille van haar en van mij.

'Pa,' zegt Toby, 'ik vind dat je haar de waarheid verschuldigd bent.'

'Vind je dat?' zeg ik. 'Goed om te weten.'

Daarop blijft hij stil.

Als we op kantoor aankomen, is Jess er al. Ze groet me niet en is duidelijk nog steeds boos. 'Ik heb het persbericht geschreven,' zegt ze, 'zoals je had gevraagd.' Ze overhandigt me een stuk papier.

Palo Alto, 28 augustus PRNewswire
Halifax Protein Products kondigde vandaag een interne reorganisatie en strategieverandering aan. Het bedrijf, dat al zeven jaar in levensmiddelen handelt, kondigde aan dat het zijn naam verandert in Zip Internet Marketing en een grote *e-commerce*-speler en goede *content aggregator* wil worden. Het bedrijf zal een verticaal business-to-business portaal creëren, dat zich richt op *community building* en *e-commerce* technologieautorisatie...

Aan het einde van de eerste paragraaf vertraagt mijn leessnelheid tot de snelheid van een terreinwagen die door diepe modder rijdt. Ik kan niet meer en zeg: 'Perfect. Stuur maar weg.'

Het persbericht is een camouflage, afleiding. Later zullen de mensen vragen stellen. Waarom steeg de prijs van HPPR van drie cent naar tien dollar in slechts een paar dagen tijd?

Gelukkig kan iedereen die nieuwsgierig is wijzen naar het nieuws in het persbericht – dat Halifax Protein Zip Internet Marketing is geworden, dat een visoliebedrijf is veranderd in een '*business-to-business* portaal' en '*content aggregator*'. De omhoogschietende aandelenprijs zal beschouwd worden als weer een voorbeeld van de internethype en niet als bewijs van een zwendel waarin honderd miljoen omgaat.

Om halfnegen zit ik achter mijn bureau, in afwachting van Napier en het einde van de zwendel. Ik voel dat Jessica achter me staat.

'Weet je wat vreemd is?' vraagt ze.

'Wat?'

'Moet je kijken.' Ze reikt over mijn schouders en typt iets in op het toetsenbord. Ik voel haar borsten langs mijn rug wrijven. Ik vermoed dat ze dit met opzet doet, als om te zeggen: Voel je wat je nooit zult hebben?

Ik sluit mijn ogen. Even probeer ik me voor te stellen dat ik met haar in bed lig, als dit allemaal voorbij is. Maar zal het ooit over zijn?

'Zie je?' zegt ze. Ik ontwaak uit mijn dagdroom. Ze heeft een aandelengrafiek op het scherm getoverd – symbool HPPR, Halifax Protein.

'Wat?'

'Het aandeel is nu al gestegen. Het is binnen vierentwintig uur van drie cent naar vijf dollar gegaan.'

'Je persbericht. Het hele *business-to-business e-commerce* gebeuren.'

Dat is nog niet verwerkt. Het wordt pas over een halfuur gepubliceerd.'

'Vreemd,' zeg ik.

'Wie wil er in vredesnaam vijf dollar betalen voor een waardeloos aandeel visolie?'

'Goede vraag,' zeg ik.

42

KEN JE DE TRUC met de onbetaalbare straathond?

Hij gaat als volgt. Een vent loopt een café binnen. Hij heeft een hond bij zich. Tegen de barman zegt hij: 'Hé, makker. Wil je iets voor me doen? Ik heb een sollicitatiegesprek hier tegenover. Kun jij tijdens mijn afwezigheid even een uurtje op mijn hond passen?'

De barman stemt in. Wat kan het schelen, denkt hij. Ik pas wel even op je hond.

'Maar luister,' zegt de hondeneigenaar. 'Het is een prijswinnende hond, dus verlies hem alsjeblieft niet uit het oog.' Daarna verlaat de man de kroeg.

Een paar minuten later wandelt een goed geklede heer het café binnen. Hij draagt een Rolex en een chic maatpak, ruikt naar geld. Hij werpt een blik op de hond die aan de barkruk is vastgemaakt en zegt: 'Mijn god, wat een prachtige hond. Hij lijkt precies op Muffy, de hond die ik als kind had. Wat zou ik die hond graag voor mijn eigen zoontje kopen.' Hij loopt op de barman toe. 'Luister, barman, ik koop die hond van je. Noem maar een prijs. Duizend dollar? Nee, wacht. Maak er maar tweeduizend van.'

De barman antwoordt: 'Sorry, vriend, maar dat kan ik niet maken. Het is mijn hond namelijk niet. Maar de eigenaar komt over een uurtje terug.'

De rijke vent kijkt op zijn Rolex. 'Een uurtje? Zo lang kan ik niet wachten. Misschien kun je me toch helpen.' Hij geeft de barman zijn visitekaartje. 'Dit is mijn kaartje. Wil je de eigenaar vragen mij te bellen?'

'Zal ik doen,' zegt de barman. De rijke vent vertrekt.

Een uur later keert de hondeneigenaar terug naar het café. 'Dat was het,' zegt hij. 'Het is voorbij. Wéér een afwijzing. Ik kan de huur niet meer betalen. Het is hopeloos.' Hij kijkt naar zijn hond. 'En ik kan het me zeker niet meer permitteren om voor hém te zorgen.' Hij kijkt de barman aan. 'Luister, ik weet dat het veel gevraagd is. Maar de hond mag je volgens mij graag. Waarom hou je hem niet? Koop hem van me. Voor een paar honderd dollar. Wat zeg je ervan?'

De barman heeft een keuze. Of hij kan onthullen dat hij het visitekaartje van een vreemdeling heeft die bereid is tweeduizend dollar voor de hond neer te tellen, of hij kan besluiten die informatie geheim te houden. De meeste barmannen kiezen voor de tweede optie.

Dus stemt de barman in en telt een paar honderd dollar neer voor de hond, in de veronderstelling dat hij Dagobert Duck kan bellen en de hond binnen enkele minuten voor een paar duizendjes kan doorverkopen.

Wanneer de transactie achter de rug is, verlaat de hondeneigenaar het café.

Helaas ontdekt de barman te laat dat het telefoonnummer dat hij heeft gekregen, niet bestaat en dat de hond waarvoor hij driehonderd dollar heeft neergeteld een straathond is, die gratis uit een asiel is meegenomen.

43

NU IS HET TIJD om mijn eigen straathond te verkopen voor meer dan hij waard is.

Napier arriveert om negen uur. Geen kleerkasten als escorte dit keer, zoals afgesproken.

Terwijl hij door de gang loopt, wrijft hij met kinderlijke blijdschap in zijn handen. 'Oké,' zegt hij. 'Laten we een miljoentje of honderd binnenhalen.'

Hij marcheert de vergaderzaal in, kijkt om zich heen en ziet Toby en Jess. 'Wie weet hoe dat ding werkt?' vraagt hij.

'Ik wel,' zeg ik. Ik loop naar voren en trek het projectiescherm naar beneden. Ik reik onder de vergadertafel, tast naar de aan-/uitknop en start de computer op. Toby hinkt naar me toe en zet de projector aan.

'We gaan het dit keer een klein beetje anders doen,' verkondigt Napier. 'Jij zegt welke aandelen ik moet kopen en dan bel ik mijn eigen mannetje, die ze voor mijn rekening koopt. Niet dat ik je niet vertrouw.'

'Prima,' zeg ik. 'Maar hoe zit het dan met mijn aandeel?'

'Jouw aandeel?' herhaalt Napier. Hij glimlacht. 'O ja, jouw aandeel. Dat regelen we later wel.'

Mijn gezichtsuitdrukking verraadt waarschijnlijk dat ik daar niet veel vertrouwen in heb. Hij vervolgt: 'Maak je geen zorgen, Kip. Ik heb een reputatie hoog te houden.'

En een reputatie heeft hij zeker; het is een reputatie die is doorspekt met prachtige beloften en afgeketste deals, gehaaste lastminuteregelingen ter voorkoming van rechtszaken, en – in het geval van zakenpartners die te koppig blijken – onheilspellende, plotselinge verdwijningen. Met andere woorden, Napier is het type man van wie je geld vooraf eist, voordat er diensten worden geleverd.

Maar vandaag zal dat dus niet gebeuren. Napier leunt over de vergadertafel en trekt de speakertelefoon naar zich toe. Hij toetst een telefoonnummer in.

'Met Derrick,' zegt de stem aan de telefoon.

'Met mij,' zegt Napier. 'Ben je er klaar voor?'

'Helemaal.'

Napier richt zich tot mij. 'Laten we beginnen.' Hij sluit de deur.

Ik loop naar het toetsenbord van de computer en typ de code in die ik Peter talloze malen heb zien intypen:

>PYTHIA –N=1

Een groene aandelengrafiek verschijnt op het scherm: HPPR. De grafiek vertelt het vreemde verhaal van een aandeel van een visverwerker dat vierentwintig uur geleden nog voor drie dollarcent van de hand ging, maar sindsdien gestaag is gestegen naar zes dollar twintig. Boven de huidige prijs, rechts ervan, trekt Pythia een rode doelcirkel op het niveau van negen dollar vijfennegentig.

Napier kijkt naar het scherm en knikt. 'Oké,' zegt hij. Hij roept in de speakertelefoon: 'Ik wil dat je zo veel mogelijk aandelen HPPR koopt, limietprijs acht dollar, geldig tot herroeping.'

In de speakertelefoon herhaalt 'Derricks' onstoffelijke stem: 'Meneer Napier, voor uw rekeningnummer dat eindigt op 9612 kopen we Hendrik, Pieter, Pieter, Richard, limietprijs acht dollar. Dit is een ijsbergorder (iceberg order), met een kwantiteitsbod dat gelijk is aan de kwantiteitsvraag, tot aan een limiet van acht dollar, geldig tot herroeping.'

'Dat klopt,' zegt Napier.

'Uw order wordt nu naar het Nasdaq-systeem gezonden...'

De speakertelefoon laat een luide, statische knal horen. De lampen flikkeren, alsof ze niet kunnen beslissen of ze er wel of niet mee zullen ophouden. Vervolgens, alsof de beslissing is genomen, vallen ze uit. Het Pythia-scherm kleurt zwart.

'Wel verdomme...' zegt Napier.

Hij wordt van achteren beschenen door het zonlicht dat door de ramen naar binnen schijnt. Met de schaduwen op zijn gezicht is het moeilijk om zijn gezichtsuitdrukking te lezen.

Ineens weerklinkt er 'Halt! Halt! Halt!' – mannenstemmen, luid, misschien versterkt.

Alles gebeurt tegelijkertijd. De deur van de vergaderzaal vliegt open, en twee mannen stormen de kamer in, gekleed in marineblauwe kogelvrije vesten met een groot, geel FBI-logo op de voor- en achterkant. Ze hurken aan weerszijden van de deur neer en zwaaien met hun pistool van links naar rechts. Ze richten hun wapens achtereenvolgens op mij, Napier, Toby en Jess.

Nu stappen er nog twee mannen de kamer in – ze lopen rustig – agent Crosby en agent Farrell. Crosby en Farrell houden hun pistool omhoog naar het plafond.

Ten slotte verschijnt nog een laatste agent. Hij is beduidend ouder, heeft grijs haar en draagt een tweedjasje met lederen lappen op de ellebogen, als een hoogleraar Engels. Hij loopt langzaam, doelgericht, alsof hij dit – de vergaderzaal van een startersbedrijf binnenstormen – regelmatig doet.

'Handen omhoog,' schreeuwt agent Crosby.

Ik steek mijn handen in de lucht. Toby, Jess en Napier volgen mijn voorbeeld.

'Kip Largo,' zegt de grijsaard. 'U bent gearresteerd.'

'Gearresteerd? Waarvoor?'

'*Wire* fraude, aandelenfraude, omkoperij, interceptie van elektronische communicatie in sectie 2511... Hebt u even? Trek een stoel bij, dan lees ik de hele lijst voor...'

'Wacht,' zeg ik. 'Dit is een groot misverstand.'

'Meneer Largo,' zegt de grijsaard. 'Alles wat u zegt kan en zal tegen u gebruikt worden. U hebt recht op een advocaat. Als u zich er geen kunt veroorloven, zal u er een toegewezen worden.'

'Shit,' zeg ik. De eerste twee agenten in de kamer lopen op me af. Ze trekken mijn armen achter mijn rug en slaan handboeien om mijn polsen. 'Au,' roep ik.

'Oké,' zegt de grijsharige agent. 'We brengen ze naar het hoofdbureau...'

'Heren, alstublieft,' zegt Napier. 'Wacht even. Ik heb hier niets mee te maken.'

De grijsaard draait zich naar Napier om. 'Wie is dat?'

'Ed Napier,' antwoordt agent Crosby.

'Hallo, agent Crosby,' zegt Napier. Hij is een en al glimlach, alsof hij een gast in zijn hotel verwelkomt. 'Wat is hier allemaal aan de hand?'

Agent Crosby schudt zijn hoofd. 'Uw partner is betrokken bij een criminele operatie.'

'O ja? Daar weet ik niets van. Ik ben durfkapitalist, geen privédetective.'

Agent Crosby richt zich tot de grijze agent. 'Hij hoeft niet mee, toch?'

'Staat hij op de lijst?'

'Nee.'

De grijsaard knikt. 'Maak hem maar weer los. Is bekend waar we hem kunnen bereiken?'

'Ja,' antwoordt Crosby.

'Oké, we nemen nog contact met u op. U gaat toch nergens heen, hè?'

'Misschien naar Las Vegas. Ik heb daar een paar hotels...'

'Juist.' De man laat zich niet zo snel imponeren. 'Ik verblijf in de Residence Inn even verderop. Hebben we toch nog iets gemeen.' Hij wendt zich tot Crosby. 'En die anderen?'

'Toby Largo, Jessica Smith...' Hij kijkt naar mij. 'Waar is Peter Room?'

Ik schud mijn hoofd. 'Niet beschikbaar,' zeg ik.

'Oké, we gaan,' zegt Crosby. Tegen Napier zegt hij: 'Als ik u was, zou ik maken dat ik wegkwam.'

Napier kijkt me aan, alsof hij overweegt iets te uiten, een dreigement misschien of een verzoek om me later nog te spreken. Maar uiteindelijk besluit hij dat discretie het beste is, en dus zegt hij niets. Dreigementen kunnen klaarblijkelijk wachten. Hij knikt en loopt snel de kamer uit, voordat de FBI van gedachten verandert.

Terwijl Napier via de gang verdwijnt, wordt de show voortgezet. De grijsaard roept luid: 'Wijs hen op hun rechten.'

Crosby begint met reciteren, terwijl de kantoordeur achter in de gang dichtslaat en Napier zich weg spoedt, stil en schaapachtig voor de eerste keer sinds we elkaar kennen.

Als Napiers kersenrode Mercedes het parkeerterrein verlaat, zetten we de poppenkast nog vijf minuten voort, voor het geval Napier zijn sleutels is vergeten of zijn mannen heeft geïnstrueerd ons van een afstandje in de gaten te houden. Ik heb verhalen gehoord van oplichters die te gretig waren, die in geroep en geschreeuw uitbarstten of zelfs de buit begonnen te verdelen, terwijl hun slachtoffer op nog geen meter afstand meeluisterde. Het is onbegrijpelijk dat je zo hard werkt om iemand op te lichten en het dan allemaal verpest in een roes van domheid, hebzucht en luiheid. Maar ach, is dat niet precies wat de hele oplichtersbusiness bewijst? Dat de mens van nature dom, hebzuchtig en lui is?

En dus worden Toby en Jess met een bleek gezicht en bijna in tranen naar buiten geëscorteerd en op de achterbank van een gereedstaande zwarte wagen met geblindeerde ramen geduwd. Ik word achter hen aan geleid en op de achterbank van een tweede donkere sedan gezet. Terwijl de auto waar ik in zit het parkeerterrein af rijdt, zie ik twee FBI-agenten onze kantoordeur met een rood-wit lint afzetten. Op de parkeerplaatsen direct voor het gebouw plaatsen ze oranje pylonnen.

Als we over de Bayfront Expressway rijden, langs de stinkende zoutmeren, draait de man in de passagiersstoel zich naar me om. Het is Elihu Katz.

'U hebt nog steeds het recht om te zwijgen, hoor.'

'Elihu, wat een aangename verrassing.'

'Ik vind het einde het leukst, altijd al gevonden. Er is niets mooiers dan hun gezicht te zien. Hoe is het gegaan?'

'Dat weet ik nog niet,' zeg ik. 'Het is nog niet helemaal afgelopen.'

'O, nee?' Hij kijkt me onderzoekend aan. Hij wil dat ik uitleg geef, maar dat kan ik niet. Nóg niet.

In plaats daarvan kijk ik om me heen. In het bedieningspaneel achterin is een minibar ingebouwd, die gevuld is met blikjes cola en een half gevulde fles wodka. 'Gave wagen,' zeg ik.

Elihu knikt. 'Ja, ik heb korting kunnen bedingen. Nu het seizoen van de eindejaarsfeesten is afgelopen, kun je deze goedkoop huren.'

'Mooi werk. Ziet er heel FBI-achtig uit.'

'Mwa,' zegt Elihu terwijl hij met zijn hand zwaait. 'Ik vond deze in elk geval geschikter dan een witte limousine. Die had ik nog goedkoper kunnen krijgen.'

'Goede beslissing,' zeg ik. 'Je ziet niet veel FBI'ers in witte limousines.'

'Precies,' zegt Elihu. Hij draait zich weer om. Hij reikt naar de vloer en haalt een zwartleren attachékoffer tevoorschijn. Hij geeft hem over de stoel aan mij. 'Alsjeblieft,' zegt hij. 'Wees er voorzichtig mee. Hij is niet verzekerd.'

Ik knik.

We rijden in stilte verder.

In het Fairmont Hotel in San José check ik in onder de naam Kyle Reilly. Met contant geld betaal ik de komende drie nachten vooruit. Ik heb Toby en Jess opgedragen om afzonderlijk van elkaar in een hotel aan de andere kant van het Schiereiland te trekken. Over drie dagen neem ik contact met hen op, heb ik gezegd, als ik zeker weet dat we ons doelwit met succes op de vlucht hebben gejaagd.

In mijn hotelkamer zet ik de televisie aan en loop naar de badkamer. Ik neem de tijd voor een lange plas en een warme douche. In eerste instantie is het een opluchting om alleen te zijn, om geen Toby in de buurt te hebben, om te kunnen plassen wanneer ík dat wil, om de badkamer in te lopen en mijn handdoek niet in een natte hoop op de grond aan te treffen.

Maar als ik besluit naar het hotelrestaurant te gaan voor een biertje en een hamburger, bedenk ik ineens dat het leuk zou zijn als Toby hier was – om te genieten van zijn cynische humor, om verbaal met hem te strijden, om met mijn ogen te rollen om zijn niet-aflatende libido. De afgelopen twee maanden is hij – in voor- en tegenspoed – mijn continue metgezel geweest, mijn maatje. Ik ben hechter met hem geweest dan ooit daarvoor. En ik vind het grappig en op een metafysische manier van zekere betekenis dat er een misdrijf voor nodig was om de band met mijn zoon te versterken. En dat ik hier, ondanks mijn verlangen om de fouten van mijn vader niet te herhalen, de praktijken van mijn vader, twintig jaar na diens dood, imiteer en dus toch niet in staat ben gebleken om aan zijn klauwen te ontsnappen.

Op de televisie kijk ik naar de groen-rode informatiebalk onder in beeld en de CNBC-presentator die zegt: 'En nu nieuws uit de gokindustrie. Het Eurobet Consortium heeft vandaag laten weten dat het Ed Napiers bod op het Tracadero Hotel op de Las Vegas *Strip* niet evenaart. De terugtrekking van Eurobet uit het biedproces opent nu de weg voor Ed Napier om het terrein te kopen en er het grootste hotel van de Verenigde Staten op te bouwen.'

Weet je waar ik nog meer aan denk terwijl ik hier alleen in een leeg restaurant zit, mijn hamburger eet en mijn biertje drink? Dat een succesvolle zwendel als een maaltijd is. Je geniet er alleen van als je hem met iemand kunt delen. Wat is er nu leuk aan als je alleen in een hotel zit, zonder iemand om mee te praten?

Terug in mijn hotelkamer leg ik de zwarte attachékoffer die Elihu Katz me heeft gegeven op de bedsprei. Het dekbed is oranje en bruin, en de stof is zo dik en krakerig als stokbrood van een dag oud. Bovendien is hij bedekt met opgedroogde spermasporen van honderden gasten. Het bloemenpatroon van de sprei camoufleert de sporen van vieze schoenzolen en remsporen van de wieltjes van koffers die over het smerigste asfalt ter wereld hebben gerold.

Ik open de attachékoffer en haal er drie bruine papieren zakken uit, alle drie zo groot als een honkbal. De papieren zakken zijn gekreukeld en strak dichtgevouwen, als de restanten van een half opgegeten kantoorlunch die haastig in de vuilnisbak zijn gegooid. Voorzichtig maak ik een van de zakken open en strooi de inhoud in een nette hoop op de sprei. Ik staar naar de kleine berg losse diamanten, een mengeling van een- en tweekaraats, als een klein zandkasteel. De diamanten glinsteren zelfs in de energiezuinige verlichting van het hotel. In elke zak zit voor vijf miljoen dollar aan edelstenen.

Voorzichtig schep ik de diamanten terug in de eerste zak, en de afgedwaalde exemplaren pak ik een voor een tussen duim en wijsvinger op. Ik rol de zak dicht en leg hem terug in de koffer. Ik open de tweede zak en strooi de inhoud op de bedsprei. Weer een zandkasteel van vijf miljoen dollar. Ik doe de inhoud terug in de zak en controleer daarna de derde.

Diamanten zijn de best mogelijke valuta voor mannen zoals ik. Ze zijn klein, verwisselbaar, anoniem, en bovendien ook nog eens prachtig om te zien. Maar het is belangrijk om er niet al te zeer gehecht aan te raken. Weldra wisselen ze van hand en zijn ze van André Sustevich.

Morgen geef ik de diamanten aan de Professor, en zo betaal ik mijn schuld af.

Je besteelt niet elke dag iemand om hem te kunnen terugbetalen wat je hem verschuldigd bent. Geef maar toe: netjes is het zeker. Iets waar ik terecht trots op mag zijn.

Ook al is mijn business met Sustevich op maandagochtend over en is mijn schuld afbetaald, toch zal Sustevich een wee gevoel krijgen. Zijn gevoel weerspiegelt wellicht de dalende aandelenprijs van HPPR. Wanneer de markt voor HPPR op maandagochtend verdwijnt – wanneer bijna geen enkele rationele investeerder bereid is het aandeel te kopen, en de situatie weer teruggaat naar normaal – zal de prijs van Halifax Protein als een baksteen zinken, terug naar waar hij aanvankelijk stond, naar drie dollarcent per aandeel. De acht miljoen aandelen die Sustevich voor een gemiddelde prijs van zes dollar per aandeel heeft gekocht – in de frivole verwachting ze voor tien dollar per aandeel aan Ed Napier te kunnen doorverkopen – zullen, zoals de onbetaalbare rashond die eigenlijk een straathond was, waardeloos blijken.

44

OM TIEN UUR 's avonds huur ik op de luchthaven van San José een auto en rijd in noordelijke richting naar Woodside voor een ontmoeting met mijn handlanger.

Een zwendel is als een huwelijk. Iedereen gelooft in het romantische sprookje dat je, als je maar goed genoeg zoekt, de perfecte partner zult vinden, iemand die je aanvult en je op magische wijze compleet maakt. Maar de realiteit is prozaïscher. Gewoonlijk eindig je met wie er op dat moment in de buurt is.

En zo was het ook in mijn zwendelzaak. Wanhoop en hebzucht maken vijanden tot vrienden.

Ik rij naar het hek van zijn landhuis en stop bij het beveiligingshokje. Het is dezelfde bewaker als de vorige keer, de man van middelbare leeftijd die me het omheinde gebied in leidde voor een van mijn gebitscorrecties.

'Ik kom voor de heer Napier,' zeg ik.

De bewaker knikt. 'Rij via het pad naar het huis en parkeer in de cirkel.' Hij loopt naar het hek en duwt het open.

Het is driekwart maan en er is genoeg licht om te kunnen zien. Langzaam rij ik over het gravelpad. Om de tien meter verlichten lampen een kleine cirkel op de grond. Over de top van de heuvel zie ik het Spaanse huis, de kalksteen en het rode kleien dak. Het wordt van onderen verlicht door heldere spotjes. Ik parkeer de auto in de parkeercirkel twintig meter van de loggia. Ik word begroet door een man in pak. Zijn gezicht is bekend. Hij is de krachtpatser die mijn voortand eruit heeft geslagen. In het maanlicht kijkt hij me aan.

'Uw tand ziet er goed uit,' zegt hij.

'In een lichte kamer is de kleur een beetje afwijkend,' leg ik uit. Ik voel me genoodzaakt te zeggen: 'Thaise tandarts.'

De krachtpatser knikt en glimlacht wellustig, alsof ik iets vies heb gezegd.

'Laat maar zitten,' zeg ik.

Hij gaat me voor over het tegelpad, door de zuilengang, langs de rotan meubels en rode bougainvilles in potten naar de woonkamer. Napier is daar al en leunt over de biljarttafel. Hij draagt een trui en een kakikleurige broek. Dit is de eerste keer dat ik hem zonder pak zie.

De spierbundel vertrekt zonder iets te zeggen. Napier kijkt niet naar me op. Hij trekt zijn keu naar achteren en stoot hem tegen de witte bal. De witte bal slaat zonder te tollen tegen de bal met nummer vier, die recht het vak in de hoek in vliegt. Dat is Ed Napier in één snelle polsbeweging: hard, wreed, direct. Geen indirecte bankstoten, geen lichte tikjes.

Hij begint aan zijn volgende schot: de vijf in het middenvak. Zonder naar me op te kijken zegt hij: 'Dus de klus is naar tevredenheid geklaard.'

'Ja,' zeg ik.

Napier stoot; de bal met nummer vijf zoeft over het vilt en valt in de leren mal van het vak.

Eindelijk kijkt Napier naar me op. Hij zet zijn keu rechtop tegen de zijkant van de tafel. 'Je klinkt niet erg blij voor een man die net met twintig miljoen dollar is weggekomen.'

Ik haal mijn schouders op. Ik wil uitleggen dat deze overwinning ten koste van iemand komt, dat mijn aanvankelijke angst gegrond is gebleken. Maar waarom zou ik de moeite nemen? Napier is niet het type dat lang bij verraad blijft stilstaan. Hij handelt het met een snelle polsbeweging af. Hard, wreed en direct.

'Hoe gaat het met je tand?' vraagt hij.

'Gaat wel.'

Hij staart naar mijn gebit. Ik glimlach als een leerling uit de hoogste klas van de lagere school op de dag dat de schoolfotograaf komt.

'Je lijkt zo wel op mijn grootmoeder, god hebbe haar ziel, met die verschillende kleuren.'

'Dat wordt nog wel verholpen.'

'Sorry nog daarvoor,' zegt Napier. 'Jackie werd iets te... enthousiast.'

'Zoals bij het worstelen,' zeg ik.

'Pardon?'

'Niets.' Ik denk aan op de bank zitten met Toby en kijken naar Killer Eight en Frankie de Fist. Dat was leuk, zolang als het duurde.

'Laten we iets drinken,' zegt Napier. Hij loopt naar de met mozaïek betegelde bar en schenkt twee glazen whisky in. Hij geeft mij er een. 'Whisky,' zegt hij. Hij heft zijn glas. 'Op succes.'

'Op succes,' zeg ik. Ik neem een slok.

'Ah,' zegt Napier, waarna hij zijn glas neerzet. 'Blijf je eten?'

'Oké.'

Hij houdt zijn hoofd even schuin en gaat me voor de eetkamer in. De tafel is voor twee personen gedekt met wit tafellinnen. We lopen elk naar een stoel. Hij zegt: 'Het ziet ernaar uit dat ik de Tracadero toch nog ga winnen.'

'Ja, ik had niet anders verwacht. Volgens mij verkeert Sustevich in de verste verte niet in de positie om jouw bod te evenaren. Hij zal zijn handen vol hebben aan het beperken van de schade: kwade zakenpartners die willen weten wat er is gebeurd. Hoe hij de deal heeft kunnen verliezen. Hoe hij al hun contanten heeft verspeeld.'

'Die Russen kunnen moeilijk doen. Neem dat maar van mij aan. Ik weet er alles van.'

We nemen plaats. Ik gebaar naar een derde plek aan tafel, een die verdacht ongedekt is. 'Je vrouw eet niet mee?'

Napier schudt mistroostig zijn hoofd. 'Ik vrees van niet. Ze heeft een ongelukje gehad.'

'Juist.'

'Dus je had ook gelijk wat haar betreft.'

'Niet iets waarin ik graag gelijk wílde hebben.'

Napier haalt zijn schouders op. 'Ik had altijd al een vermoeden. Maar wat kan ik zeggen? Ze was supergeil, kon heerlijk neuken.' Hij valt even stil. 'Zoals je weet.'

Ik denk aan die nacht in The Clouds, aan de zwarte halfbolvormige ogen in het plafond van het casino. Ik denk aan Lauren Napiers kamer op de tweeëndertigste verdieping, de stromatten, haar benen om mijn middel, haar gelakte teennagels.

'Ja, sorry nog daarvoor,' zeg ik. 'Ik geloof dat ik een beetje te... enthousiast werd.'

Napier glimlacht.

Dat was mijn eerste aanwijzing: Napiers vrouw. Het was wel een beetje vreemd, vind je niet, dat ze me op een middag zomaar tegenkwam in een bar? Dat ze me honderdduizend dollar aanbood om haar man op te lichten? Dat ze een zielig verhaal opdiste over dat ze door hem in elkaar geslagen werd en vreesde voor haar leven?

En een paar dagen later hoorde ik vervolgens dat mijn zoon geld verschuldigd was aan een Russische gangster. Wat een toeval! Mijn zoon had wanhopig behoefte aan geld, en Lauren Napier bood het aan! De sterren stonden zeker gunstig.

De meeste mensen staan niet stil bij dit soort toevallen. Maar mannen zoals ik, wij voelen het aan ons water. Een toevalligheid is een teken van God, een aanwijzing die je met respect moet behandelen.

Wanneer ontdekte ik dat Sustevich achter Lauren Napier zat? Dat het de Professor was die Napier wilde ruïneren, om de Tracadero te pakken te krijgen, en misschien nog meer stukken uit Napiers imperium? Volgens mij wist ik het zeker op het moment dat de Professor me toegang verschafte tot zijn landhuis in Pacific Heights. Hij was te beleefd, te geïnteresseerd in investeren in mijn zwendel. Jongens zoals ik zijn gewend om als oud vuil behandeld te worden. Behandel ons beter en we krijgen onmiddellijk argwaan.

Dus Sustevich ontdekte in een opwelling van hebzucht dat ik van plan was Napier op te lichten, en hij besloot een stukje van de actie mee te pikken. Het was voor hem niet voldoende om toe te kijken terwijl zijn vijand door mij werd verwoest. De Professor wilde ook nog een beetje winst maken, precies zoals ik had verwacht.

Met het geld van de Russische maffia begon Sustevich aandelen HPPR te kopen. Aangezien ik de enige eigenaar van het aandeel was, kocht hij eigenlijk van mij. Gemiddeld legde hij zes dollar per aandeel neer, waarvan hij dacht dat het tot tien dollar zou stijgen. Het zou een goede investering zijn geweest, áls het waar was.

Helaas zal hij zich snel realiseren dat hij zes dollar heeft betaald voor een waardeloos aandeel. Ik zal de winst met Ed Napier delen – elk ongeveer vijfentwintig miljoen dollar – minus het geld dat we Elihu Katz schuldig zijn voor de voorgeschoten diamanten.

De diamanten zijn een afleidingsmanoeuvre. Sustevich heeft me zes miljoen dollar geleend; ik betaal hem vijftien miljoen terug. Wanneer de wegen van de Professor en die van mij zich scheiden, denkt hij dat ik de beste investering ben die hij ooit heeft gedaan. Intussen heb ik hem, zonder dat hij het wist, roekeloos bestolen.

Zo hadden Ed Napier en ik het zo veel weken geleden afgesproken.

Ten slotte moet je je toch afvragen: hoe lang geleden is Sustevich begonnen met het plannen van zijn eigen zwendel? Napier ontmoette Lauren – de vrouw die zijn echtgenote zou worden – vier jaar geleden tijdens een modeshow. Werkte ze toen al voor Sustevich? Wist de Professor zelfs toen al dat Ed Napier zijn uiteindelijke doelwit zou worden?

Misschien was het helemaal niet zo'n slinkse manoeuvre. Als je de Russische maffia bent die graag voet aan de grond wil krijgen in Las Vegas om geld wit te wassen en in de tussentijd nog miljoenen extra te verdienen, weet je wie de weg blokkeert. Je weet dat Ed Napier de Koning van Las Vegas is. Om de kroon te winnen, moet je hem van zijn hoofd trekken. Dus begin je jaren van tevoren met plannen en schenk je Napier een nieuwe koningin, een prachtige jonge vrouw die voorbestemd is hem te verraden...

Terug in mijn hotel luister ik mijn antwoordapparaat thuis af. Ik zal niet naar mijn appartement terugkeren – voorlopig niet, misschien wel nooit meer.

Het eerste bericht is van Celia. 'Ik wilde even horen hoe het ging,' zegt mijn ex-vrouw. 'Ik heb al een tijdje niets van jullie gehoord. Dus... bel even, een van jullie.' Een van jullie. Het is officieel: ze belt naar het appartement van Kip en Toby. Vader en zoon. Het heeft de ingrediënten van een kostelijke komedie: jonge mislukkeling trekt in bij hardwerkende vader. Maar let wel (ik stel me de enthousiaste producent voor die de serie aan zijn bazen probeert te verkopen) de vader is een oplichter. Nou? Briljant, toch?

Het tweede bericht is van de Arabische kleinzoon van meneer Grillo. Zelfs voordat hij 'Hallo, Kip' heeft gezegd, weet ik dat er iets mis is. Op kalme toon vervolgt hij: Ik had het je liever persoonlijk verteld, maar met alles wat er op dit moment gebeurt... Voor het geval je het nog niet wist, mijn grootvader is gisteravond overleden. De uitvaart is zaterdag om één uur in St.-Mary's. Ik weet zeker dat hij het fijn gevonden zou hebben als je kwam.'

Ik hang op en denk aan die avond, nog maar een paar weken geleden, toen ik in het appartement van meneer Grillo een *highball* dronk. Mijn huurbaas was een geschikte vent. Hij heeft een lang leven gehad. Aan het einde ervan was hij alleen, de winnaar van een taaie en ongelijke strijd waarin je te laat tot het besef komt dat winnen betekent dat je hebt verloren. Dat je je vrienden, je vrouw en zelfs je dochter hebt overleefd. Dat je in de steek gelaten bent, dat er misbruik van je wordt gemaakt door mensen die een zakcentje willen verdienen, mensen voor wie jouw resterende dagen een onaangenaam obstakel tussen hen en gewin is. Ik vermoed dat de oude man op dit moment door de hemel schuifelt in een badjas en een onderhemd, met een *highball* in de hand. Ik vraag me af: wacht mij hetzelfde lot als meneer Grillo? Zal ook ik alleen sterven, in de steek gelaten door mijn naasten omdat ze me niet konden vertrouwen of omdat ik hen niet kon vertrouwen? Ik hoop dat meneer Grillo ook een *highball* voor mij heeft klaarstaan, waar hij zich nu ook bevindt.

45

DIE ZATERDAG VERLAAT IK tegen beter weten in mijn hotel en rij naar Palo Alto om de begrafenis van de oude man bij te wonen. Als ik de kerk binnenloop, denk ik dat ik naar de verkeerde plek ben gekomen. Dit kan geen begrafenis zijn: er is niemand.

Maar dan zie ik helemaal vooraan de rouwenden, nauwelijks twee rijen diep – een handjevol broze, oudere mensen en een paar jongere gezichten die ik herken – de Arabier en zijn vrouw; de buurvrouw met het poedeltje; de jongen met de ooglap van verderop in de straat.

Het is duidelijk dat de priester meneer Grillo niet kent, hem misschien zelfs nooit heeft ontmoet. Hij houdt het bij veilige algemeenheden: dat meneer Grillo veel plezier en liefde gaf aan de mensen die hij tijdens zijn vele jaren op aarde heeft gekend, en dat hij nu aan Gods zijde is.

Aan het einde van de dienst verlaat ik de kerk zonder een woord met iemand te wisselen. Ik weet dat ik snel terug moet naar mijn hotelkamer in San José, voordat iemand in Palo Alto me ziet. Nog slechts één dag voordat ik aan boord ga van een vliegtuig en Californië verlaat. Morgen om deze tijd hang ik in de lucht en vlieg ik naar een tot nog toe onbekende bestemming, die in elk geval warm zal zijn, een plek waar de economie zwaar afhankelijk is van op rum gebaseerde drankjes.

Ik loop de trappen van de kerk af, steek de straat over en rommel in mijn jaszak naar mijn autosleutels. Ik druk op de afstandsbediening. Mijn gehuurde Ford Escort tjilpt opgewekt.

Wanneer ik mijn hand op het deurportier leg, besef ik dat er iets niet klopt. In eerste instantie weet ik niet wat. Dan dringt het ineens tot me door: er is geen verkeer. Het is zaterdagmiddag, het centrum van Palo Alto, in een straat achter een drukke supermarkt. Het zou hier moeten krioelen van de yuppen in Volvo's en IT'ers in nieuwe Kevers, die glutenvrij meel en scharrelkippen inslaan. In plaats daarvan is de straat verlaten – stil. Ik tuur in de verte en zie een politiebarricade en een uniform dat auto's wegleidt. Ik draai me om. Een wagen met geblindeerde ramen rijdt langzaam op me af, de verkeerde richting op in een straat met eenrichtingsverkeer.

Even overweeg ik om hard weg te rennen. Te laat. De stemmen klinken slechts een paar meter achter me. 'Kip Largo! Halt!'

'FBI! Handen omhoog!' roept een vrouwenstem.

Zonder me om te draaien hou ik mijn handpalmen op. Aan de overkant van de straat dalen de rouwenden van meneer Grillo's begrafenis de trappen van de kerk af. Ik zie de Arabier met zijn vrouw. Hij kijkt me nieuwsgierig aan en probeert te achterhalen wat er aan de hand is. Wanneer het tot hem doordringt, zie ik zijn gezichtsuitdrukking bijna letterlijk veranderen van nieuwsgierig naar walgend. Hij kan niet geloven dat ik tijdens een rouwplechtigheid word gearresteerd.

Ik ook niet, vriend, wil ik tegen hem zeggen. Maar voordat ik dat kan doen, worden mijn polsen achter mijn rug getrokken en vastgezet met een plastic band. Mijn hoofd wordt naar beneden gedrukt als een duiveltje in een doosje, en ik word de gereedstaande wagen in geduwd.

Voorin zitten twee in kostuum gehesen mannen met uitgestreken gezichten, die mijn pogingen tot een gesprek negeren. We rijden in een halfuur via de snelweg in zuidelijke richting naar San José en duiken de ondergrondse garage van een hoog bedrijfsgebouw aan Bascomb Street in. Met een goederenlift gaan we naar de veertiende verdieping, ik en de twee marmeren standbeelden in pak. Ze kijken me geen van beiden aan. De lift maakt een gonggeluid en de deuren schuiven open. Ik word via een korte gang naar een grijze dubbele deur zonder bordje geleid. Een van mijn begeleiders klopt kort maar krachtig op de deur. De deur gaat open.

We lopen langs een rij bureaus, waarvan sommige bezet zijn door serieus uitziende heren en sommige leeg zijn. Ik word naar een ruimte zonder ramen gebracht, met een tafel en vier stoelen. Een van mijn ontvoerders pakt een zakmes uit zijn broekzak en snijdt mijn plastic handboeien door.

'Gaat u alstublieft zitten, meneer Largo,' zegt hij.

'Ben ik gearresteerd?' vraag ik.

'Alstublieft,' zegt hij weer, in een toon die zweeft tussen geduldig en dreigend. 'Gaat u zitten.'

Ik ga op de metalen klapstoel zitten. De agent knikt. 'We komen zo bij u terug.'

De agenten vertrekken.

Ik word een paar minuten alleen in de kamer achtergelaten, waarschijnlijk om me tijd te gunnen om nerveus en praterig te worden. Uiteindelijk gaat de deur weer open en verschijnen er twee agenten. De eerste is een vrouw van in de veertig, met blond-grijs kortgeknipt haar en een marineblauw broekpak. Ze ziet eruit als een huismoeder die net uit haar stationwagen is gestapt. Bij binnenkomst glimlacht ze vriendelijk, alsof ze me elk moment een broodje pindakaas met jam kan aanbieden.

'Meneer Largo, ik ben agent Warren,' zegt ze.

Ik merk op dat als ze stopt met glimlachen, haar mondhoeken nog lang gerimpeld blijven.

De andere agent is een magere vent van in de veertig, met dik donker haar, heldere blauwe ogen en een gezichtshuid die te strak over zijn schedel lijkt te zijn getrokken. Hierdoor oogt hij als een uiterst verrast skelet. Hij stelt zichzelf voor als agent Davies.

'Meneer Largo, weet u waarom u hier bent?' vraagt hij.

'Laat ik ú iets vragen,' zeg ik terwijl ik de vraag negeer. 'Zijn jullie echt van de FBI?'

'Echt van de FBI?' vraagt agent Davies.

'Ja, word ik erin geluisd? Is dit een *button*?'

'Een *button*?' herhaalt agent Warren.

Davies schudt zijn hoofd. 'Meneer Largo, ik verzeker u: wij zijn echter dan echt.'

'Ja, maar hoe wéét ik dat?'

Agent Davies reikt in zijn jaszak. 'Hier,' zegt hij. 'Mijn legitimatie.' Hij geeft het aan mij.

'O,' zeg ik. Ik bestudeer het kaartje nauwkeurig. 'Legitimatie? Had dat meteen gezegd.' Ik reik in mijn eigen jaszak en haal het kaartje van agent Crosby tevoorschijn. Ik geef het aan hem. 'Ziet u? Die van mij is mooier.'

Davies tuurt met samengeknepen ogen naar het kaartje. 'Wie is agent Crosby?'

'Een zwarte met een kaalgeschoren hoofd. Ooit met hem samengewerkt?'

Davies denkt na. Het duurt ongeveer acht seconden voordat hij beseft dat ik de draak met hem steek.

'Meneer Largo, alstublieft,' zegt hij. 'Laat ik opnieuw beginnen. Weet u hoe u hier terechtgekomen bent?'

'Nou,' zeg ik langzaam. 'Als een man en een vrouw heel veel van elkaar houden, zoals mijn mama en papa, stopt een man zijn penis...'

'Meneer Largo,' zegt Davies. 'Ik heb niet veel tijd. Alstublieft. Ik heb uw hulp nodig.'

Dit is het eerste FBI-achtige iets wat ik deze dag heb gehoord. Geen dreigementen met gevangenisstraffen of geweld, geen gebral. Alleen een fatsoenlijk verzoek. Ik leun achterover in mijn stoel. 'Oké, neemt u mij niet kwalijk,' zeg ik. 'Nog een keer graag.'

'Laat ik omwille van de tijd meteen terzake komen,' zegt Davies. 'U bent niet gearresteerd. Niet helemaal. Nog niet. Misschien dat ik aan het einde van dit gesprek nog van gedachten verander.'

'Juist.'

'In eerste instantie snapten we niet waar u mee bezig was. We hebben veel tijd besteed aan die rottige vitaminesite van u. Hoe heet-ie? MrVitamin.com? We hebben voor duizend dollar aan betacarotene besteld voordat we beseften dat het legaal was.' Hij schudt zijn hoofd. 'Mooie site, trouwens.'

'Dank u.'

'Mijn vrouw ontwerpt webpagina's. Ik zou jullie aan elkaar moeten voorstellen.'

'Oké,' zeg ik vriendelijk. Ik sla op mijn jaszak. 'Ik heb uw kaartje.'

'Afijn, het heeft ons behoorlijk wat tijd gekost, maar uiteindelijk zijn we er toch achter gekomen. U hebt geld gestolen van de Russische maffia.'

Hij kijkt me aan. Ik zeg niets.

'Ik durf niet met honderd procent zekerheid te zeggen hoe u het gedaan hebt,' zegt Davies, 'of waarom u het gedaan hebt, of hoeveel u gestolen hebt. Volgens mij *wíl* ik dat ook helemaal niet weten. Naar mijn persoonlijke mening had het geen slechtere schurk kunnen treffen.'

Davies wacht tot ik iets zeg. Maar ik weiger te bevestigen of te ontkennen wat hij heeft gezegd. Het zou een val kunnen zijn. Dus blijf ik rustig zitten en staar voor me uit.

Hij gaat verder: 'Helaas hebt u mijn partner en mij – en de tien andere leden van mijn taskforce – dankzij uw capriolen met een serieus probleem opgezadeld. We hebben de afgelopen negen maanden onafgebroken aan de zaak André Sustevich gewerkt. Stukje bij beetje hebben we een zaak tegen hem opgebouwd. Drugs, prostitutie, afpersing, noem maar op. Nog een week en we hadden de hele Sustevich-organisatie opgerold.'

'Wat houdt jullie tegen?"

'U,' zegt Davies. 'Wat het ook is wat u gedaan hebt... Dát houdt ons tegen.'

'Ik begrijp het niet.'

'Sustevichs bankrekening is leeg. Hij lijkt zelf van de aardbodem verdwenen. Misschien is hij op de vlucht, misschien is hij dood.'

'Zoals u al zei, had het geen slechtere schurk kunnen treffen.'

'Ik vrees dat het niet zo simpel ligt. De Amerikaanse overheid heeft nu bijna zes miljoen dollar uitgegeven aan het opbouwen van een zaak tegen Sustevich. Dit is een grote deal. De toekomst van onze baas staat op het spel. De toekomst van de baas van onze baas staat op het spel. Dus: mijn toekomst staat op het spel. U weet wat dat betekent?'

'Er begint iets te dagen. Míjn toekomst staat op het spel?'

Hij wijst naar me, het universele teken met de betekenis: bingo, sukkel.

'Luister,' zeg ik. 'Ik zeg niet dat ik iets met André Sustevich te maken heb. Maar als het zo was, zou ik aannemen dat hij met andermans geld heeft gegokt en alles heeft verloren. Misschien houdt hij zich wel schuil voor kwade Russische partners.'

'Maar u mist nog steeds mijn punt,' zegt Davies.

'Wat is uw punt dan?'

Agent Warren, mijn nieuwe FBI-akela komt tussenbeide. 'Misschien kan ik het uitleggen,' zegt ze. Ze spreekt met zachte, vriendelijke stem. 'Ik denk dat mijn partner het volgende probeert te zeggen: We gaan hoe dan ook íémand arresteren... voor íéts. We zijn niet van plan om het onderzoek met lege handen af te ronden.'

Ik begin in de gaten te krijgen waar dit naartoe gaat. 'Ah,' zeg ik.

'Dus de vraag is, meneer Largo, of we iemand gaan arresteren wegens aandelenmanipulatie en -fraude, of dat we iemand gaan arresteren wegens prostitutie en afpersing. Eerlijk gezegd zouden we het liefst Sustevich vervolgen. Maar als het echt moet, vervolgen we onze tweede keus.'

'Mij.'

Agent Warren haalt haar schouders op. Ze heeft de gezichtsuitdrukking van een moeder die haar kind, dat pijn in de buik heeft, vriendelijk berispt: Zie je nu wat er gebeurt als je te veel koekjes eet?

Ik probeer het nog een keer. De veiligste strategie als je ergens van beschuldigd wordt, of het nu het bedriegen van je vrouw of belastingfraude is, is: ontkennen, ontkennen, ontkennen. 'Luister, jongens. Ik wil jullie graag helpen. Echt waar. Maar ik heb geen relatie tot André Sustevich. Ik heb niets met hem te maken.'

Het gezicht van agent Davies drukt uit: Ik begin hier moe van te worden. Hij reikt in zijn jaszak en haalt er een minicassetterecorder uit. Hij legt hem op de tafel voor me. 'Ik wil dat u even goed luistert.' Daarna drukt hij op de startknop.

Uit de luidspreker klinkt een tinachtige stem, hoorbaar boven het kolkende watergeluid van statische elektriciteit uit. De opname heeft iets gecomprimeerds – alles op hetzelfde volume – een duidelijk teken van een telefoontap.

Ik herken de eerste stem niet. Het is een man met een zwaar, slordig Oost-Europees accent, als zure room die over flensjes druipt. Hij zegt: 'Maar Kip Largo is een crimineel. Hij is onhandelbaar.'

De tweede stem herken ik meteen: waardig en afgemeten, een doordringend Russisch accent. De Professor.

'Maakt u zich over de heer Largo geen zorgen. Hij kan ons niet verrassen. Ik heb een medewerker binnen zijn organisatie.'

'En wie is die medewerker?'

Op het bandje zegt de Professor: 'Laten we de persoon "Vilnius" noemen.'

'Vilnius? Kunt u deze Vilnius vertrouwen?'

'Ik hoef Vilnius niet te vertrouwen,' zegt Sustevich. 'Ik bezít Vilnius.'

Agent Davies drukt op de stoptoets. Hij kijkt me aan.

'En?' vraag ik. 'Wat wilt u dat ik zeg?'

'Doet het u niets?' vraagt agent Warren.

'Natuurlijk wel. Als het waar is. Maar mannen zoals Sustevich zeggen zo veel.'

'Weet u wie het is?' vraagt agent Warren.

'Nee,' geef ik toe. 'U wel?'

Ze schudt haar hoofd. Ik ben opgelucht, want ik wil het ook liever niet weten. Per slot van rekening zijn er niet zoveel mogelijkheden. En geen ervan stemt me vrolijk.

Agent Davies komt eindelijk bij het punt waarop hij al tien minuten zinspeelt. 'Dus,' zegt hij. 'Dit is ons voorstel. Geef ons Sustevich. Kunt u dat niet, geef ons dan Vilnius. Wie hij of zij ook is.'

'En als ik weiger?'

'Dan ga je weer voor minstens drie jaar de cel in.'

'Leuke keuze,' zeg ik.

Agent Warren haalt haar schouders op. Dat klopt, lieverd, maar je hebt in elk geval een waardevolle les geleerd.

'Als ik u help,' zeg ik, 'ga ik dan vrijuit?'

'Voorlopig wel,' antwoordt Davies. 'Ik kan geen beloften doen over wat er volgende maand gebeurt als mensen geïnteresseerd raken in u of als we iets anders vinden wat u hebt gedaan waarvan we niets wisten. Misschien dat u daarom een tijdje wilt verdwijnen.'

'En stel nu – bij wijze van spreken – stel nu dat ik iets in bezit heb wat ooit van André Sustevich was?'

'Zoals?' vraagt Davies. 'Hebt u een asbak uit zijn huis meegenomen?'

'Zoiets.'

'Nou,' zegt Davies terwijl hij Warren aankijkt ter ondersteuning, 'ik denk dat we wel kunnen zeggen dat als u iemand uit Sustevichs organisatie levert, we ons niet druk zullen maken als blijkt dat de Professor bestolen is.'

Ik glimlach. 'Jullie zijn wel wreed, hoor.'

'O ja?' zegt agent Warren. 'Ik vind zelf dat we heel schappelijk zijn.'

'Waar was je vijftig jaar geleden, toen ik je het hardst nodig had?'

Ze kijkt me met samengeknepen ogen aan en schudt haar hoofd – begrijpt me niet.

'Laat maar,' zeg ik. 'Lang verhaal.'

Heb ik altijd geweten dat er een Vilnius was?

Ik had natuurlijk wel een vermoeden. En mijn angsten – of mijn hoop, afhankelijk van hoe je het bekijkt – bleken gegrond toen ik ineens de aandelenprijs van HPPR zag stijgen. Toen de aandelen HPPR van drie dollarcent naar zes dollar gingen, nog voordat ons persbericht was uitgegaan en zelfs voordat Ed Napier te horen had gekregen dat hij ze moest kopen, wist ik dat iemand die dicht bij me stond voor Sustevich werkte.

Ik veronderstel dat ik het altijd heb geweten. Het was tenslotte te toevallig dat Jess me belde op juist dat moment. Dat ze weer in mijn leven kwam precies op het moment waarop ik mijn zwendel ging lanceren. Dat ze ervoor zorgde dat ik weer verliefd op haar werd.

Zulk toeval bestaat niet. Toeval is God die fluistert dat je moet uitkijken.

46

OP ZONDAGOCHTEND PAK IK de zwarte leren attachékoffer die Elihu me heeft gegeven en loop door de lobby van het hotel naar buiten. Daar vraag ik een piccolo om een taxi voor me te regelen. Hij zet een schakelaar om onder de luifel en er begint een groen lampje te branden. Twintig seconden later stopt er een taxi voor mijn neus.

Ik stap in. '65 Cahill Street,' zeg ik. 'Het Amtrak-station.'

De taxichauffeur, een zwarte man van middelbare leeftijd, antwoordt: 'Begrepen.' Hij start de meter en rijdt weg.

Vijf minuten later komen we bij het station aan. 'Wilt u even wachten? Laat de meter maar lopen. Ik ben zo terug.'

De chauffeur knikt. Ik stap uit. Het station aan Cahill Street is een L-vormig gebouw met spoorwegen die langs de onderkant van de L lopen en een busdepot langs de verticale lijn. De buitenmuren van het gebouw bestaan uit vrolijke rode en bruine stenen, en het heeft een glanzend dak van rode klei.

Vanbinnen lijkt het station groter. Het is gebouwd in Italiaanse renaissancestijl, een groots project uit de jaren dertig van de vorige eeuw, opgezet om de werklozen aan het werk te helpen, met een wachtkamer van twee verdiepingen hoog, stenen muren en marmeren lambrisering. Boven het loket hangt een muurschildering van San José in het jaar dat het station werd gebouwd, toen de stad nog geen zuidelijk eindpunt van Silicon Valley was, maar gewoon een landelijk gelegen station, een handig vertrekpunt voor treinen die Californische pruimen en abrikozen naar de markt in het oosten vervoerden.

Ik loop over de marmeren vloer naar de zijkant van de lobby. De omroepinstallatie staat aan. Een stem – of iets wat erop lijkt – weerklinkt door de hal en kondigt het vertrek of de aankomst van een trein aan, of misschien van een bus, op spoor zeven of misschien spoor negen. Ook het omroepsysteem lijkt te dateren uit de tijd van de bouw van het station.

Helemaal achterin vind ik de bagagekluisjes. Ze zijn van het nieuwe type – zonder sleutel – waarin je je eigen driecijferige code kunt invoeren. Ik stop een briefje van vijf in de gleuf, genoeg voor vierentwintig uur. Ik lees de instructies op de binnenkant van de kluisdeur en doe een test: ik sluit de kluis terwijl hij nog leeg is en maak hem open met cijfercombinatie 911, een combinatie die ik zelf slim bedacht en gemakkelijk te onthouden vind. Ik vraag me af of Sustevich het met me eens is.

Tevreden zet ik de attachékoffer in de kluis. Ik duw het deurtje dicht en laat vijftien miljoen aan diamanten achter in de hal van een treinstation. Ik kijk niet om.

Onder de luifel van een Vietnamese noedelstand even verderop in de straat bel ik het mobiele nummer van André Sustevich. Een stem neemt op – niet die van de Professor. Ik herken hem.

'Hallo, Dmitri,' zeg ik. 'Hoe gaat-ie?'

'Ja,' zegt Dmitri. 'Goed.'

'Slecht nieuws, Dmitri,' zeg ik. 'Ik vrees dat ik toch geen drankje met je drink. Dat gif? Ik hou het te goed. De Professor in de buurt?'

'Een moment, alstublieft,' zegt Dmitri. Ik hoor een Russische woordenwisseling en gekletter wanneer de telefoon van de ene persoon aan de andere wordt doorgegeven. Even later komt de Professor aan de lijn.

'Meneer Largo. Waar bent u?'

'Ik wilde u juist hetzelfde vragen. Ik ben bij uw huis langs geweest, voor een drankje. U hebt de boel erg snel ontruimd.'

'Tijdelijk,' zegt Sustevich. 'Wat logistieke zaakjes die afgehandeld moeten worden.' Er klinken nog meer Russische stemmen op de achtergrond, en dan hoor ik snelweggeluiden – een claxon van een vrachtwagencombinatie, het geraas van autobanden op asfalt. Ook de Professor zelf klinkt anders dan ik me hem herinner: gehaast, buiten adem – alsof hij letterlijk op de vlucht is. Het laagje vernis waar ik zo aan gewend was, heeft hij klaarblijkelijk net zoals zijn bezittingen in het landhuis in Pacific Heights achtergelaten. Stuur Russische huurmoordenaars en een team FBI-agenten achter iemand aan, en zelfs de koelbloedigsten onder ons weten niet hoe snel ze moeten opwarmen.

‘Juist. Nou, luister, André. Ik heb goed nieuws. Herinner je je het geld dat ik je verschuldigd was? Ik heb het voor je. Het ligt in een kluisje in de hal van het Amtrak-station in San José. Heb je een pen?’

Rommelende geluiden. Ik zie de Professor in mijn verbeelding in het handschoenenkastje graaien en een leeg pakje Russische kauwgom opzij gooien op zoek naar een pen. ‘Ja, ga je gang.’

‘Het is het station in Cahill Street. Kluisnummer 1440. De combinatie is 911.’

‘Juist.’

‘Er zit voor vijftien miljoen dollars aan edelstenen in de koffer. Dat is drie miljoen meer dan ik je verschuldigd ben, om eventuele transactiekosten te dekken. Het wisselgeld mag je houden. Koop maar iets leuks voor Dmitri, een pashmina of oorbeschermers of zo.’

‘Dat is heel gul van u.’

‘We staan nu dus weer quitte? Zodra u de edelstenen hebt opgepikt, zijn we klaar met elkaar?’

‘Ja,’ zegt Sustevich.

‘En u valt me niet meer lastig? Mij niet én mijn zoon niet?’

‘U hebt mijn woord,’ zegt Sustevich.

‘Geen schedels in vuilnisbakken meer,’ zeg ik. ‘Geen grillige, bizarre moorden meer.’

‘Zoals u wenst.’

‘Doe de groeten aan uw jongens, vooral Dmitri.’

‘Meneer Largo, laat me nog één ding zeggen: het was mij een genoegen zaken met u te doen.’

‘Hé, professor,’ zeg ik. ‘Laat mij dit nog zeggen: “*Pa shyol na hui*”.’

‘Ah, heel goed, meneer Largo,’ zegt Sustevich. ‘Krijgt u ook de tyfus.’

47

IK TOETS HET telefoonnummer in dat agent Davies me heeft gegeven. Hij neemt meteen op.

'Het Amtrak-station aan Cahill Street in San José,' zeg ik. 'Weet u waar dat is?'

'Ja.'

'Kluis 1440. Er staat een zwarte attachékoffer in met vijftien miljoen dollar aan diamanten. Sustevich is al onderweg om hem op te halen. Hijzelf of iemand die u naar hem toe zal leiden.'

'Kluis 1440, Amtrak-station,' herhaalt agent Davies, waarschijnlijk tegen wie er ook bij hem in de kamer is.

'Degene die de kluis opent, werkt voor Sustevich,' zeg ik. 'Dat is jullie arrestatie, oké? Ben ik nu uit de problemen?'

'Leid ons naar Sustevich,' zegt Davies, 'en u gaat vrijuit.'

48

WAAROM VOEL IK MIJ gedwongen het einde te zien?

Waarom sta ik hier in de lobby van het Amtrak-station in een telefooncel en doe ik alsof ik met een vriend klets terwijl ik stiekem de lobby in de gaten houd en naar de FBI-agenten kijk, die hopeloze pogingen doen nonchalant te handelen, zich te mengen in de menigte rugzaktoeristen, daklozen, zakenlieden en Japanse toeristen?

Misschien ben ik hier om dezelfde reden dat Elihu Katz voor in de auto wilde zitten op de ochtend dat ik mijn eigen zwendel afrondde: omdat het einde altijd het leukst is, omdat ik haar gezicht wil zien.

Dus: Ben ik de verrader of de verradene?

Het telefoontje naar Sustevich, waarin ik hem vertelde dat hij vijftien miljoen dollar aan diamanten kon ophalen uit een kluis ongeveer honderd meter van waar ik nu sta, heeft een reeks gebeurtenissen in gang gezet die maar op één manier kunnen aflopen.

Sustevich is niet gek. Hij heeft nog steeds de neiging tot zelfbehoud die ervoor heeft gezorgd dat hij zich in zijn wrede wereld staande heeft weten te houden.

Hij zal vandaag niet in persoon verschijnen. Hij zal 'Vilnius' sturen, een persoon die hij vertrouwt, omdat je degene die je in je macht hebt altijd kunt vertrouwen.

Hij zal Jessica Smith sturen.

Eigenlijk hoeft het me niet te verbazen. Het klopt dat ik haar al achttien jaar ken en al net zo lang van haar hou, maar het is niet alsof we elkaar tijdens een etentje van de kerk hebben ontmoet of als vrijwilligers bij de bloedbank van het Rode Kruis. Ze was een hoertje dat ik op een regenachtige avond in Los Angeles liet komen en dat ik introduceerde in de wereld van zwendels en oplichterij. Hoeveel geld hebben we samen gestolen? Hoeveel levens hebben we verwoest?

Hoeveel mannen hebben we gebroken en geruïneerd?

Dus: Hoe kan ik er verbaasd over zijn wanneer blijkt dat de vrouw van wie ik hou me verraadt? Ze is een oplichtster. Wat had ik anders verwacht?

Ik heb het volgens mij al die tijd geweten. Hoe had ik anders kunnen verwachten dat de zwendel zou werken? Het vereiste een verrader in ons midden. Het is precies zoals je op zondag leert: Zonder Judas kan er geen verlossing zijn. Om gered te worden, moet je eerst zijn verraden.

Hoe het voor haar zal eindigen? Dat laat zich raden. In de komende minuten zal ze dit nest van FBI-agenten betreden, naar het kluisje achter in de hal lopen en de driecijferige code intoetsen op het toetsenpaneel. Zodra de deur openspringt, zal de hal tot leven komen. De zakenman in de hoek met dat verdachte oortje in, de vrouw in die dikke overjas, de Aziatische man die de krant leest – en misschien nog een paar die ik niet herken – zullen zich op haar storten en haar arresteren.

Ze zal naar een betonnen ruimte geleid worden, de eerste in een lange reeks betonnen ruimten die de komende tien jaar haar wereld zullen vormen. Daarna zullen ze met dreigementen komen en tegen haar tekeergaan, haar vervolgen en lastigvallen, totdat ze hun geeft wat ze willen: Sustevich. En daarna zal ze alsnog in de gevangenis belanden, of ze de Rus nu verraadt of niet, omdat de FBI nu eenmaal zo werkt. Wanneer er zes miljoen dollar aan een taskforce is gespendeerd, móét er een misdrijf zijn. Iemand móét gearresteerd, vervolgd en voor langere tijd achter de tralies gezet worden. Wie er opgepakt wordt, doet niet terzake. Wat belangrijk is, is dat de god van de gerechtigheid zijn offer krijgt en dat het publiek een les leert, namelijk dat misdaad nagenoeg nooit loont.

Om één uur zie ik een figuur door de hal van het Amtrak-station lopen. De verrader. De middagzon schijnt door de ramen van het atrium van het station, waardoor de figuur een donkere schaduw in het tegenlicht is, een vlek die mank loopt.

Die mank loopt.

Zodra ik Toby op zijn krukken zie hinken, ben ik even verward – het is zo onverwacht dat ik vergeet waarom ik hier ben, op wie ik hier wacht. Instinctief wil ik uit de telefooncel stappen om hem te groeten. Maar dan vallen de stukjes op hun plaats, en begrijp ik alles: dat Toby vanaf het prille begin voor Sustevich heeft gewerkt en dat de Professor zijn student nu naar dit treinstation heeft gestuurd voor een laatste opdracht.

Hoe is Toby in Sustevichs klauwen gevallen? Misschien was het precies zoals mijn zoon beweerde – domme gokschulden, zestigduizend dollar om precies te zijn. De sluwe Rus was natuurlijk blij verrast toen hij vernam wiens zoon hij in zijn greep had. Toen Sustevich ontdekte dat hij de zoon van Kip Largo, meesteroplichter, te pakken had, gebruikte hij Toby om mij te manipuleren, om een zwendel op te zetten om Ed Napier te ruïneren.

Maar misschien heeft Toby wel gelijk wat mij betreft. Misschien heb ik mijn zoon nooit genoeg lof toebedeeld. Misschien was het niet Sustevich die Toby ontdekte. Misschien was het Toby die naar Sustevich is gestapt. Misschien had mijn zoon een voorstel voor de Rus: hij zou zijn oplichtersvader manipuleren om Sustevich te helpen de Tracadero te verkrijgen. Misschien is er nooit een gokschuld geweest. Misschien was het pure, wrede ambitie – mijn zoons ambitie – om ten koste van zijn vader te scoren.

Ineens moet ik weer denken aan die avond in Las Vegas, toen ik naar de bar liep en Toby met Lauren Napier zat flirten. Die blik die hij me toewierp toen ik hem opdroeg te vertrekken. Had hij haar al die tijd geneukt? Hoelang was hij al met haar voordat ík haar had? Hoelang had hij al gepland om me te gebruiken?

Maar hoe zit het dan met dat gips en dat gebroken been? De verwonding was echt. Vormde het geweld soms ook onderdeel van de zwendel, een worstelverwonding, zoals die we samen zo vaak op de televisie hebben gezien – echt, in het belang van het drama? Welk soort man draagt misdadigers op zijn been te breken om een zwendel echt te laten lijken? Misschien de soort man die zich in het gezicht laat slaan om een zwendel echt te laten lijken. Misschien zijn Toby en ik toch niet zo verschillend.

Hoe langer ik erover nadenk – Toby's rustige, neerslachtige blikken, zijn smeekbeden om in mijn appartement te mogen blijven, zijn wil om te leren hoe zwendels werken – hoe meer bewondering ik voor mijn zoon krijg. Hij heeft het perfect gedaan. Hij is nooit een bedreiging geweest. Het vereist doorzettingsvermogen en vertrouwen om de uilskuiken te spelen. Hoe erg moet je je vader haten om hem te verraden?

Ja, ik denk dat Toby en ik toch niet zo verschillend zijn.

Hij hinkt dus naar de kluis en de diamanten. Zodra hij de kluis opent, liggen de komende tien jaar vast, alsof de betonnen gevangenismuren één voor één uit de hemel komen vallen en hem in duisternis opsluiten.

Kan ik het laten gebeuren? Kan ik hem wéér in de steek laten?

Hoeveel keren kan een man falen en beweren dat hij het slachtoffer is van omstandigheden voordat hij beseft dat omstandigheden een ander woord zijn voor de wereld waarin we leven? Ik denk aan mijn leven met Toby. De mijlpalen die de meeste vaders als normaal beschouwen, ontbreken. Het is een aaneenschakeling van teleurstelling en falen. Ik heb zijn moeder bedrogen toen hij twaalf was; ik ben hun huis uitgezet; hij moest zonder mij opgroeien; de schande van de aandelenfraude; de lange gevangenisstraf; de jaren van opsluiting in Central Valley, terwijl hij van jongen man werd.

Hoe vaak kan een man zijn zoon tekortdoen?

Ik denk aan mijn eigen vader en weet het antwoord: zolang hij leeft. Voor mijn vader was er geen verlossing, geen redding. Zijn tekortkomingen groeiden in aantal, als kwaadaardige cellen, zolang hij ademde. Zelfs in zijn dood schoot hij tekort: Hij liet niets achter en dwong me mijn studie af te breken en terug te keren naar zijn wereld van zwendels, afpersing en misdaad.

Maar hier zal het eindigen. De mislukking die ik ben geweest, die mijn vader was, die zijn vader was. De mislukking die Toby ongetwijfeld zal worden als ik toesta dat hij de deur van het kluisje opent.

De FBI moet vandaag iemand arresteren; zoveel is duidelijk. Maar het hoeft niet Toby te zijn.

En hoe graag ik ook op dat vliegtuig wil stappen, naar een warm oord wil vliegen en cocktails met rum wil drinken, het staat, zo lijkt het, niet in de sterren. Niet vandaag.

Ik trek de deur van de telefooncel open. Het glas rinkelt in het houten frame. Ik stap de hal in. Toby is twintig meter van de kluisjes verwijderd, maar vanwege zijn krukken komt hij maar langzaam vooruit. Ik ben veertig meter achter hem.

Het is een gemakkelijke race. Ik loop door de hal en zie de FBI-agenten – de Aziatische man en de vrouw met de overjas – nieuwsgierig naar me kijken. Weten ze wie ik ben? Weten ze wie Toby is? Het maakt niet uit. Kwiek vervolg ik mijn weg over de marmeren tegelvloer. Nu ben ik midden in het atrium. Ik loop te snel, waardoor iedereen naar me kijkt, maar niemand kan me tegenhouden.

Ik passeer Toby van achteren. Terwijl ik dat doe, zeg ik praktisch in zijn oor – ons laatste intieme moment: 'Doorlopen en niet omkijken'. Ik loop voor hem uit.

Ik loop rechtstreeks naar kluisje 1440 en toets 911 in op het toetsenpaneel. Ik hoor het mechanisme van het slot klikken. Ik druk de klink naar beneden. Het deurtje gaat open. Ik pak de zwarte attachékoffer eruit.

'Halt! Halt! Halt!'

Hun stemmen weergalmen door de ruime stenen hal.

Uit alle richtingen rennen ze op me af – mensen die ik nooit als FBI-agenten had herkend: twee van de dronkaards die op de banken lagen, twee Japanse toeristen en de vrouw in de ruime overjas. Ze richten hun pistool op mijn gezicht. Ik zet de attachékoffer gevuld met vijftien miljoen dollar aan diamanten voorzichtig voor mijn voeten neer en langzaam steek ik mijn handen boven mijn hoofd.

Terwijl de FBI-agenten op me af stormen, tuur ik langs hen heen. Ik zie mijn zoon koel verder door de hal lopen, richting uitgang. Steunend op zijn krukken draait hij zich heel even naar me om. Zijn gezicht is gevangen in een zonnestraal die door ramen van het atrium schijnt. Het is moeilijk om de uitdrukking op zijn gezicht te lezen. In eerste instantie denk ik dat het verbijstering is, nieuwsgierigheid misschien. Dan zie ik iets anders. Ik weet niet precies wat. Nog jaren zal ik aan die uitdrukking denken, weet ik, en proberen die te doorgronden. Wat is het? Opluchting? Dankbaarheid? En ergens achter in mijn hoofd vraag ik me af: is het afschuw?

49

IK HEB NU TIJD om over dingen na te denken.

Zeven jaar. Misschien kom ik, als het meezit, over vijf jaar vervroegd vrij. Er zijn nog andere mogelijkheden. Elihu Katz is sponsor van een van de kandidaten voor het gouverneurschap van Californië. De Democraat is een beetje een buitenbeentje, maar mocht hij winnen, zijn werk beroerd doen en na één termijn uit het ambt gezet worden, ben ik misschien een van de begunstigden van gouverneursgratie op het allerlaatste moment. Ik geef toe dat het vergezocht is, maar in mijn situatie mag je de hoop niet verliezen.

Agent Warren en agent Davies waren natuurlijk niet blij met het feit dat ik in het station aan Cahill Street kwam opdagen in plaats van Sustevich of een van zijn handlangers. Maar ze reageerden uiterst koel. Sustevich hebben ze nooit gevonden: Hij verdween gewoon en liet zijn koffer vol diamanten achter. Of de Professor behaaglijk in een zomerhuisje even buiten Moskou bivakkeert en perioden van rentabiliteit doorgrondt, of dat hij door kwade belangengroeperingen van 'Eurobet' is vermoord, is nog altijd onderwerp van enige discussie. Maar het doet eigenlijk niet terzake. De FBI-taskforce van zes miljoen dollar was een daverend succes, want die kon een grote arrestatie bekendmaken: een doorgewinterde witteboordencrimineel die aandelenprijzen manipuleerde en aandelen- en postfraude pleegde. Al mijn winst uit het plan – zo'n vijfentwintig miljoen dollar – werd geconfisqueerd en zal gebruikt worden om toekomstige witteboordenfraudeonderzoeken te financieren. Op een of andere manier ontsnapte mijn partner, Ed Napier, aan de aandacht en aan vervolging. Misschien is hij per ongeluk over het hoofd gezien. Of misschien zijn die campagnecontributies van miljoenen dollars aan beide partijen toch waardevol gebleken, zoals casinofiches die je bewaart voor je allerlaatste grote gok.

Nu we het over casinofiches hebben, Napier heeft kortgeleden de Tracadero-deal afgerond en daarbij het geld gebruikt dat ik hem heb helpen verdienen. Volgende maand begint de sloop op het oude terrein en eind 2000 zal het nieuwe casino, The Inferno, thematisch gebaseerd op het gedicht van Dante, klaar zijn. Het gerucht gaat dat de medewerkers in het rood gekleed zullen gaan, en drievorken en schoenen met speciaal ontworpen gespleten hoeven zullen dragen.

Voor wat het waard is, Napier heeft zich als een heer gedragen. Hij stuurde me een brief vol hints en bedekte toespelingen, waarin hij in wezen zei dat er een baan op me wachtte als ik vrijkwam, ervan uitgaande dat ik geen ruchtbaarheid zou geven aan wat we samen hadden uitgespookt. Zelfs zonder zijn brief zou ik niet gepraat hebben – dat gaat tegen mijn principes in; dat doe je je partner niet aan.

Bovendien heb ik Napiers geld helemaal niet nodig als ik vrijkom. Tot ontzetting van zijn familie heeft meneer Grillo een paar weken voor zijn overlijden zijn testament gewijzigd en zijn onroerend goed in Palo Alto aan mij nagelaten. De Arabier en zijn vrouw zijn naar de rechter gestapt om het testament aan te vechten. Ze beschuldigen me ervan de oude man te hebben gemanipuleerd. Hun bewijs: dat ik hem heb geholpen met zijn rekeningen. Mijn advocaat zegt dat ik, ondanks het feit dat ik een oplichter ben en wegens fraude in de gevangenis zit, toch een goede kans maak het onroerend goed te mogen houden. Als ik het ooit in handen krijg, kan ik het verkopen aan een projectontwikkelaar die er ongetwijfeld een kantorencomplex neerzet, precies op de plek waar meneer Grillo als jongeman zijn vrienden vermaakte en *highballs* serveerde. Als het allemaal goed uitpakt, kan ik op een slordige twee miljoen dollar in contanten rekenen.

Jessica Smith heeft me niet bezocht, geschreven, of gebeld. Ik heb haar een brief geschreven toen ik hier aankwam, maar ik heb tot op heden geen reactie gehad. Ik denk dat ze nog steeds kwaad is omdat ik haar heb gebruikt en omdat ik haar nooit de waarheid rond de zwendel heb verteld. Maar hoe kon ik ook? Tot het allerlaatste moment wist ik niet zeker of zij degene was die probeerde míj erin te luizen.

Dit is wat ik haar probeerde uit te leggen in mijn brief aan haar. Ik had verwacht dat ze het zou begrijpen. Per slot van rekening is ze een professional. Dit is wat we voor onze broodwinning doen. We wantrouwen, bedriegen en doen alsof.

Maar zoals ik al zei, heeft ze niet teruggeschreven. De hoop heb ik echter niet opgegeven. Elke dag en elke postronde brengen nieuwe hoop.

Ook Toby heeft geen contact met me gezocht. Ik probeer er rustig onder te blijven. Ik denk dat mijn zoon misschien wel tijd nodig heeft om uit te zoeken wat zijn gevoelens ten opzichte van mij zijn. Op een bepaald moment in het verleden moet het haat zijn geweest. Waarom anders zou hij hebben geprobeerd zijn eigen vader erin te luizen?

Maar misschien veranderen zijn gevoelens wel met de tijd. Elk jaar dat ik hier in de bak doorbreng, is een jaar dat Toby in vrijheid leeft, een jaar dat Toby met zijn eigen leven verder kan gaan, onbelast door mij of de keuzen die ik heb gemaakt.

Uiteindelijk moet het ook niet uitmaken hoe Toby over me denkt. Mijn keuze om in plaats van hem hier te zijn, is mijn eigen beloning, mijn eigen verlossing. Het zou niet moeten uitmaken of Toby dit weet of niet.

Toch?

Mijn ex-vrouw Celia is laatst op bezoek geweest. Grappig eigenlijk dat zij uiteindelijk de enige is die ik nog overheb. Ze vertelde dat ze nog steeds met Carl samenwoonde, maar dat ze aan hem twijfelt en overweegt hem te verlaten. Ze zei dat Toby is terugverhuisd naar Aspen, of nog verder richting oosten en dat hij haar af en toe belt, buiten adem en vol jongensachtig enthousiasme over een of andere nieuwe onderneming of een nieuw idee waar hij mee rondloopt: een coffeeshop waar je een boek bij de koffie krijgt en een quiz moet invullen voordat je het pand verlaat; een dansclub waar de vloer bestaat uit een reusachtig matras; een bezorgdienst voor sigaretten en bier.

Ik vroeg Celia of Toby me in zijn telefoongesprekken ooit noemt. Ze blikte even naar de tafel, dacht na en keek vervolgens weer op. ‘Ja,’ zei ze. ‘Toby houdt van je.’

En ook al wist ik dat ze loog, het was toch fijn om te horen.

Lees ook van Matthew Klein:

DE BREINCODE

ISBN 978 90 261 2249 1

Een thriller als een achtbaan: uitstappen is onmogelijk, je gaat drie keer over de kop, je hart slaat over en je komt buiten adem aan het einde!

Op een ochtend vertelt Timothy's assistent hem dat hij 24 miljoen dollar heeft verloren en dat zijn bedrijf aan de rand van de afgrond staat. Op hetzelfde moment krijgt hij een telefoontje van zijn vrouw die hem vaarwel zegt omdat ze op het punt staat om van de rotsen af te springen.

Tot op dat moment leidde Timothy Bender een comfortabel leven als belegger van andermans gelden. Zijn levensfilosofie: 'Verdienen is makkelijk, als je maar niet te hard hoeft te werken. *The trend is your friend.*'
Timothy kan niet geloven dat zijn vrouw zelfmoord heeft gepleegd. En ook de politie heeft haar twijfels, omdat er, net nu Benders bedrijf ten onder dreigt te gaan, een verzekeringspolis vrijkomt... Terwijl Timothy al zijn talenten aanspreekt om zich hier uit te redden, ontdekt hij dat zijn vrouw vlak voor haar dood flinke bedragen heeft overgemaakt naar een onbekende arts, die bezig is met een even prestigieus als gewaagd project. De enige manier voor Timothy om de waarheid te achterhalen is om zichzelf beschikbaar te stellen als proefpersoon...

Een briljante psychologische thriller met een verrassende ontknoping!